Y0-BQJ-513

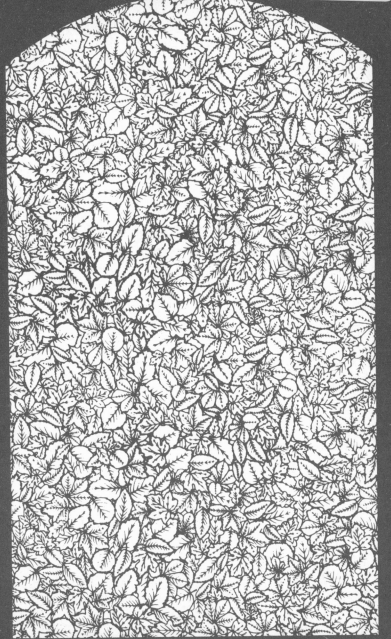

ВОЛШЕБНЫЙ · КУПИДОН

ДЖОАННА ЛИНДСЕЙ

УЗНИК МОЕГО ЖЕЛАНИЯ

Москва
«ОЛМА-ПРЕСС»
1995

ББК 84.7 США
Л 59

Johanna Lindsey

PRISONER OF MY DESIRE

1991

Перевод с английского
И. Блошенко, Т. Печурко

Художник
С. Цылов

Оформление серии художника
А. Петрова

ISBN 5-87322-270-3

Глава 1

Англия, 1152 год

Хрупкая дама невысокого роста стояла перед рыцарем. Ее светловолосая голова доходила ему лишь до плеч, широких и мощных. Рыцарь ударил даму по щеке. Если бы ее не поддерживали два оруженосца рыцаря, стоявшие за ее спиной, она бы упала. Удары посыпались на нее один за другим.

Стоя в другой части небольшого зала, за всем этим наблюдала леди Ровена Белмс. Ее крепко держали два воина. Она искусала в кровь губы, чтобы не закричать, по побелевшим щекам ручьем текли слезы. Ее не били. Сводный брат демонстрировал, что ее ждет в том случае, если она ему не покорится. А пока он проявляет терпение и не станет уродовать ее лицо синяками, что несомненно вызвало бы разговоры во время свадебной церемонии.

Что же касается мачехи, леди Анны Белмс, с ней можно было делать все что угодно. Теперь, когда отец Гилберта д'Амбрейя был мертв, а она, овдовев во второй раз, носила имя д'Амбрей, жизнь ее не стоила абсолютно ничего. Ее можно было использовать в качестве заложницы, чтобы заставить Ровену делать то, что требовалось Гилберту.

Анна повернулась и посмотрела на дочь. На ее щеках были красные ссадины — следы тяжелых кулаков Гилберта, но она не проронила ни единого звука. Ее красноречивый взгляд вызвал у Ровены еще более обильный поток слез. Всем своим видом Анна как бы говорила: «Со мной слишком часто поступали подобным образом. Ничего, не обращай внимания, дочь моя. Не давай этому псу того, что ему так хочется».

Ровена и не хотела этого делать. Лорд Гудвин Лайонз —

жених, которого Гилберт нашел для нее, — годился ей в дедушки, по правде говоря, даже в прадедушки. И ее мать только подтвердила скверные слухи об этом старом лорде, когда Гилберт потребовал, чтобы Анна убедила Ровену не противиться его воле.

— Я знаю Лайонза, он не ровня такой наследнице, как Ровена. Даже если не принимать во внимание его возраст, это человек, имя которого запятнано отвратительными скандалами. Я никогда не соглашусь, чтобы он стал мужем моей дочери.

— Он единственный человек, готовый сражаться за то, чтобы вернуть все, что принадлежит ей по праву, всю ее собственность, — настаивал Гилберт.

— Ее собственность потерял ваш отец из-за своей жадности.

— Что ж, это право каждого человека...

— Вторгаться во владения своего соседа? — оборвала его Анна, и в голосе ее прозвучало огромное презрение, которое она испытывала к своему пасынку и его жестокому отцу. — Совершать налеты, зная, что сопротивления не будет, красть женщин и принуждать их к замужеству, не дожидаясь даже, когда тела их мужей будут преданы земле! Вот такие права получили мужчины с тех пор, как королем сделали этого слабовольного Стефана.

Гилберт покраснел, но скорее всего от гнева, чем от чувства неловкости за то, что сделал Анне его отец. По правде говоря, он был дитя своего времени. Ему было всего восемь лет, когда Стефан после смерти старого короля Генри обманом завладел короной, которая должна была перейти к Матильде. Тогда королевство раскололось; часть баронов отказалась принять женщину в качестве своего правителя; другая часть оставалась верной своей клятве на верность Матильде, а теперь ее сыну Генри из Аквитании. Хьюго д'Амбрей был одним из тех баронов, которые тогда присягнули Стефану, и, убив отца Ровены, который был вассалом Генри, он не только не испытывал угрызений совести, а, наоборот, считал это дело правым. После этого он принудил вдову Вальтера Белмса выйти за него замуж и таким образом получил право управлять всеми землями Вальтера, которые Ровена, будучи единственным его ребенком, унаследовала после его смерти, а заодно и теми землями, которые были вдовьей частью наследства Анны. Ни

Анна, ни Ровена не ждали ни от кого помощи в этой несправедливости и, уж конечно, не ждали помощи от короля, который бросил свое королевство в пучину анархии.

Возможно, поначалу многие бароны и сожалели о том, что у них слабый король и страна погрязла в беззаконии, но потом многие решили воспользоваться сложившейся ситуацией для собственного обогащения.

В отличие от своего отца, который был жесток и очень злобен, Гилберт, как большинство людей своего времени, мог, если в этом была необходимость, быть вполне вежливым и почтительным. Но из-за того, что семнадцать лет он прожил в стране, охваченной анархией, его поведение ничем не отличалось от поведения других баронов.

За три года, пока Гилберт был сводным братом Ровены, он ни разу не сказал ей ни единого грубого слова, не поднял на нее руку, что его отец частенько делал в отношении леди Анны. Гилберт-рыцарь был смелым и ловким. Гилберт-мужчина был хорош собой, черноволосый, с карими глазами, взгляд которых мог привести в замешательство любого. До сегодняшнего дня Ровена ненавидела его только потому, что он был сыном своего отца. Ради собственной выгоды, из-за своих мелочных войн с соседями они опустошили принадлежавшие ей земли, они отобрали у нее с матерью все самое ценное. Они расторгли ее помолвку, заключенную отцом, не разрешая ей выходить замуж из-за своих корыстных интересов, они могли продолжать пожинать плоды труда ее подданных и могли ежегодно использовать ее вассалов в военных действиях.

Но в прошлом году Хьюго д'Амбрей необдуманно принял решение занять Дервудский замок, который находился между его владением и одним из земельных владений Ровены. Это было все равно что потревожить осиное гнездо, потому что Дервуд принадлежал одному из умелых военачальников северных графств, лорду Фалкхерсту, который не только пришел на помощь своим вассалам в Дервуде, изгнав осаждавших и заставив их отступить к своим границам, но затем принялся методично уничтожать все владения д'Амбрейя.

К сожалению, не только личная собственность Хьюго стала целью Фалкхерста, но и та, которая находилась под его опекой. И даже несмотря на то, что Хьюго два месяца назад погиб на войне, начавшейся из-за его же жадности, Фалкхерст не испытывал чувства удовлетворения.

Гилберт предложил мир, но его предложение было отвергнуто. Это разъярило его и укрепило в желании любой ценой вернуть обратно земли д'Амбрейев. И чтобы осуществить свой замысел, он решил принести в жертву Ровену. Она должна была выйти замуж за лорда Лайонза и родить от него сына. Это условие было необходимым, так как только наследник Лайонза мог сделать Гилберта полным хозяином земель и богатств Лайонза, благодаря которым он надеялся отвоевать земли, принадлежавшие ему и его сводной сестре и находившиеся в руках Фалкхерста.

Да, действительно, этот план был прекрасен. Он давал Гилберту все, к чему тот стремился, включая в перспективе сожительство с Ровеной, ибо он был почти влюблен в эту изящную златокудрую красавицу.

Желание овладеть ею охватило его в тот самый момент, когда он впервые увидел ее. Ровене тогда было всего лишь пятнадцать лет. Но его отец не допустил этого, объяснив, что, если она потеряет девственность, ценность ее резко упадет, хотя у него не было намерения выдавать ее замуж. И Гилберт был достаточно умен, чтобы понимать, что он не будет первым обладать ею. Он был готов ждать, когда вопрос о ее девственности уже не будет играть никакой роли.

Именно поэтому Гилберт хорошо с ней обращался, опасаясь, как бы она не увидела в нем жестокости — черты характера, унаследованной им от отца. Он хотел, чтобы и Ровена воспылала страстью к нему. Он так желал ее, что даже сам мог бы жениться на ней, если бы он получил от этого какую-нибудь выгоду. Но так как д'Амбрейи уже управляли ее землями, выгоды в этом не было. Он намеревался, как только она лишится девственности, овладеть ею.

Самым легким делом в этом плане будет избавиться от ее супруга, и совсем не легко будет добиться взаимности от Ровены.

Странным, на его взгляд, было то, что брак с Лайонзом явно настраивал ее против него. Он не считал таким уж большим преступлением избивать ее мать, чтобы принудить Ровену к согласию на брак. Отнюдь, он даже привык наблюдать, как его отец избивал леди Анну, и это ему не казалось чем-то необычным. Он не принял во внимание того, что Ровена все

8

эти три года находилась в замке Кимеле, а не с матерью в замке д'Амбрей и не видела ничего подобного. Она не могла спокойно относиться к таким вещам. Гилберт был уверен, что его жестокость по отношению к леди Анне не произведет на Ровену слишком сильного впечатления. Просто это было самым легким, к чему он мог прибегнуть, чтобы добиться ее согласия на брак, и потому он сразу применил силу, когда уговоры и разъяснения выгоды этого брака не помогли.

Но расчет на то, что Ровена не испытывает никаких чувств по отношению к матери, был первой ошибкой Гилберта. Вторая его ошибка заключалась в том, что он даже не взглянул на девушку с того момента, как начал избивать ее мать. Но заметив, как Анна смотрит на свою дочь, он прекрасно осознал свои ошибки. Девушка любила, очень любила свою мать. Ее огромные, как два сапфира, глаза были полны слез. Она испытывала муки, стараясь удержаться от того, чтобы не начать умолять его прекратить эту сцену. Лучше бы он одурманил ее и после церемонии заключения брака с Лайонзом уложил ее на супружеское ложе прежде, чем она пришла бы в себя. А теперь эти прекрасные синие глаза смотрели на него с таким отвращением, что он понял: его мечта так и останется мечтой, она никогда не захочет быть с ним. Что ж, пусть будет так. Он все равно овладеет ею, и очень скоро. Но мысль о том, что он совершил ошибку, привела его в ярость, и он ударил Анну кулаком по голове. Она рухнула, не произнеся ни звука.

Ровена издала стон и прошептала:

— Хватит. Больше не надо.

Он отвернулся от мачехи, подошел к сестре и остановился перед ней. Он был все еще вне себя от гнева за свою ошибку. Это было видно по его глазам и выражению лица. Он поднял голову Ровены, заставляя ее смотреть ему в глаза. Но из-за чувств, которые он испытывал к ней, рука не очень сильно сжимала подбородок девушки, он даже осторожно вытер слезы на ее щеке.

Однако вопрос он задал резким голосом:

— Вы выйдете замуж за лорда Гудвина?

— Да.

— Сделаете ли вы это искренне?

Ровена какое-то время смотрела на него отсутствующим взглядом и затем выпалила:

— Вы просите слишком многого.

— Нет. Что вам стоит улыбнуться, если это поможет ему быстрее согласиться с брачным контрактом?

— Есть сомнения относительно его согласия?

— Нет, но нельзя терять время. Фалкхерст сейчас не ведет активных действий. Но только потому, что он только что захватил Турез.

Услышав это, Ровена побледнела. Она знала, что два из ее владений в районе Дервуда были захвачены. Одно даже без боя. Но Турезский замок был самым большим из принадлежавших ее отцу. Это был укрепленный пункт. Она выросла в Турезе. Все, что она знала о любви и счастье, она узнала за его каменными стенами. А сейчас он находился в руках врага. Хотя последние три года Турез все равно был для нее чужим, и не все ли равно, чей сейчас? Она уже не надеялась, что сможет когда-нибудь вновь владеть им. Даже если лорду Гудвину удастся вновь отвоевать Турез, он будет принадлежать ей только на бумаге.

Гилберт неправильно истолковал выражение ее лица и решил успокоить ее:

— Не отчаивайтесь, Ровена. Лайонз разбогател за те двадцать лет, которые он владел Киркборо, пуская кровь из городских торговцев. Наемники, которых можно купить за его деньги, быстро разобьют Фалкхерста и вышибут его обратно на его территорию. Через месяц вы получите Турез обратно.

Ровена не ответила. Ей уже сказали, что брачный контракт был составлен в ее пользу и что ее владения, когда они будут вновь отвоеваны, будут принадлежать ей, а не ее мужу. Но сейчас, когда закон и справедливость не принимались во внимание, для нее это ничего не означало. Этот документ будет иметь смысл только в том случае, если к власти придет Генрих. Без сомнения, Лайонз задумал воспользоваться всею ее собственностью. И Гилберт, очевидно, тоже хотел вернуть ее под свой контроль. А это, по ее разумению, означало, что, если Лайонз не умрет в ближайшее время от старости и своих болезней, Гилберт поможет ему в этом. Но Гилберт хотел, чтобы она сначала родила Лайонзу ребенка. Ровена вздрогнула и, как она это делала каждый день за последние три года, помолилась о том, чтобы Генрих Аквитанский взошел на трон Англии. Ее отец был вассалом Генриха, и Ровена, ни минуты не раздумывая, присягнет ему на верность. Тогда и только тогда сможет она избежать контроля со стороны Гилберта д'Амбрейя.

Стараясь не выдать своих мыслей, Ровена спросила Гилберта:

— Означает ли это, что на этот раз мои вассалы будут приведены к присяге мне или они снова будут слишком заняты, участвуя в ваших войнах?

Его щеки чуть покраснели. Одним из подобных способов его отец игнорировал букву закона, ибо, когда владения Белмса сменили хозяина после смерти отца Ровены, девять его вассалов должны были заплатить Ровене дань за ту собственность, которая появилась у них благодаря ей. А она за эти три года так и не увидела ни одного из этих рыцарей, находясь в изоляции в одном из небольших поместий Хьюго. Каждый раз, как только она заикалась об этом, ее обманывали, говоря, что рыцари в данный момент находятся в осажденных крепостях или что боевые действия, в которых они принимают участие, в самом разгаре или еще что-нибудь в этом роде. Ее люди, возможно, думали, что ее нет в живых. Для Хьюго это был, вероятно, самый легкий путь привлечь их к себе на службу.

— Пять из ваших вассалов погибли в сражениях с Фалкхерстом, — произнес Гилберт жестким тоном, который отбивал желание задавать дальнейшие вопросы. — А жив или нет сэр Джерард, неизвестно, так как он был назначен смотрителем Туреза. Вполне вероятно, что это чудовище прикончило его так же, как и моих рыцарей. — Он замолчал и пожал плечами, давая ясно понять, что его не особенно волновала судьба Джерарда.

Слабый румянец, игравший на щеках Ровены, снова исчез. Она больше не задавала вопросов, но только потому, что боялась узнать, кто из ее рыцарей был еще жив, а кто нет. Кого она должна винить в их гибели? Фалкхерста, нанесшего смертельный удар, или Гилберта и его отца, спровоцировавших гнев Фалкхерста? Боже милостивый, когда на этой земле воцарится мир?

Она тихо попросила Гилберта, чтобы ее отпустили. Тот кивнул своим людям, и она направилась к матери. Гилберт поймал ее за руку и потянул к двери. Она попыталась вырваться, но он держал ее крепко.

— Позвольте мне подойти к ней.

— Нет. Служанки сейчас помогут ей.

— Гилберт, я не видела ее три года, — напомнила ему Ровена. Но ей следовало бы понять, что Гилберту все это было абсолютно безразлично.

— Вы сможете увидеться с ней, как только у вас появится ребенок Лайонза.

Она еще несколько раз попыталась освободиться, но безуспешно. Она больше не могла молчать и дала волю своим чувствам, прошептав с ненавистью:

— Вы отвратительны, вы даже хуже, чем ваш отец. По крайней мере, он был честен в своей жестокости!

Он еще крепче сжал ее руку. Это был единственный признак того, что ее слова задели его.

— Я руководствовался только вашими интересами...

— Лжец! Я сделаю то, что вы хотите.

Ему захотелось заключить ее в свои объятия и поцеловать так как пламя ярости вызвало у него желание овладеть ею. Но он не осмелился даже на поцелуй. Отправь он ее в постель Лайонза не девственницей, он только потеряет ее, а это положит конец его мечтаниям поживиться богатством старого лорда.

Поэтому он только произнес:

— Успокойся, мы отправимся в Киркборо сегодня. Завтра состоится церемония вашего бракосочетания.

Через час ему сообщили, что Ровена заснула.

Глава 2

Они прибыли в Киркборо в тот самый момент, когда солнце уходило за горизонт. Ворота города все еще были открыты, но вход в город контролировал сам смотритель замка. Ровена разглядывала высокие стены, освещенные багровым светом, и ей казалось, что она входит во врата ада.

Гилберт мудро решил молчать во время их двенадцатимильного путешествия, ибо Ровена могла наговорить ему все что угодно. Формально он приходился ей приемным братом и опекуном. И не было свидетелей тому, что эти права он получил незаконно. И, если бы не мать, Ровена пошла бы на все, чтобы не попасть в положение, в котором она оказалась сейчас. Ей казалось, что она в состоянии убить Гилберта.

Но выхода у нее не было, так как она знала, что ее мать

достаточно страдала в руках д'Амбрейя. К тому же она поняла, по какой причине они с матерью были разъединены. Если бы Ровена и Анна как-нибудь смогли спастись вместе, они имели бы возможность получить помощь одного из влиятельных магнатов, враждебных Стефану. Вполне вероятно Ровена вышла бы замуж, чтобы защититься от д'Амбрейя, но выбор был бы за ней.

А сейчас это уже не имело значения. Она была здесь, чтобы выйти замуж. Если только над ней не смилостивится всевышний. Как часто в своих мыслях уповала она на его помощь.

Если бы не чрезмерная любовь отца, она бы благополучно вышла замуж в возрасте четырнадцати лет, в том нежном возрасте, в котором вступают в брак большинство девушек. Ее нареченный был благородным человеком. И он не торопился с браком, ждал, пока она повзрослеет и будет способна родить ему ребенка. Ее отец не хотел искушать этого доброго лорда ее расцветающей красотой, так же как и не хотел расставаться со своей дочерью так рано.

Если бы он сам не вышел навстречу войску д'Амбрейя, он мог бы быть еще жив. Наверняка Турез находился бы в осаде, но они смогли бы бежать оттуда и уехать ко двору Генриха или к какому-нибудь другому дружественному покровителю. Если бы уважались законы, защищающие женщин, если бы только Генрих стал королем... если бы только Гилберт умер. Но было уже поздно. Она находилась во владениях Лайонза.

Поднимаясь по ступенькам лестницы, ведущей в ратушу, Ровена почти онемела от отчаяния. Ей сразу стало ясно, что Гилберт говорил правду о богатстве Лайонза. Пересекая двор, Ровена насчитала девять рыцарей, входящих в домашнюю прислугу, а в башнях и на стенах находилась масса вооруженных людей. Внутри дома она увидела еще рыцарей. На столах, накрытых к ужину, была золотая посуда, скатерти были из тончайшей материи. Даже стены, увешанные золотым и серебряным оружием, инкрустированным драгоценными камнями, свидетельствовали о богатстве своего хозяина. Многочисленные слуги, одетые в лохмотья, немытые, с трясущимися руками и пустым взглядом, были чем-то напуганы. Это ее удивило. Во дворе замка Ровена увидела трех слуг, закованных в кандалы. Одного из них, лежащего, какой-то рыцарь несколько раз сильно ударил ногой. Ровену так потрясло это зрелище, что она остановилась, и Гилберту пришлось дернуть ее за руку, чтобы она пошла дальше. Рыцарь, бивший лежащего человека, заметил ее внимание и улыбнулся ей. Ни стыда, ни раскаяния. Просто улыбнулся.

То, что без женщин мужчины могут вести себя как звери, — известный факт. Но вокруг находились женщины — жены некоторых рыцарей из обслуги дома. Очевидно, они не оказывали никакого влияния на поведение мужчин. Это ясно говорило о характере хозяина Киркборо, ибо большинство слуг во всём хорошем и плохом следуют примеру своего хозяина.

Она старалась не смотреть в сторону стола владельца замка, пытаясь оттянуть момент встречи с будущим мужем. Но Гилберт остановился, дав понять, что этот момент настал. Бросив первый взгляд на Гудвина Лайонза Киркборского, она чуть не закричала от ужаса. Гилберт удержал ее за руку, так как она невольно попыталась сделать шаг назад.

Это было хуже, чем она могла себе представить. Лайонз был не просто стар. Он был похож на труп. Лицо нездорового белого цвета глубоко изрезано морщинами, ни одного участка гладкой кожи. Оставшиеся волосы были белого цвета, среди них виднелась одна русая прядь. Сгорбленный, ростом не выше Ровены, в блестящей мантии, подбитой мехом на шее и рукавах, Лайонз выглядел нелепо.

Жених был подслеповат, так как зрачки глаз почти полностью закрывала белая пленка. Для того чтобы взглянуть на Ровену, ему пришлось приблизиться к ней почти вплотную. Гнилостный запах из его рта ошеломил Ровену, и она старалась не дышать, пока он стоял рядом. Скрюченными пальцами он ущипнул ее за щеку и захихикал, обнажая оставшиеся во рту два зуба.

Громким голосом Гилберт стал представляться. Она поняла, что старик еще к тому же почти глухой. Это было ей на руку. Ровена проглотила свою гордость и стала молить:

— Гилберт, пожалуйста, не делайте этого. Если вы должны выдать меня замуж, выберите другого, любого другого...

— Успокойтесь, — прошипел он ей в ухо. — Все решено, все обещания даны.

— Но обещания, данные без моего согласия, можно нарушить.

Нет, никто не согласится на ее просьбы. Он сделает то, что нужно ему. Ее обращение было безрезультатно. Она никогда

14

больше не будет просить милостыню ни у него, ни у какого другого мужчины. Только Бог милостив. А мужчины жадны и похотливы. Гилберт стоял очень близко от нее. Тихо, без всяких эмоций она произнесла:

— Хорошенько охраняйте свою спину, братец. Мой кинжал найдет ее. За все это я убью вас при первом же случае.

— Не говорите глупости, — ответил он, но голос его был напряжен, и он внимательно изучал ее глазами. По какому-то признаку он понял, что это были не просто слова. Он действительно поверил этому и воскликнул:

— Ровена!

Она повернулась к нему спиной и жестом подозвала слугу, чтобы тот проводил ее в комнату, которая должна быть приготовлена для нее. Если бы Гилберт или лорд Гудвин попробовали остановить ее, она бы могла им показать все, на что способна сумасшедшая. Но никто из них не попытался этого сделать. Она вышла из зала, остановилась на тускло освещенной лестнице, и в этот момент слезы хлынули из ее глаз.

Глава 3

Проснувшись, Ровена какое-то мгновение не могла понять, где находится. Она не помнила, когда заснула, но, уж конечно, это было далеко за полночь. Она почти ощущала, как ужас ледяной волной растекается по всему телу. Комната освещалась огнем камина и свечей. Прошло довольно много времени, прежде чем она стала размышлять о том, кто затопил камин и зажег свечи. И кто, а это было важно, отодвинул полог, закрывавший ее постель? Если Гилберт осмелился...

— Вы собираетесь лежать в постели до момента встречи со священником?

— Милдред? — У Ровены перехватило дыхание от удивления.

— Да, моя радость.

Ровена села и заметила служанку, сидящую на сундуке, которого здесь не было, когда она впервые вошла в эту комнату. Это был ее собственный сундук. И ее собственная служанка.

Сорокапятилетняя Милдред была ее служанкой с тех пор, как Ровена помнила себя, а до этого она служила леди Анне.

Маленького роста и абсолютно круглая, так как любила поесть, с каштановыми волосами и добрыми карими глазами. Три года назад ей разрешили сопровождать Ровену в место ее уединения. Это было единственное доброе дело, которое Хьюго д'Амбрей когда-либо сделал для нее.

— Откуда ты здесь появилась? — спросила Ровена, оглядывая комнату, чтобы убедиться, что они одни.

— Вчера, когда он пришел за вами утром, он приказал, чтобы все ваши вещи были упакованы и отправлены сюда. Его мужланы хотели оставить меня там, но я хорошенечко их вразумила.

«Надо же, насколько он был уверен, что я буду участвовать вместе с ним в этом фарсе», — с горечью подумала Ровена.

— Вчера, когда я увидела этого старика, я поняла, что он дышит на ладан. Как ты могла согласиться выйти замуж за такого?

Ровена почувствовала, что на глазах у нее вот-вот появятся слезы, но сдержала их. Однако, когда она произнесла:

— Гилберт бил мою мать. И он не прекратил бы этого, пока я не согласилась бы, — ее нижняя губа все еще дрожала.

— О, мой ягненочек, — воскликнула Милдред и, подбежав к Ровене, обняла ее. — Я знала, что он чудовище, такое же, как и его отец. Я никогда не верила его ласковым словам, когда он увивался вокруг тебя.

— Боже, прости меня, но как я его ненавижу. Он никогда обо мне не думал. Только о своей выгоде.

— Да, это совершенная правда. Они здесь готовятся к войне. Я слышала, что к следующему утру в этом замке никого не будет. Твой новый хозяин передал молодому Гилберту всех рыцарей и почти тысячу воинов. И у них достаточно золота, чтобы нанять еще тысячи людей. И скоро ты получишь все, что это чудовище с севера — Фалкхерст — похитил у тебя.

— Не у меня, — возразила Ровена. — Думаешь, Гилберт когда-нибудь откажется от моих земель? Он вернет их, а когда Лайонз умрет, вернет и меня, чтобы снова выдать замуж, если опять окажется в затруднительном положении.

— Ах вот как! — негодующе воскликнула Милдред.

— Да, поскольку он сам так решил. А пока я должна подготовиться к родам ребенка, чтобы им защитить земли Лайонза, которые в конечном итоге перейдут к Гилберту. — Ровена сдавленно усмехнулась. — Милдред, может ли такой старик зачать ребенка?

Служанка хихикнула.

— Все мужчины хотели бы так думать, но это вряд ли возможно. Вчера вечером мне тут рассказывали массу историй о том, как их хозяин пытался зачать еще одного сына взамен тех, которые погибли на войнах. За последние годы у него было четыре жены, не считая шести, которые у него были в молодости.

— И что же произошло со всеми этими женами?

— Жены, которые у него были в молодости, все умерли по той или иной причине. Но слуги уверяют, что не своей смертью. А с последними женами он развелся. Все были невинными девушками, но он утверждал обратное, убедившись, что они не могли родить ему ожидаемого сына в кратчайшие сроки. Теперь он ожидает этого от тебя, моя сладкая.

— Значит, если я не рожу ему сына, то он разведется со мной в течение этого года? Так вот почему Гилберт уверял меня, что мое замужество долго не протянется.

— Я уверена, что старый лорд не протянет даже столько. Он должен был умереть еще пять лет назад. А почему он все еще живет, так это потому, что он заключил союз с дьяволом.

— Тише, — перекрестясь, прошептала Ровена, хотя она была склонна поверить в это.

Милдред посмотрела на нее прищуренными глазами.

— Ты правда собираешься замуж за лорда Гудвина?

— Ты говоришь так, как будто у меня есть выбор.

— Да, выбор у тебя есть. Мы бы могли убить его.

Ровена нахмурилась. У нее все время то появлялась, то исчезала надежда.

— Считаешь, я не думала об этом? Но, если я таким образом разрушу планы Гилберта, он может забить мою мать до смерти. Он придет от этого в ярость, и я не хочу использовать такой шанс.

— Нет, конечно, нет, — согласилась с ней Милдред. Она одинаково сильно любила и мать и дочь и не могла допустить даже мысли о том, чтобы кто-нибудь из них пострадал. У нее оставалась надежда на то, что можно попробовать разрушить планы Гилберта по-другому, например, с помощью трав, которые она хорошо знала.

— Тогда, если это должно произойти, то пусть произойдет.

Но тебе нет необходимости делить свое ложе с этим старым развратником. Можно сделать так, что он будет не в состоянии...

Ровена отвергла это предложение, прежде чем служанка закончила говорить.

— Только кровь на простыне удовлетворит Гилберта.

— Кровь не обязательно должна быть твоей.

Ровена об этом не подумала. Ей не нужно будет страдать из-за этих скрюченных, морщинистых пальцев, этого зловонного дыхания, отвращения, которое может иссушить ее душу? «Если только...» — она внутренне содрогнулась. «Если только» никогда не приходило ей на помощь и вряд ли придет сейчас.

— Лорд Гудвин, может быть, готов к смерти, но это не означает, что он глуп. Если он забыл, как совершаются брачные отношения, не захочется ли ему повторить всю эту процедуру на следующее утро? — Она вздрогнула только от одной мысли об этом. — Мне лучше перенести весь этот ужас в темноте ночи, чем при свете дня, Милдред. Я думаю, что не смогу видеть и чувствовать, как он трогает меня.

— Ну, хорошо, моя радость. Тогда я приготовлю напиток для тебя. От него ты не заснешь, но польза его в том, что ты не почувствуешь, что с тобой происходит, и тебе будет все равно, что этот старый развратник с тобой делает.

Ровена нахмурилась. Она не была уверена, что ей хочется быть абсолютно бесчувственной в присутствии Гудвина Лайонза. В данной ситуации она и так была довольно беспомощна, а это сделает ее еще более беспомощной. Но что было лучше — не знать или просто его не видеть?

— Сколько действует твой напиток? — спросила она задумчиво.

— Несколько часов. Достаточно для того, чтобы он сделал то, что собирается.

— А если по ошибке напиток выпьет он?

— Никакого вреда это ему не причинит. Если он может, то он сделает это. Просто утром он об этом забудет.

Ровена застонала и упала на постель.

— Тогда утром мне опять придется иметь с ним дело?

— А почему должна произойти ошибка? Я оставлю зелье в комнате для новобрачных. Оно будет примешано к твоему вину. Твое вино будет уже налито в бокал, а его нет. И ты, как только войдешь в комнату, просто выпей его. Не важно, с кем ты находишься, никто не сможет упрекнуть тебя в том, что ты защитила себя от того, что тебе предстоит вынести.

— Тогда давай так и сделаем. Все что угодно лучше, чем...

Ровена замолчала, услышав стук в дверь. Но это был не Гилберт, как она ожидала. Вошли слуги, очень много слуг. Они принесли ванну и воду, поднос с хлебом и сыром на завтрак и темно-кремовое подвенечное платье. Ей сказали, что лорду Гудвину хотелось бы, чтобы она надела его, если у нее не было ничего более подходящего. Ей также сказали, вернее, она услышала, как служанки перешептывались о том, что две его последние жены тоже одевали это платье. Как экономно было с его стороны использовать платье столько раз. Это определенно указывало на то, что его мало трогали ее чувства.

Когда одна из служанок протянула ей платье, чтобы она лучше рассмотрела его, Ровена произнесла:

— А почему бы и нет? Другим его женам сильно повезло, и они смогли расстаться с ним. Может быть, оно мне тоже принесет удачу.

На мгновение воцарилась гнетущая тишина, и Ровена поняла, что ей было бы лучше хранить свои мысли при себе. В конце концов, это были его слуги. Но своей откровенностью она потрясла их. Раздался смешок, потом еще, и она поняла, что они всем сердцем были согласны с ней, ибо все они ненавидели человека, который должен был стать ее мужем.

Глава 4

Время продолжало свой бег, несмотря на отчаянную надежду, что оно может остановиться. Сразу после молебна, совершенного в шесть часов дня, состоялось бракосочетание Ровены с лордом Гудвином Лайонзом из Киркборо. Чуда, которое могло бы ее спасти, не произошло. В присутствии свидетелей с согласия и благословения мужа — ей бы хотелось надеяться, что Господь от своего благословения воздержался, — ее передали из-под опеки брата ее новому мужу, который, находясь в состоянии старческого слабоумия, проспал всю торжественную церемонию.

Было приготовлено праздничное застолье, которое должно было продлиться до самой ночи. Ровена сидела рядом со своим мужем и наблюдала, как он уплетал жидкую похлебку: из-за отсутствия зубов ничего другого он есть не мог. Но, заметив, что Ровена сама ничего не ест, он милостиво, а может, из чувства противоречия завалил ее золотое блюдо разными яствами. Она была уверена, что, если хоть что-то возьмет в рот, ее тотчас вырвет.

Гилберт был в прекрасном расположении духа. Он совершил то, чего добивался, и ничто не могло омрачить его настроение, даже ее упорное молчание, на которое он каждый раз наталкивался, когда заговаривал с ней.

Он сидел с ней рядом, по другую сторону от мужа, с аппетитом ел, с еще большим удовольствием осушал кубки с вином и без устали хвастался, как он теперь изгонит Фалкхерста из их графства или, если удастся, убьет его, что, конечно, предпочтительнее. Милдред была права. Гилберт не позволял вассалам Лайонза принять участие в торжестве от начала до конца — и по этому поводу было много откровенного недовольства, — он заставил их покидать замок группами по сто человек в течение всего этого дня. Их отправляли в его собственную крепость, чтобы они присоединились там к его армии, которая уже получила приказ на рассвете отправиться в Турез. Гилберт даже не хотел подождать, когда он сможет нанять еще воинов. Он хотел окружить Фалкхерста в Турезе, пока этому вояке не удалось улизнуть.

Ровену совсем не интересовали их разговоры о войне. Она так ненавидела Гилберта, что в душе надеялась, что Гилберту не удастся отнять у Фалкхерста Турез, хотя это и будет означать, что Турез никогда опять не будет принадлежать ей. В военном искусстве Гилберт и Фалкхерст не уступали друг другу. Она искренне надеялась, что они убьют друг друга.

Когда настало время дамам проводить Ровену в брачные покои, Ровена испытала такой ужас, что казалось, она вот-вот лишится чувств. Она была так же мертвенно бледна, как и ее супруг.

Не прозвучало, как обычно в таких случаях, никаких непристойных шуток, никто не давал неприличных советов. Ей достались лишь взгляды сочувствия и жалости. Служанки быстро справились с работой — приготовили ее к брачной ночи — и поспешно вышли из комнаты. Она осталась в одной тонкой рубашке. Никто не обмолвился о том, что ей нужно ее снять. Гудвин так подслеповат, что, может, он и не заметит, и тогда хоть что-то защитит ее кожу от его прикосновений.

Как только она осталась одна, она накинула пеньюар и быстро потушила все свечи, оставив гореть одну у ложа, которую могла загасить, находясь в постели. Затем она направилась к столу, на котором заметила бутылку вина и два кубка, из которых был наполнен только один. Но она не решалась взять кубок с вином, в котором было зелье. Ведь зелье должно было действовать лишь в течение нескольких часов. Что, если ее супруг придет не сразу? Следует ли ей немного подождать? Ей надо было бы спросить Милдред, как быстро зелье начнет действовать.

Внезапно дверь широко распахнулась и в спальню быстро вошел Гилберт. Глаза его были устремлены на ее руку, протянувшуюся к кубку.

— Не надо, оставьте это, — коротко приказал он, готовый остановить ее, если она ослушается. Он принес свою бутылку с вином и поставил ее на стол.

— Хорошо, что я решил испытать вашу покорность.

— Как еще я могу поступить, когда вы держите мою мать пленницей?

Он не обратил внимания на ее слова и бросил мрачный взгляд на кубок с вином.

— Вы намеревались отравить его?

— Нет.

Взгляд его стал еще мрачнее, когда он повернулся к ней.

— Тогда себя?

Она издала что-то наподобие смешка, почти истерического, сожалея, что у нее не хватило духа отравиться. Он схватил ее за плечи и с силой встряхнул.

— Отвечайте!

Она сбросила с плеч его руки.

— Если бы я и захотела кого-нибудь отравить, так это были бы вы! — произнесла она сквозь зубы, стараясь выразить во взгляде, который она бросила на него, переполнявшую ее ярость.

На какое-то мгновение он действительно испугался, что она может что-нибудь сделать с собой.

Он отвел от нее взгляд и сказал:

— Вы придаете этому слишком большое значение.

Она поняла, что он имеет в виду бракосочетание.

— Чем скорее вы сможете зачать ребенка, тем скорее я вас избавлю от супруга.

— Так вы намереваетесь его убить?

Он не ответил, так как они услышали, что к спальне, дверь в которую Гилберт оставил открытой, приближаются участники свадебного пира вместе с новобрачным.

— Забирайтесь в постель и ждите его. — Он подтолкнул ее к брачному ложу. — И ведите себя как подобает новобрачной.

Ровена резко повернулась к нему.

— Это вам следует ожидать его здесь, этот брак — дело ваших рук, — прошептала она с яростью. — Он так слеп, что, может быть, не заметит разницы.

Гилберт только хмыкнул.

— Мне приятно видеть, что в вас все еще есть та сила духа, которую я уже не раз замечал. Знаете ли, я лучше не стану доверять вам и возьму все это с собой.

«Все это» означало бутылку с вином и наполненный кубок, которые стояли на столе. Ровене пришлось закусить губу, чтобы не умолять его оставить ей хотя бы кубок. Но узнай он, что ей хочется, чтобы он оставил именно его, Гилберт, ни секунды не колеблясь, унес бы кубок с собой. В любом случае для нее все было потеряно.

С глухим рыданием она побежала к постели и едва успела прикрыться покрывалом, как появился новобрачный. Его несли несколько рыцарей, еще оставшихся в замке. При виде Ровены они перестали грубо шутить, а Гилберт без всяких церемоний выпроводил их из спальни, как только заметил, какими глазами они смотрели на нее. Через несколько секунд она осталась наедине со своим супругом.

Его подготовили к встрече с ней. На нем был похожий на мантию черный халат, который еще более оттенял бледность его кожи. По дороге в спальню шнур вокруг талии развязался, и он даже не пытался завязать его, а, наоборот, позволил ему упасть при первом же шаге. Ровена быстро закрыла глаза, но вид его тела остался перед ее мысленным взором — тоненькие, как палки, ножки, обтянутые кожей ребра, впалый живот и этот крошечный предмет между ног. Она слышала, что у этого предмета много названий, и все они обозначали некое грозное оружие. Но то, что открылось ее взору, не вызвало у нее никакого страха.

Она чуть не рассмеялась, но слезы были еще слишком близко, и смеха не получилось. Она стала молча молиться, чтобы вынести все это, чтобы все закончилось как можно быстрее, чтобы она не обезумела, когда он совершит над ней это.

— Ну, где же ты, моя красавица? — капризно произнес он. — Я слишком стар, чтобы играть в прятки.

— Здесь, мой господин.

Он продолжал смотреть, прищурившись, влево, и она поняла, что он не расслышал ее. Она снова повторила свои слова, почти выкрикнув их. После этого он направился в ее сторону, споткнувшись о ступеньки, ведущие к ложу.

— Ну? Ну? Чего же ты ждешь? — настойчиво спросил он тем же капризным тоном, остановившись на верхней ступеньке, но не пытаясь забраться в постель. — Разве ты не видишь, что моему воину надо помочь, прежде чем он встанет для тебя по стойке «смирно». Подойди и поиграй с ним, жена моя.

Так вот этот крошечный предмет должен быть воином? У Ровены вырвалось какое-то недоуменное восклицание, но он не слышал. Он хихикал про себя, а его глаза смотрели совсем не на нее, а куда-то за кровать, и выражение этих глаз было каким-то изумленным.

— Я бы совсем не обиделся, если бы ты, моя красавица, поцеловала его, — предложил он, все еще хихикая.

Она невольно закрыла рот ладонью, так как мысль об этом вызвала у нее приступ тошноты, и почувствовала, как комок подступает к горлу. Если бы ему удалось заметить выражение ее лица, он бы больше не смеялся. Но он был в одинаковой степени глух и слеп.

— Ну? Ну? — снова потребовал он. Он стал шарить взглядом по постели, но, даже стоя совсем рядом, он не смог отыскать ее.

— Где же ты, моя глупышка? Неужто мне надо позвать своего слугу Джона, чтобы отыскать тебя? Скоро ты с ним встретишься. Если я не смогу сделать так, чтобы ты через месяц забеременела, я поручу это Джону. Я слишком стар для таких дел. Ты у меня последняя, и так или иначе я получу от тебя сына. Что ты на это скажешь?

Что это, попытка ее шокировать? Может быть, она ослышалась?

— На это я скажу, мой господин, что вы говорите, как человек отчаявшийся, если только я вас правильно поняла. Вы отдадите меня этому слуге Джону, чтобы я зачала от него ребенка, если вы не сумеете?

— Да, я так и сделаю. Я испытываю нежные чувства к Джону. И я ничего не буду иметь против того, чтобы назвать его сына своим. И лучше уж это, чем позволить моему брату, которого я презираю больше всех на свете, завладеть всем, что мне принадлежит.

— Почему бы вам тогда не заявить, что Джон — ваш собственный сын?

— Не будь такой глупой, девочка. Никто не поверит, что он мой сын. Но никто не усомнится, что твой ребенок — мой.

Не усомнится? Этот человек был еще хуже, чем она предполагала. Она была его женой, и тем не менее он намеревался поступить с ней так, как со своими коровами и свиньями, от которых он хотел получить приплод. Если ничего не получится с Джоном, он найдет другого, вернее, даже прикажет, чтобы кто-то другой сделал это. И Гилберт, как она поняла, тоже не будет возражать, потому что он был заинтересован в таком же финале — чтобы она родила ребенка.

Боже милостивый, неужели ей придется пройти через все это? Она знала, что от него она сумеет легко отбиться — такой он был слабый, почти бесплотный. Но что будет с ее матерью, если она так сделает? И теперь он был ее мужем. А муж всевластен. Сама ее жизнь теперь зависела только от его каприза, ибо, захоти он лишить ее жизни, никто его за это не упрекнет и не накажет.

— Я предложил что-то, что тебе не нравится? — В его голосе прозвучали нотки неудовольствия. — Подойди сюда, жена, и подготовь меня. И сделай это сейчас же!

Это уже был прямой приказ, не терпящий возражений, но Ровена знала наверняка, что она упадет в обморок, если ей придется дотронуться до него.

— Я не могу, — сказала она достаточно громко, чтобы не пришлось повторять. — Если вы намерены овладеть мною — так делайте это. Я не намерена вам помогать.

Его лицо так покраснело от ярости, что Ровена поняла, что ни одна из его десяти жен никогда не осмеливалась отказать мужу. Прикажет ли он наказать ее за это? Совершенно очевидно, что сам он наказать ее не мог — он был слишком слаб.

— Ты... ты...

Больше он ничего не смог произнести. Глаза его, казалось, вылезут из орбит. Он побагровел еще больше, зашатался на ступеньке и так сильно прижал руку к груди, что Ровена подумала, как бы он не сломал ребра. Она уже готова была сказать что-нибудь примирительное, чтобы успокоить его, но не успела она это сделать, как он качнулся назад и рухнул со ступенек без единого звука.

Она подползла к краю кровати и посмотрела вниз. Он не двигался. Он лежал раскинувшись, с выпученными глазами, все еще прижимая руку к груди.

Ровена не сводила с него глаз. Мертв? Неужели ей так повезло? Где-то в горле зародился смех, но он превратился в тихий всхлип. Что теперь будет делать Гилберт? В том, что произошло, не было ее вины. Или все же была? Если бы она не отказалась... Но такую вину она могла легко оправдать, совсем не чувствуя себя виноватой. Откуда было ей знать, что незначительное неповиновение могло убить ее мужа?

Но действительно ли он был мертв? Она ни за что не дотронется до него, чтобы выяснить это. Даже теперь мысль о том, чтобы прикоснуться к нему, была ей отвратительна. Но кто-то должен это выяснить.

Она соскочила с кровати и побежала к двери, выбежала в зал — и попала прямо в объятия Гилберта.

— Ну, я так и думал, — сказал он с подчеркнутым неудовольствием. — Вы с самого начала намеревались сбежать. Но ничего не выйдет. Вы вернетесь назад и...

— Он мертв, — выпалила она.

Он больно сжал ей руку, а потом потащил назад в спальню. Сразу направившись к старику, наклонился над ним и приложил ухо к его груди. Когда он поднял на нее глаза, лицо его выражало безмерную ярость.

— Как вы это сделали?

Она отпрянула, как от удара, услышав это обвинение.

— Я его даже не касалась, и в комнате было только то вино, которое вы принесли, но он не пил его. Он даже и не был еще в постели. Он схватился за грудь и повалился на ступени у кровати.

Гилберт вновь взглянул на ее супруга. Должно быть, он поверил ей. Он запахнул черный халат на теле лорда Гудвина, поднялся и посмотрел Ровене в глаза.

После короткого размышления он сказал:

— Не выходите из этой комнаты и никого сюда не впускайте.

— Что вы собираетесь делать?

— Найти подходящую замену. Сейчас важно, чтобы вы именно этой ночью зачали ребенка. Черт бы побрал мои черные волосы, а то я мог бы сделать это сам.

Она широко открыла глаза, когда поняла значение его слов.

— Нет, я не буду...

— Нет, будете, — огрызнулся он, — если вы вообще хотите снова увидеть вашу мать живой!

Теперь обо всем было сказано прямо, обо всем, о чем она раньше только догадывалась; и она побледнела, поняв, что все будет безусловно так, как он говорит. Но какой ужас — то, что он задумал... замена!

В отчаянии она спросила:

— Как вы можете даже надеяться осуществить такой обман? Ведь мой муж мертв.

— Никому не нужно об этом знать, пока не пройдет достаточно времени, чтобы ваша беременность стала заметной. Вы останетесь в этой спальне и будете покидать ее только для совершения необходимого акта.

— С этим трупом? — Она чуть не задохнулась и сделала шаг назад.

— Нет, от тела я избавлюсь, — сказал он нетерпеливо. — Когда настанет время его хоронить, я найду другой труп, чтобы подменить этот. В любом случае его официально захоронят прежде, чем его брат узнает о его смерти, а вы уже наверняка будете вынашивать дитя, прежде чем он прибудет сюда и попытается получить то, что принадлежит ему по праву. Но он ничего не получит. И таким же было желание Гудвина.

Это было похоже на правду, но оправдывало ли это то, что намеревался сделать Гилберт? А почему бы и нет? И опять ей ничего не остается, как сидеть и ждать, пока ее тело будет принесено в жертву на алтарь обмана. Жизнь ее матери действительно зависела от ее послушания.

Глава 5

Они напали на него, когда он вышел из общественной купальни на постоялом дворе. Пятеро нападавших, одетые в кожаные короткие куртки, которые обычно носили оруженосцы. Но, скорее всего, это просто грабители. В городах, где

26

сюзерен слаб или вообще отсутствовал, царило беззаконие. В Киркборо он никогда раньше не бывал даже проездом. Возможно, в этом городе всех странников и путешественников грабили и подвергали пыткам и мучениям, если не могли от них добиться хорошего денежного выкупа. Путешествовать в одиночку или с небольшим эскортом по Англии во времена Стефана было очень рискованно.

Воистину глупо и самонадеянно было с его стороны явиться сюда всего лишь с одним оруженосцем, и только потому, что ему захотелось получше выглядеть перед встречей со своей суженой, с которой он был обручен. Вот к чему привело его тщеславие. Слишком долго он был уверен, что не зря пользовался репутацией человека, способного немедленно воздать по заслугам своим обидчикам. Такая репутация многие годы работала на него, с тех самых пор, как он решил посвятить свою жизнь делу возмездия. Но чтобы репутация сослужила добрую службу (ему-то следовало это знать), нужно, чтобы о ней знали, а в этом городе его никто не знал.

Такую неосторожность Уоррик де Шавилль не мог простить себе, так как не был человеком снисходительным, способным прощать. Город показался ему вполне мирным и хорошо управляемым. Мысли его были заняты совсем другим. Скоро он женится в третий раз, и он не хотел, чтобы его новая жена боялась его, как две предыдущие. Он питал большие надежды относительно леди Изабеллы. Ведь почти год, как только он находил время, он обхаживал ее, ища ее расположения, что было совсем на него не похоже. Ее отец сразу согласился отдать ее за него замуж и страстно желал, чтобы брак состоялся. Однако Уоррик хотел получить согласия и самой Изабеллы и без этого не желал заключать брачный контракт. Теперь такое согласие у него было, и он страстно желал, чтобы она стала его женой.

Леди Изабелла Малдуи была не только красавицей, расположения которой домогались многие; она была добра, спокойного нрава, с прекрасным чувством юмора. А юмора Уоррику как раз очень не хватало. Он хотел любви и веселья, того, чего у него не было с тех пор, как его семья была уничтожена, и в душе его поселились лишь ненависть и горечь. У него было две дочери, но обе они были легкомысленными и эгоистичными созданиями. Он их любил, но не мог долго выносить их мелочности и вздорного нрава. Ему хотелось иметь такой дом, какой у него был тогда, когда он был ребенком, дом, который будет притягивать его к себе, из которого он не захочет рваться на войну. И еще ему хотелось иметь сына.

Не так уж много он и хотел, не больше, чем любой другой мужчина. И хорошая жена могла бы все это ему дать. Такую он нашел в лице Изабеллы. Он уже испытывал к ней очень теплые чувства и надеялся, что со временем они перерастут в нечто большее, хотя, по правде говоря, он не был уверен, что все еще способен на настоящую любовь после стольких лет ненависти. Но он мог и не любить свою жену, главное, чтобы она любила его. Но теперь уже все это не имело никакого значения: ему предстояло умереть здесь сегодня вечером.

Он даже не был как следует вооружен. Одежда, мечи, доспехи остались в комнате, которую он снял и которую, наверное, сейчас Джефри приводил в порядок. Он спустился в купальню в обмотанной вокруг бедер банной простыне, имея при себе лишь кинжал.

Несмотря на то что он был почти безоружен, пятеро мужчин, окруживших его, не сразу решились вытащить свои мечи, ибо Уоррик был мужчина крупный. Ростом в шесть футов и три дюйма он был на полголовы выше самого высокого из нападавших и намного выше остальных четверых. Руки и грудь Уоррика были обнажены, и было видно, что он обладал недюжинной силой. Но дело было не только в его физической силе — у него был вид человека, готового на все. Лицо его выражало такую степень жестокости, что казалось, он готов убить кого угодно из чистой любви к убийству. А его серые глаза, цвет которых и сделал его жертвой нападения, смотрели с таким леденящим душу холодом, что, по крайней мере, один из нападавших перекрестился, прежде чем вытащить меч.

Но все-таки они обнажили свои мечи. Уоррик был напорист во всем, и этот случай не был исключением. Он зажал в руке кинжал и издал боевой клич, от которого чуть не рухнули балки. В тот же момент он сделал выпад вперед, полоснув кинжалом по лицу находившегося ближе всех к нему человека.

Скоро стало очевидным, что либо они не умели ловко обращаться со своим оружием, либо не намеревались его убивать. Ну что ж, это было их большой ошибкой. Он ранил еще одного, и только после этого его кинжал встретил сопротивление остальных мечей нападавших. Они не хотели наносить ему никаких ран, но и умирать им не хотелось тоже.

Услышав боевой клич Уоррика, с таким же, но менее оглушительным воплем присоединился к схватке Джефри. Парню было всего пятнадцать лет. Он достаточно хорошо обращался с мечом, но тело еще не развилось в полную меру, и удары, которые он наносил, были недостаточно сильными. В нем было больше желания и энтузиазма, чем силы и мастерства, да вдобавок ошибочное представление, что он может сражаться так же, как и его господин. Джефри сделал выпад, но, видя его слабое тело, никто не отступил перед ним в страхе. И не имея доспехов, которые могли бы его защитить, он тотчас получил удар мечом в живот.

Уоррик увидел на лице Джефри выражение удивления, сменившееся ужасом, когда тот осознал, что меч торчит у него в животе. Уоррик понимал, что юноше осталось жить какие-то мгновения. Джефри воспитывался при дворе Уоррика с семи лет. И только в прошлом году Уоррик взял его под свое покровительство, хотя у него было уже достаточно оруженосцев. Он полюбил мальчика за его готовность услужить. И теперь, взвыв от горя и ярости, Уоррик метнул свой кинжал в человека, который убил Джефри. Он не промахнулся: кинжал по рукоятку вонзился в горло убийцы. Уоррик тотчас же выхватил меч из рук человека, находившегося к нему ближе всех.

Однако ему не пришлось воспользоваться захваченным оружием. Рукоятка другого меча ударила его по голове, и он медленно повалился на землю.

Двое мужчин, тяжело дыша, склонились над ним. Прошло не меньше минуты, прежде чем они вложили свои мечи в ножны. Один из них слегка толкнул Уоррика ногой, чтобы убедиться, что сам он не поднимется. На его русых, еще мокрых после купанья волосах показалась кровь, но он дышал. Он был жив, а значит, все еще полезен.

— Этот человек не простолюдин, а нам велено было найти именно простолюдина, — сказал один другому. — То, как он сражался, говорит о том, что он наверняка рыцарь. Разве это было не ясно, когда он входил в купальню?

— Конечно, нет. Он был покрыт дорожной пылью. Я увидел, что на нем не было доспехов, и цвет глаз у него именно тот, который нужен, и волосы светлые. Именно это требуется лорду Гилберту. Я вообще считал, что нам повезло, когда его увидел.

— Тогда вставь ему кляп в рот, и будем надеяться, что лорд Гилберт не надумает поговорить с ним.

— Какая разница? Половина рыцарей лорда Гилберта не кто иные, как простолюдины. И нам не попался никто, у кого были бы и глаза и волосы нужного цвета. Зачем ему, однако, такой понадобился?

— Это нас не касается, мы должны делать то, что приказано. Но зачем ты нанес ему такой сильный удар? Теперь нам придется его тащить.

Другой только фыркнул в ответ:

— Уж лучше так, чем иметь с ним дело, если он придет в себя. Когда я увидел его, он мне показался таким огромным. Этот юноша, как ты думаешь, не его ли сын?

— Может быть, а это означает, что как только он придет в себя, он опять начнет сражаться. Лучше связать ему руки и ноги. Даже лорду Гилберту пришлось бы несладко, если бы он решил утихомирить такого, как этот.

Глава 6

Ровена долго смотрела на то место, где раньше лежало тело лорда Гудвина, и не заметила, как заснула, свернувшись калачиком на краешке кровати. Гилберт убрал тело и оставил ее в одиночестве, предупредив несколько раз, чтобы она никого, кроме него, не пускала в комнату.

Она с удовольствием и его бы не впускала. Если бы у нее было какое-нибудь оружие, она, может быть, даже попыталась бы его убить до того, как он принудит ее к еще более чудовищным действиям. Но оружия у нее не было. Не могла она и сбежать, ибо тогда бы поставила под угрозу жизнь своей матери. Ровена не могла даже сказать, что было хуже: бракосочетание с Лайонзом и необходимость делить с ним супружеское ложе или то, что теперь планировал для нее Гилберт. Что могло быть хуже для девушки, которой всего восемнадцать лет, чем быть в постели со старым развратником?

Она совсем не испытывала чувства жалости к покойному, хотя, может быть частично, она была виновна в его смерти. Вероятно, он убил много невинных женщин, которым выпало на долю быть его женами. Он убивал их просто потому, что они ему надоели, или потому, что ему нужно было получить еще одно приданое, чтобы пополнить свою казну. Ровена знала, что есть немало таких бесчестных мужчин, которые делали то же самое, и никто им не ставил это в вину. Но были, она знала это, и другие, благородные мужчины, подобные ее отцу.

Когда Гилберт вернулся, чтобы разбудить Ровену, было еще темно и в замке царила тишина. Ровена не могла понять, который был час, но то, что она не отдохнула ни телом, ни душой, свидетельствовало о том, что она спала недолго. Однако первые же слова Гилберта заставили ее окончательно проснуться.

— Для вас уже все готово. Моим людям повезло: они нашли то, что нужно. Меня заботили глаза и волосы: они должны быть точно того же цвета, что глаза и волосы вашего супруга. Ибо это прежде всего передастся ребенку; и мы нашли точно такие же.

Ровене показалось, что кровь закипела у нее в венах, затем стала холодной. От страха желудок свело до судорог. Так он все-таки сделал это, он нашел мужчину, которому швыряет ее, поступая так же, как поступил бы ее муж, если бы она не забеременела в скором времени. Они были одного поля ягоды — Лайонз и Гилберт, они даже мыслили одинаково. Она бы не удивилась, если бы Гилберт отыскал того самого человека, Джона, услугами которого хотел воспользоваться ее муж.

Боже милостивый, почему не кончается этот кошмар?

— Поторопитесь, — продолжал он, проворно стаскивая ее с высокой кровати. — До рассвета еще есть время, но, чтобы все получилось наверняка и семя упало в благодатную почву, вам потребуется не одно совокупление.

— Зачем вы мне все это говорите? — раздраженно спросила Ровена, пытаясь высвободиться из его рук, когда он подталкивал ее к открытой двери. — Давайте ваши гнусные инструкции этому жеребцу, которого вы нашли.

— Вы сами увидите, — только сказал он в ответ.

И она увидела, почти сразу, так как мужчину поместили в небольшой комнате, прямо напротив ее покоев. В комнате стояла кровать и два высоких подсвечника по обе стороны, и никакой другой мебели. Когда-то в этой комнате ее муж предавался разврату с женщинами из челяди, однако Ровена этого не знала. К стенам над кроватью даже были прикреплены цепи, но их не было видно за матрацем. Но эти цепи были предназначены для женщин. Гилберт беспокоился, как бы пленник не разорвал их, поэтому приказал принести и растянуть над кроватью другие, более крепкие и длинные. Они были прикреплены к запястьям и лодыжкам пленника таким образом, чтобы тот не смог пошевелить ни одним суставом, не причинив себе страшной боли.

Ровена увидела мужчину в большой банной простыне на кровати. На запястьях его рук, закинутых за голову, были закреплены железные наручники. Еще две цепи тянулись из-под банной простыни вдоль кровати и уходили вниз, под нее. Прикован! Так его пришлось приковать? И он спал — или был без сознания.

До нее легко дошла суть происходящего, и она спросила:

— А не проще ли было просто заплатить ему, чтобы он совершил этот подвиг?

Гилберт, все еще держа ее за руку, стоял рядом с ней у края кровати.

— В этом случае считалось бы, что он овладел вами. Я же, напротив, отдаю его вам, чтобы вы сделали это и не считали, что...

Он долго колебался, стараясь подобрать слово. Она подсказала ему:

— Что меня изнасиловали?

Он покраснел.

— Нет. Я просто хотел, чтобы вы сами решили этот вопрос так, как это вам удобно, в любом случае сегодня ночью вы должны лишиться невинности.

Она поняла, что он считает такой вариант контакта с мужчиной благодеянием для нее. Ей так не казалось. И еще большей ошибкой было связать этого человека и силой заставлять его принять участие в этом действе. Но Гилберт ко всему подходил однобоко и делал только то, что было выгодно ему. Если не будет ребенка, который унаследует владения Лайонза Гудвина, все перейдет к его брату, включая большую армию наемников, в помощи которых Гилберт отчаянно нуждался. В течение нескольких недель, пока он собирался скрывать факт смерти Лайонза, ее сводный брат мог бы пользоваться услугами этой армии. Но несколько недель было недостаточно для того, чтобы вернуть все, что отобрал у него Фалкхерст.

Черт бы побрал этого вояку, который был таким же отвратительным, если не хуже, чем Гилберт. Если бы не он, ей бы не пришлось испытать того, что с ней произошло. И самое главное, если бы не он, ей не пришлось бы выходить замуж.

Упомянув о ее невинности, Гилберт, должно быть, вспомнил, что она к тому же была еще и просто обычной девушкой.

— Знаете ли, гм... знаете ли вы, что нужно делать? Если нет, то я попрошу кого-нибудь помочь вам. Я бы сделал это сам, но думаю, что не смогу вынести...

Он замолчал, и она изумленно посмотрела на него.

— Вы сами считаете это отвратительным и все же заставляете меня сделать это?

— Так нужно, — ответил он, поджав губы. — Другого пути сохранить Киркборо нет.

Ей показалось, что все происходящее ему тоже не очень нравилось, и это вселило в нее надежду.

— Вам же придется лгать о смерти старика, — напомнила она ему. — Почему бы вам не солгать и о ребенке, чтобы использовать его армию столько, сколько вам нужно?

— А если в итоге не появится никакого ребенка? Нет, поместье очень богатое и город очень большой. И я не собираюсь терять это из-за вашей щепетильности. Вы поступите так, как я вам приказываю, Ровена. Я поместил этого парня рядом, чтобы никто не увидел, как вы будете приходить сюда каждую ночь. В дневное время можете отсыпаться. Я распущу слух о том, что Гудвин заболел и вы ухаживаете за ним, поскольку он в этом нуждается. Если вы хотите, с вами останется ваша служанка.

— И как долго это продлится, Гилберт?

Он сразу понял, что она имела в виду.

— До тех пор, пока вы не забеременеете. Если вы посчитаете эту процедуру отвратительной, я бы мог посоветовать вам в течение ночи воспользоваться его копьецом несколько раз. Такому здоровенному мужлану не составит труда проделать это пару-тройку раз за ночь. И для вас это все скорее закончится.

Значит, этот кошмар сегодня ночью не окончится, а будет длиться долго? И этот кошмар коснется не только ее, но и этого бедняги, у которого на несчастье оказались золотистые волосы и серые глаза.

— Вы собираетесь содержать его в таком виде все время?

— Вам не следует беспокоиться о нем, — беззаботно ответил он. — Он всего-навсего раб, и его уничтожат, когда он перестанет быть нужным.

— Раб? — С первого взгляда ей показалось, что мужчина был крупным. Она снова посмотрела на него и увидела, что ноги его касались края кровати, а голова находилась у другого края.

— Для раба он слишком большой. Что вы натворили, Гилберт? Вы похитили свободного человека.

— Нет, он может быть внебрачным ребенком какого-нибудь лорда, но не более, — убежденно произнес он. Если бы в Киркборо прибыл человек благородного происхождения, он бы представился при въезде в замок и бесплатно бы провел ночь здесь, чтобы не ночевать в городе. Даже человек более низкого положения, безземельный рыцарь, искал бы себе более подходящую компанию и пришел бы сюда. Однако он может быть и свободным человеком, но все же не очень важным. Он, вероятнее всего, пилигрим.

— Но вы собираетесь убить его?

Вопрос застал ее сводного брата врасплох, и он огрызнулся:

— Не глупите. Его невозможно оставить в живых, так как если у нас все получится с ребенком, он может предъявить права на него. Никто ему не поверит, но могут поползти слухи, за которые ухватится брат Гудвина.

Значит, если она исполнит все, что хочет Гилберт, кто-то все равно должен будет умереть. Осознание несправедливости всего происходящего вызвало у нее приступ ярости.

— Бог накажет вас, Гилберт, за вашу проклятую жадность, — разгневанно произнесла она тихим голосом, выдергивая свою руку из его руки. Еще больше ее разгневало то, что он, казалось, совершенно не осознавал предосудительности своего поведения, о чем свидетельствовало удивленное выражение его лица. Не в силах больше сдерживаться, она воскликнула:

— Прочь отсюда! Мне не нужна ваша помощь, чтобы изнасиловать этого человека. Лучше пришлите ко мне Милдред. Мне может понадобиться ее помощь, чтобы привести его в чувство. В таком виде от него мало проку.

Так говорить заставили ее гнев и отчаяние, но эти слова, которые она выкрикнула, и услышал Уоррик, так как именно в этот момент он пришел в себя. Но он продолжал лежать с закрытыми глазами, — слишком долго он был воином, чтобы не попытаться изменить ситуацию в свою пользу. Но на этот раз он ничего не выиграл, так как больше не было произнесено ни слова, а через несколько секунд он услышал, как дверь захлопнулась.

Тишина. На какое-то время его оставили в покое, но, похоже, эта злобно кричавшая женщина скоро вернется, если только ее слова... нет, он не может доверять ее словам. Женщины не насилуют. Разве это возможно, ведь это не предусмотрено самой природой. И в любом случае не может быть, чтобы она имела в виду именно его. Тогда это неумная шутка какой-то грубой бабы. Не более того. Но ведь он был совершенно один...

Он открыл глаза и увидел один лишь потолок. Комната была хорошо освещена: по обе стороны от него горели свечи, и он, не двигаясь, мог видеть их пламя. Он повернул голову, стараясь увидеть дверь, но голову пронзила нестерпимая боль. Он закрыл глаза и некоторое время лежал не двигаясь, но даже не шевелясь он понял, что находится в мягкой постели. Во рту у него был кляп. На нем не было никакой одежды — в таком виде его и схватили. Но это его не волновало. Зачем было одевать его, когда он мог сделать это сам, как только пришел бы в себя. Кровать? Все лучше, чем темница, подумал он.

И в этот момент он ощутил наручники на запястьях. Он попытался шевельнуть рукой и услышал звон цепей, а затем почувствовал, как цепь натянулась и заскрежетала на его лодыжке. Боже мой, связан по рукам и ногам, и не веревкой, а цепями!

Если им был нужен выкуп, тогда узнали бы, кто он такой, и рисковали испытать его месть, которая никогда не заставляла себя долго ждать. Воры и разбойники, конечно, хватали всех без разбора, лишь бы чем-то поживиться. Им было все равно, кого взять в плен, рыцаря или купца, леди или торговку рыбой, и если они не получали того, что хотели, расправа — вплоть до самых разных пыток — была скорой.

Однажды он сам захватил укрепленный замок барона-грабителя и содрогнулся от того, что увидел в темнице замка — тела, медленно сжимаемые тяжелыми камнями, обнаженные, с обуглившейся кожей, повешенные за большие пальцы рук, люди, с полусгоревшими ступнями, все, конечно, мертвые, так как мучители просто о них забыли, как только замок был осажден. А ведь он находился не в какой-то жалкой лачуге или охотничьем домике, даже не в гостином дворе, когда его схватили.

Каменные стены означали, что это был укрепленный замок. Значит, это знатный лорд вел себя, как мелкий воришка.

Уоррик снова открыл глаза, решив не обращать внимания на боль в голове, чтобы получше рассмотреть, что из себя представляла его мягкая тюрьма. Он приподнял голову и увидел ее, стоящую в ногах кровати, — и ему подумалось, что он уже умер, так как таким совершенным и прекрасным существом мог быть только ангел небесный.

Глава 7

Ровена все еще смотрела на дверь, которая закрылась за Гилбертом, когда услышала позвякивание цепей и оглянулась на человека, лежавшего на кровати. Глаза его все еще были закрыты, он лежал не шевелясь, но интуитивно она почувствовала, что он пришел в себя. Раньше ей не довелось рассмотреть его поближе, она видела только мужское тело, большое мужское тело. Он лежал навзничь, на спине, подушки под головой не было. Это она видела, стоя в нескольких футах от кровати. Но с такого расстояния она не могла разглядеть его как следует. Потом он приподнял голову, она увидела его глаза, и от его взгляда замерла на месте: она стояла не двигаясь, боясь даже дышать.

Его серые глаза, в которых отразилось удивление, стали серебристыми и излучающими мягкий свет. Несмотря на кляп во рту, который как бы поделил его лицо пополам, она увидела, что лицо его было красивым, с хорошо очерченными чертами и — надменным.

Что заставило ее так подумать? Его широкие скулы или орлиный нос? А может быть, квадратная челюсть, которая так выделялась из-за кляпа во рту? Должно быть, она ошибалась. Надменность — черта характера людей благородного происхождения. Крепостных за надменность секли кнутом по спине до крови.

Но этот мужлан в присутствии дамы не опустил и не отвел глаз. Ну и наглец же он, а может, все еще не мог избавиться от удивления и из-за этого забыл, кто он, и что он, и где его место. Но почему она так думает? Откуда ему знать, что она знатная

36

дама, если она в одной ночной сорочке и пеньюаре. Но нет, он мог бы догадаться, так как сорочка на ней из тончайшего льна, легкого и почти прозрачного. Ее пеньюар из очень редкого восточного бархата был подарен ей матерью в день четырнадцатилетия, и сшила его ее мать собственными руками.

Тогда, наверное, как и сказал Гилберт, он внебрачный ребенок и явно гордится этим. А какая ей разница, кто он такой? Ей следует быть безразличной — он должен был умереть. Но прежде он должен был лишить ее невинности, вернее, она сама должна была отдаться ему — о Боже! Как же это возможно? Но ведь не может она поступить иначе, когда ее мать...

Ей хотелось сесть на пол и заплакать. Она выросла в атмосфере любви и нежности, все трудности и жестокости жизни ее не касались. А теперь, когда она столкнулась с реальной жизнью, которой совсем не знала, ей было очень тяжело. Она должна была овладеть этим мужчиной, то есть, называя вещи своими именами, должна была взять его силой. Но как? Рассердившись, она сказала Гилберту, что не нуждается ни в какой помощи, но ей нужна была помощь, ибо она совсем ничего не знала о том, как женщина становится матерью.

В его глазах больше не было удивления — оно осветилось восхищением. Хорошо ли это? Ну что ж, для него же будет лучше, если он не посчитает ее отвратительной. Она, по крайней мере, была рада и этому. И, слава Богу, что он совсем не похож на ее мужа. Он был молод, хорошо сложен, даже красив, с гладкой кожей, тело у него было крепкое — нет, совсем не такой, как ее муж. Даже серый цвет его глаз и светлые волосы были другого оттенка, не такого, как у Лайонза: глаза были светлее, волосы — темнее.

У нее было очень странное чувство, что она может читать его мысли по глазам, так как ей показалось, что она сейчас увидела в них вопрос. Ему уже сказали, зачем он здесь?

Нет, похоже, что нет, ведь он был без сознания и пришел в себя только что. И не стал бы Гилберт беспокоиться, чтоб сообщить ему, ведь этому человеку предстояло лишь лежать здесь и принимать все, что бы с ним ни делали. Гилберт проинструктировал только ее, так как именно она будет делать то, что следовало делать в этой ситуации. Но в глазах его стоял вопрос...

И ответить на него предстояло ей, а она даже не могла

заверить его в том, что его отпустят, когда все будет кончено. Она опять почувствовала приступ гнева, на этот раз исключительно из жалости к нему. Он ничего не сделал, чтобы заслужить такое. Он лишь случайно попал в ловушку для осуществления чудовищных планов. Она воспользуется его семенем, а Гилберт после этого лишит его жизни. Ну нет, такого она допустить не может. Она сделает первое, она вынуждена это сделать ради своей матери, но каким-то образом ей надо помешать второму. Как-нибудь, когда придет время, она поможет ему убежать до того, как она сообщит Гилберту, что его семя уже в ее чреве, а поэтому нужды в этом человеке больше нет.

Но она не может сказать ему всего этого. Она не хочет вселять в его душу ложных надежд, а вдруг ей не удастся помочь ему? Она может лишь попытаться. А сейчас ему не надо говорить, что его ждет смерть. Зачем? Пусть думает, что его отпустят.

Опять он взглядом разговаривал с ней, и опять она понимала его. Он опустил глаза и посмотрел на кляп, потом опять поднял на нее взгляд. Он хотел, чтобы она вытащила кляп, и тогда он смог бы говорить с ней. Но этого она не сделает, ибо не уверена, что сможет вынести, когда он будет умолять ее отпустить его; тогда ее вина перед ним будет еще больше. Она и так прекрасно знала, что то, что она должна делать — плохо, но какой у нее мог быть выбор? Но слышать его мольбы — нет, этого она не вынесет.

Она отрицательно покачала головой, а он снова опустил голову на матрац и больше не смотрел на нее. Если бы она не знала ситуации, она бы подумала: ей высокомерно дают понять, что в ней больше не нуждаются, раз она отказалась выполнить его желание. Шея у него, вероятно, затекла оттого, что он долго держал голову на весу. Она обошла кровать и подошла к нему с другой стороны, так, чтобы он мог видеть ее не напрягаясь, но теперь он лежал с закрытыми глазами. Он не обращал никакого внимания на то, что она стояла рядом. Или, может быть, он не услышал, как она босиком подошла к нему.

Она остановилась; теперь она могла лучше разглядеть его. Его крупное тело заняло всю постель. Она подумала, что, наверное, он даже выше Гилберта, хотя сказать это наверняка она не могла, но совершенно очевидно, он был шире в груди.

Руки его были длинные и мускулистые. Плечи, шея и грудь тоже были хорошо развиты, а золотистая от загара кожа была гладкой, без единой морщины.

Каким бы трудом он ни зарабатывал себе на жизнь, ясно, что работал он много. Может, он дровосек. В поместье ее отца один дровосек был сильнее любого рыцаря.

Она поняла, что смотрит на него, не спуская глаз, но ничего не могла с собой поделать. Он был сильным, очень сильным, и она в душе была даже, в конце концов, благодарна Гилберту, что мужчину привязали, но потом устыдилась этой своей мысли. Но этот человек голыми руками мог в два счета разделаться с ней, и для нее же было лучше, что эти руки не могли до нее дотянуться.

— Извините, — начала она, сама удивляясь, почему она говорит шепотом, когда в комнате, кроме них, никого нет. — Будет лучше, если я не услышу, что вы можете сказать, но я могу вам рассказать, почему я здесь.

Он опять открыл глаза, слегка повернул голову так, что мог смотреть на нее. Теперь в глазах не было вопроса, ни тени любопытства. Терпение, поняла она, — вот что они выражали. Он рассчитывал получить исчерпывающие ответы на все свои вопросы, но она не была до такой степени смелой. Она сообщит ему только то, что совершенно необходимо, и не более того.

Но теперь, когда настало время приступить к объяснению, она почувствовала, как жар прилил к щекам и шее.

— Я... вы и я... мы... мы должны... мы должны...

Опять у него в глазах возник вопрос, и если бы не кляп во рту, он бы выкрикнул его. Она не могла винить его в том, что он терял терпение, но она не могла произнести этого слова. Ей было слишком стыдно. Она пыталась напомнить себе, что он был всего лишь слуга, а она всегда была доброй, но и твердой со своими слугами. Так ее учила мать. Но он не был похож ни на одного из слуг — мужчин, которыми ей доводилось повелевать. Эта надменность — ее преследовала мысль о том, что он был не просто слугой, и хотя это дела не меняло, она никак не могла от этой мысли избавиться.

И в этот момент она услышала, как кто-то скребется в двери, и она почувствовала огромное облегчение оттого, что наконец-то пришла Милдред. Она больше не думала о мужчине, лежавшем на кровати, который весь, от макушки до пяток, напрягся, ожидая, когда она доберется до сути дела в своих объяснениях. Но по тому, как она выбежала из комнаты, он понял, что объяснений не последует.

Уоррик рухнул на спину и застонал от безысходности. Будь она проклята. «Мы должны», — что?! Почему она не могла высказать этого? Но затем он заставил себя расслабиться. Он не может винить ее. Она всего лишь хрупкое существо, неземная в своей красоте, и не она же поместила его здесь.

Он не мог придумать никакой причины, по которой она приходила, если только не за тем, чтобы принести ему еду. Но он не увидел никакой пищи, оставленной для него, но, может, она поставила ее на полу. Однако она не вытащила кляп, каким же образом он должен был есть?

Одни вопросы и никаких ответов. Терпение, чего бы там от него ни хотели, скоро все прояснится, и тогда уж он обдумает, как лучше отомстить, ибо все равно, кто приказал схватить его, тот, кто был виноват в его теперешнем положении, должен будет умереть. Таков был его зарок, данный Господу Богу много лет назад, когда душа его страдала и умирала под тяжестью потерь, которые обрушились на него. Тогда он поклялся, что любой, кто когда-либо причинит ему несчастье, не избежит возмездия. И этой клятве он был верен уже в течение шестнадцати долгих лет, половину своей жизни. И этой клятве он останется верен до конца своих дней.

И опять из-за этой девчонки прервался ход его мыслей, и он не стал отгонять ее образ, ибо мысли о ней были гораздо приятнее, чем мрачные размышления. Когда он только увидел ее, воистину он принял ее за ангела с этим ореолом ее золотистых волос вокруг головы на фоне горевших свечей. В белом одеянии, с кудрями соломенного цвета, ниспадавшими до самых бедер.

На ее маленьком лице выделялись синие, как два сапфира, глаза, большие и круглые, способные очаровать, таящие тайны, скрывающие мысли, — пока он не увидел эту искру гнева. Все это вызвало в нем гораздо больше любопытства, чем причина, по которой он находился здесь. У него даже возникло нелепое желание стать защитником этого ангела, разрушить или совсем уничтожить все, что беспокоило ее. Он хотел спросить, что вызвало ее гнев. Он пытался заставить ее вытащить у него изо рта кляп. Ее отказ удивил его, потом он почувствовал раздражение, и из-за этого раздражения он повел себя как обидевшийся ребенок и даже больше не взглянул на нее. Теперь он размышлял о том, что он в это время чувствовал, и сам себе удивлялся. По правде говоря, женщина произвела на него странное впечатление.

Но он не мог долго притворяться, что не замечает ее. На самом деле ему нравилось смотреть на нее, это было приятно, а ее намерение рассказать ему о том, что ему необходимо знать, было достаточным поводом, чтобы снова посмотреть на нее. Он был еще сильнее поражен ее красотой, когда увидел ее вблизи. Ее молочного цвета кожа была безупречна, губы — сочные и манящие, и, к своей досаде, он вдруг почувствовал прилив тепла внизу живота. Он бы расхохотался, если бы не кляп.

Но затем горечь взяла свое, и он задал себе вопрос: а с чего бы это она согласилась, когда он был не более, чем пленник, и не имел при себе кошелька, чтобы одарить ее? Когда он освободится от плена, он найдет способ с ней встретиться. Когда он освободится, он сожжет это место дотла, и тогда ей понадобится другой дом. Он предложит ей свой. У него в голове мелькнула мысль о невесте, которая сейчас ждала его, но это не изменило его решения: он приведет эту женщину в свой дом.

Глава 8

— Теперь ты все знаешь, Милдред, — удрученно сказала Ровена, закончив свой ужасный рассказ о смерти мужа и о встрече с тем, кто должен был его заменить. — И на этот раз Гилберт прямо сказал мне, что, если я не зачну ребенка, он убьет мою мать.

— Да, я не сомневаюсь, что именно это он имел в виду. Он само исчадие ада, именно так. Хорошо еще, что он не изъявил желание при всем этом присутствовать. Ваш супруг так бы и сделал, если бы он отдал вас своему слуге. — Милдред вздохнула и продолжала: — Боюсь, вы должны будете пройти через это.

Ровена в отчаянии заломила руки.

— Я знаю, но — как?

Милдред сверкнула глазами, потом быстро зажмурилась и снова открыла глаза, в них появилось выражение омерзения к самой себе.

— Я так глупа, да, да, глупа. Откуда мне знать — как? Ваш супруг овладел бы вами, и вам ничего не пришлось бы делать, только лежать. А теперь вам надо будет делать все на свой страх и риск, ведь этот парень с кляпом во рту не может даже сказать вам, что делать. И он, вы говорите, лежит на спине?

— Да, на спине, и я не думаю, что он вообще может двигаться: цепи слишком натянуты.

Милдред опять вздохнула.

— Я пытаюсь представить себе все это — мне никогда не приходилось оседлать верхом мужчину, вы понимаете, это противоестественно.

— Гилберт, должно быть, думает, что это будет нетрудно, если оставил его привязанным.

— Но я не сказала, что вообще ничего нельзя сделать, — проворчала Милдред. Было видно, что ей неприятно об этом говорить.

На такую тему можно говорить с прислугой на кухне, но не с леди. Милдред покраснела, а лицо Ровены, наоборот, стало бледным. Но этот подлый д'Амбрей безусловно вернется к рассвету, чтобы воочию убедиться, что дело сделано, так что выхода не было.

— Ну да ладно, сейчас все скажу, — продолжала она. — И я буду рассказывать прямо, называя все своими именами, чтобы поскорее покончить с этим. Вы должны сесть на него верхом и сделать так, чтобы корень его мужской силы оказался у вас внутри, и после этого делать такие движения, как будто вы едете верхом. Сначала будет больно, пока не разорвется девственная плева, потом боль утихнет. Просто представьте себя верхом на своей лошади, когда вы едете легким галопом. Вы слегка подскакиваете — не надо, не краснейте, — вы, скорее всего, приспособитесь к этому методу, как только окажетесь на нем верхом. Помните одно: чтобы его корень смог произвести семя, вы должны все время делать движения вверх-вниз, если сам он этого сделать не сможет. Ничего не выйдет, если просто сидеть верхом. Как вы думаете, теперь вы сможете все это сделать? Или нужны еще пояснения?

— Нет, я — нет.

Милдред крепко обняла ее.

— Смотрите на это как на любую другую вашу работу по дому, любимая вы моя. Я бы дала вам другой — более простой совет, не будь он незнакомцем сейчас и не останься он им дальше. Но помните это: он только незнакомец и вы никогда его больше не увидите, так что он не стоит всех ваших волнений.

Но он все же приводит ее в смятение, подумала Ровена, когда отправилась назад в маленькую комнату напротив и опять щеки ее обдало жаром. Едва она открыла дверь, он устремил на нее свой взгляд и, не отрываясь, смотрел на нее, пока она подходила к кровати. На этот раз, ничего, кроме любопытства, не отразилось на его лице, и она вдруг не ощутила в себе тех бурных чувств, которые она только что испытывала.

Домашняя обязанность, как любая другая? Прекрасно, сказала она про себя. Выполним же ее.

Она не отрывала глаз от кровати, не желая смотреть на него, пока она объясняла ему эти ужасные вещи.

— Мне надо родить ребенка. И я должна немедленно зачать его. Вас выбрали, чтобы вы помогли мне, потому что у вас такие же, как у моего супруга, глаза и волосы, а ребенок должен быть похожим на него. Поэтому нам придется совокупляться этой ночью и следующей, и еще следующей, пока ваше семя не принесет плодов. Мне это нравится не больше, чем вам, но у меня нет выбора — и у вас тоже.

Он загремел цепями, но она не взглянула в его выразительные глаза. Она поспешно схватила плотную простыню, которой он был накрыт, и отшвырнула ее в конец кровати, откуда она соскользнула на пол. Она не смотрела, как падала простыня. Невольно ее глаза остановились на том, что называли корнем мужской силы. По мере того как она смотрела, глаза ее все больше округлялись. Вот, конечно, было то опасное оружие, о котором она слышала много рассказов. Вот оно лежит неподвижное в лоне золотистых кудрей.

У него из горла вырвался звук, похожий на рычание, она вздрогнула и сразу посмотрела на его лицо. Глаза у него были выразительные, очень выразительные, и теперь они обещали безжалостное возмездие, если она не замолчит. Она отшатнулась, вдруг испугавшись: так много ярости было в его взгляде.

Она такого не ожидала. Большинство мужчин нисколько бы не возражали против ее предложения. У них по всему свету были внебрачные дети, и заиметь еще одного — пустяковое дело! Таково было отношение людей благородного происхождения. Мужчины же низкого происхождения тоже не упускали возможности получить удовольствие — только они не знали, чей был ребенок — их или чей-то еще, — так как они постоянно меняли девиц, с которыми развлекались, — и только если их заставали на месте «преступления», соглашались жениться.

Не думает ли он, что ему придется на ней жениться? Или его не устраивает способ их совокупления? Милдред назвала такой способ противоестественным, может, и он так же думал. Ну что ж, она ничего не могла поделать. Вообще ничего не могла изменить в этой ситуации.

— Мне очень жаль, что вы возражаете, но это ничего не меняет, — с горечью сказала она. — Все равно я должна это сделать. Но я постараюсь побыстрее, чтобы поменьше доставлять вам беспокойства.

Он сверкнул на нее глазами так, как если бы она произнесла несусветную глупость. Она пожалела о том, что легко могла читать его мысли. Ей хотелось бы, чтобы он не усугублял ситуацию. Ну, а с какой стати должен он это делать? Должно быть, он точно так же страдает от такого дурного обращения с ним, как и она. Ну ладно, она не хочет больше на него смотреть. Она добьется того, что нужно, и дело с концом.

Итак, она решилась. Она взобралась на край кровати, но вдруг кровать тряхнуло с такой силой, что она качнулась назад, не удержалась и упала на пол. От падения у нее перехватило дыхание, она уставилась на потолок, стараясь понять, что произошло. И тут она услышала, как перестали звенеть цепи, и поняв, пришла в неистовство.

Будь же проклят! Она хотела накричать на него, но просто, не сводя с него глаз, поднялась на ноги и произнесла:

— Я все равно добьюсь своего. Вам понятно? У меня нет другого выхода!

Она опять взобралась на кровать, на этот раз готовая к тому, что он может сильно снова ударить ногами, но в действительности ей было не по себе. Он опять впал в ярость, и было страшно смотреть, с какой силой он извивался и корчился. Его тело напряглось до предела, казалось, что оно даже увеличилось в размерах. Уже вся кровать подпрыгивала и двигалась по полу. Она опять потеряла равновесие, начала валиться назад, но вовремя сумела податься вперед, в его сторону, и упала не на него, а поперек его живота. Он мгновенно замер. Она испугалась, что, может быть, причинила ему боль, быстро поднялась и посмотрела вниз, на то место, куда упала. Но его оружие выглядело так же, как раньше, и ей трудно было понять, ударила ли она его своим животом. Но она увидела, что лодыжки у него были в крови. Она посмотрела на его руки, и там тоже на запястьях выступила кровь.

При виде результатов его ярости она произнесла сквозь зубы:

— Вы неразумный человек. Зачем причинять себе боль, ведь это все равно не поможет.

Его ответом было опять рычание. Пока он был все еще недвижим, она быстро обвила ногами его бедра и, оседлав его, бросила на него торжествующий взгляд. Если он попытается взбрыкнуть на этот раз, то это только будет на пользу дела. Но он не стал делать этого. Он просто смотрел на нее полными ненависти глазами.

Никогда в жизни Уоррик не был так зол. Она собиралась похитить у него ребенка, *его* ребенка! Если ей это удастся, он убьет ее. Нет, это будет слишком быстро. Он заставит ее пройти через все муки ада. Но у нее ничего не получится. То, что она собиралась сделать, с одной стороны, вызвало у него ярость, с другой стороны, он оставался спокойным. Если не принимать во внимание торжествующий взгляд, которым она его одарила, глупая девка даже не понимала этого.

Он наблюдал, как она чуть приподняла край сорочки, обнажив теплый низ живота, и удобнее устроилась на его бедрах. Неестественность ситуации разозлила его больше, чем ее нежелание снять с себя одежду. Хочет украсть его ребенка и при этом не собирается обнажиться. Ну что ж, очень скоро она поймет, что обречена на неудачу. Поэтому, чтобы не поддаться чарам ее слишком прекрасных глаз, он зажмурился.

Он был переполнен яростью, она так и кипела в нем. Его единственным желанием было добраться до нее и избить до бесчувствия за то, что она осмелилась совершить с ним такое! Он вспомнил ее слова о том, что ей не нужно помощников для того, чтобы его изнасиловать, которые он воспринял как шутку. Только за одно это он возненавидел ее. Только за одно это он мог бы убить ее. А она еще собиралась и похитить плоть от его плоти. Одно намерение сделать это предопределило ее судьбу.

Только такая глупая шлюха могла думать, что можно изнасиловать мужчину. Не раскрывала бы она рта и просто предложила бы себя ему, она бы получила то, к чему стремилась.

Его тело немедленно отреагировало бы на подобное приглашение, как это едва не случилось, когда он просто увидел ее. А сейчас ему даже не нужно было бороться с собой, чтобы воспротивиться ее намерению, так как его ослепляющая ярость помогала ему не возбуждаться и не проявлять интереса к ее теплому телу.

Она не просто сидела на нем в ожидании чуда. Он чувствовал прикосновение ее рук, правда, другие женщины так его никогда не ласкали. Но когда он понял, что она пытается ввести его мягкую плоть внутрь своего тела, он от удивления открыл глаза. Она с закрытыми глазами, прикусив нижнюю губу, пыталась сконцентрироваться на своем занятии. Он вздрогнул, когда она оцарапала его ногтями, но понял, что она даже не заметила этого.

Ему было интересно, как долго она будет пытаться совершить невозможное. Надолго ее не хватило. Всхлипнув от отчаяния, она, наконец, не глядя ему в глаза, покинула свое место и почти бегом бросилась из комнаты.

Уоррик почувствовал такое глубокое удовлетворение, что ему захотелось закричать от этого. Так легко расстроить ее планы без всякого усилия с его стороны. Он победил, а она проиграла.

Но она вернулась.

Он не думал, что она это сделает. Лицо ее в этот раз пылало и выражало такую решимость, что у него появились первые признаки обеспокоенности, и он был прав. Она медленно скинула с плеч пеньюар, и он соскользнул на пол. Когда она взялась рукой за подол сорочки, он плотно зажмурил глаза.

Ее тихий голос произнес:

— Вы можете сопротивляться мне, сэр, но у меня есть глубокое убеждение, что вам это не принесет никакой пользы. — Даже если бы он мог, он бы ей не ответил, но ему очень захотелось перерезать глотку тому, кто вдохновил ее попробовать еще раз. Он напряженно прислушивался. Легкое прикосновение ее маленькой руки к его груди подтвердило, что она была рядом.

— Вы должны осознать, что я девственница.

Этого он не мог знать, но ее слова произвели на него желаемый эффект, даже несмотря на то, что он ей не поверил. Такой же эффект произвела ее рука, медленно скользнувшая с его груди к животу. Он ожидал, что его ярость отвлечет его, но, вопреки его желанию, он чувствовал некоторое смятение от звуков ее голоса.

— В своем неведении я даже и не знала, что вы были не готовы ко встрече со мной, что необходимо вас как-то к этому подвести. Я даже не знала, что эта ваша мягкая плоть должна увеличиться и стать такой же твердой, как и все остальные ваши мышцы. — Произнеся это, она дотронулась до этого места. — Мне трудно поверить в это, но он уже большой. И все же Милдред уверяет, что это не так. Мне очень хочется самой увидеть это странное превращение.

Знала ли она, что ее слова на него действовали так же, как и ее прикосновения? Будь она проклята на вечные времена вместе со своими советниками! На его лбу выступил пот. Он не поддастся этому соблазну.

— Я должна целовать и ласкать вас везде, даже там. Милдред сказала, что только мертвый не отреагирует на это.

Но он начал реагировать. Его мозг кричал от ярости, но плоть оказалась самым худшим из предателей и действовала самостоятельно, зачарованная ее ласками. Он попытался разорвать оковы, затем, обезумев, попробовал сбросить ее руку. Его поведение не возымело на нее никакого действия, и она продолжала стоять рядом с кроватью, крепко сжимая в руке его плоть. Он затих, поняв, что все его движения только помогали ей.

— Я не поверила бы, если бы не увидела этого, — выдохнула она.

В ее голосе послышался благоговейный трепет. Теперь она начала ласкать его, и эта никчемная штука стремилась подчиниться не ему, а ей. Она не могла понять, что его плоть еще не достигла окончательной величины и что он все еще продолжал сопротивляться каждой клеточкой своего существа.

— Я полагаю, что мне не нужно теперь целовать вас.

Неужели в ее голосе послышалось разочарование? О Боже, он больше этого не вынесет. То, что ему казалось невероятным, свершилось. Продолжи она, она бы могла получить все, что хотела. А у него не было надежды на то, что она не продолжит. Когда она взобралась на кровать, он снова стал дергаться, но она обхватила его бедра и придавила их к кровати.

Теперь, когда она обняла его, он почувствовал ее обнаженное тело и прикосновение груди к коже. Все это непроизвольно помогало ей, увеличивая приток крови к его предательской плоти. Поэтому он снова затих в надежде, что он был недостаточно твердым, чтобы войти в нее, и моля Бога о том, чтобы она действительно оказалась девственницей, которая не поймет, в чем дело, и снова потерпит неудачу.

Она передвинулась немного вперед, продолжая крепко обнимать его на тот случай, если он снова попытается сбросить ее. От нарастающего возбуждения Уоррик застонал. Наконец, она удобно уселась на нем. Корень его мужской силы теперь был достаточно твердым, и ей оставалось только направить его в нужную сторону.

Жар, обжигающий жар и влага. Почему она не может быть сухой? Почему она не может...?

Ее вскрик пронзил его, как копье, даже несмотря на то, что он знал его причину. Она все еще пыталась сделать так, чтобы он полностью вошел в нее, но этому препятствовала девственная плева. Делала она это очень осторожно и, кроме боли, ничего не испытывала. Это доставляло ему животную радость. Значит, она все-таки была девственницей и боль заставит ее отказаться от ее намерений.

Если он пошевелится, он несомненно поможет ей. Поэтому он замер. И все же она была такой маленькой и такой изящной, что у него появилось почти непреодолимое желание войти в нее как можно глубже. Он быстро подавил в себе это чувство. Он не мог контролировать этого предателя, но он все еще мог управлять остальным телом.

Услышав еще один более громкий вскрик, он открыл глаза, чтобы насладиться ее болью. По ее гладким щекам текли слезы. В ее голубых глазах отражалась эта боль. Но он забыл, что ее тело было обнажено.

Она была миниатюрной женщиной, но с очень хорошо развитыми формами: полной грудью и тонкой талией. Ее раздвинутые над ним бедра, ее колышущиеся от легкого дыхания груди, ощущение того, что он находится внутри нее... Это была не его заслуга. Он даже не шевельнулся. Да ему и не нужно было делать этого. От прихлынувшей крови фаллос, запульсировав, достиг своей полной величины и прошел сквозь ее плеву без всяких усилий. Когда это произошло, она вскрикнула и под тяжестью своего тела поглотила его полностью в своем чреве. Уоррик сжал зубами находившийся во рту кляп. Мышцы его напряглись, но он оставался недвижим. Теперь он пытался стать импотентом, подавляя в себе мощные инстинкты своего тела. Это была пытка. Никогда в жизни он не боролся так сильно со своим желанием.

Она шевельнулась на нем, сначала нерешительно и неуклюже. Ей все еще было больно, она продолжала плакать, но все же была полна решимости. Ее учащенное дыхание и распустившиеся волосы, которые касались его тела, еще больше усиливали его возбуждение и ужесточали пытку. И он точно осознал, когда проиграл сражение. В последний раз он попробовал сбросить ее с себя, вызвав боль в запястьях, но она это предвидела, предвидела и крепко прижалась к нему. После этого ему стало все безразлично. Животный инстинкт заставил его бездумно совершать двигательные движения, которые, как взрыв, с невероятным облегчением высвободили его семя.

Черт бы ее побрал, будь она проклята!

Глава 9

— Я рада, что это были вы.

Уоррик никогда не забудет этих слов и никогда не простит их. Они все время приходили ему на память в течение всех последующих дней, когда он лежал, прикованный к этой кровати.

Когда все было окончено, она рухнула на его грудь, орошая ее слезами. Ровена не испытала никакого удовольствия от их совокупления, но получила то, что хотела. Прежде чем покинуть его, она дотронулась до его щеки и прошептала:

— Я рада, что это были вы, — отчего его ярость удесятерилась.

После ее ухода появилась служанка, чтобы обработать его раны. Пожилая женщина зацокала языком, увидев, что он с собой сделал. На его голове она обнаружила покрытый спекшейся кровью синяк и тоже обработала его. Он разрешил ей это сделать. Опустошенный своей неудачей, он безразлично относился к тому, что с ним делали. Он также не испытал никаких чувств, когда значительно позже появился Гилберт и с выражением странной смеси удовлетворения и ярости принялся разглядывать все еще влажные следы крови и семени, оставшиеся у него в нижней части живота.

— Она говорит, что ты сопротивлялся ей. Это хорошо, а то

я думал, что мне придется убить тебя за то, что ты получил от нее.

Сказав это, он повернулся и вышел. После этого Уоррик его больше не видел. Но эти несколько произнесенных им слов дали Уоррику массу информации. Теперь он знал, что живым ему отсюда не выбраться. Им не нужен был выкуп. Единственное, что им было нужно, — это ребенок, которого он, может быть, уже зачал. Он также понял, что этот человек завидует ему и для него будет удовольствием убить Уоррика, когда тот ему больше не понадобится. И все же ему было безразлично, что произойдет на следующий день, и вообще все, что с ним случится. Его даже не унижало то, что Милдред кормила его, подмывала его и помогала ему облегчиться прямо в кровати. Он даже не пытался заговорить с ней, когда во время кормления у него вынимали изо рта кляп. Им почти полностью овладела апатия, пока опять не появилась эта девка.

Только тогда он понял, что, должно быть, опять наступила ночь, ибо в маленькой комнате, в которой он находился, не было окон и он не мог следить за ходом времени. С ее появлением он вновь оживился. Ярость, которую он испытывал, доводила его почти до сумасшествия. От резких попыток освободиться повязки сдвинулись и стальные браслеты еще глубже впились в незажившую кожу.

Но в эту вторую ночь она была терпеливой и не пыталась дотронуться до него, пока он сам не довел себя до изнеможения. И пока он не был почти полностью готов к встрече с ней, она не подходила к кровати.

В течение этой второй ночи она навестила его трижды, так же как и на следующую ночь, будя его, если это было необходимо. Волей-неволей каждый последующий раз занимал у них все больше времени. Его тело почти пресытилось, но все же ее это не останавливало. Он полностью зависел от ее милости. Во время ласк, которыми она возбуждала его, она полностью изучила его тело, но особенно ее интересовало то, что находилось у него между ног.

Ее завораживал вид его мужских достоинств. Она наклонялась к ним, дышала на них, но все же ни разу не сделала того, что обещала в первую ночь, — в этом не было необходимости. Но уже одна только мысль о том, что она могла это сделать, действовала на него так, как будто она это действительно сделала. И он ничего не мог изменить, чтобы предотвратить все это, он не мог остановить ее, не мог остановить ее взглядом или заставить испытать страх. Она пользовалась им, она иссушала его и не испытывала при этом ни малейших угрызений совести. И у нее абсолютно отсутствовала жалость.

О Боже, как он хотел отомстить ей. Весь третий день он думал только об этом. Он представлял, что бы он с ней сделал, если бы она попала к нему в руки. И подумать только, когда он впервые увидел ее, он действительно хотел оказать ей свое покровительство. Ну что ж, он сделает это, предоставив ей свою темницу. Но сначала он должен отплатить ей ее же монетой. Хотя нет, сначала нужно сбежать отсюда.

— Как ее зовут?

Впервые нарушив молчание, он обратился к Милдред с этим вопросом во время очередного кормления. Та внимательно посмотрела на него.

— Я думаю, это ни к чему. Вам не надо знать ее имени.

— Хозяйка, мои люди найдут меня, и если ты хочешь остаться в живых, когда я не оставлю камня на камне от этого места, то тебе лучше помогать мне.

У нее хватило нахальства фыркнуть в ответ на его слова:

— Когда вас поймали, вы были один.

— Ну, нет, я был со своим оруженосцем Джефри. Они его убили. Ты что, не знала об этом?

В его голосе послышались такие леденящие нотки, что она испугалась его, несмотря на то что он был крепко связан. Затем ей стало весело, и она с усмешкой спросила:

— А разве вы рыцарь? Сюда должны были привести крепостного. Думаете, что эти люди не понимают разницы?

Он не стал разубеждать ее.

— Мои люди были посланы вперед. И я должен был встретиться с ними на следующее утро. Ты что, думаешь, они так просто уедут без меня?

— Мне кажется, сэр, что вы рассказываете красивую сказочку. Но для чего вы это делаете? — спросила она.

— Освободи меня.

— Ловко, — она усмехнулась. — Я не буду врать. Если бы у меня даже был ключ от этих оков, я бы не воспользовалась им. По крайней мере до тех пор, пока моя госпожа не получит от вас то, что ей нужно.

Она не стала ему говорить, что Ровена уже просила ее

разыскать ключ. Но до сих пор ей не везло, и она не хотела преждевременно вселять в него надежду.

Из-за того, что он вел себя беспокойно, на кормление в этот раз ушло больше времени, поэтому красные следы от кляпа побледнели. Она обратила на это внимание, когда склонилась над ним, чтобы перевязать кляп. Увидев его без этих бросающихся в глаза отметин, она похолодела.

— Боже милостивый, у вас очень жестокий вид, — произнесла она скорее для себя, чем для него. — Раньше я такого не видела.

Уоррик знал это. Именно грозный вид приводил в трепет его жен и заставлял бояться врагов. И именно поэтому эта проклятая шлюха должна держаться от него подальше. Все его черные мысли можно было прочесть в его выразительных глазах и догадаться о них по горькой складке в углу редко улыбавшихся губ. Выражение его лица сделалось еще более угрюмым, так как он понял, что она не станет помогать ему.

— Будет хорошо, если ты запомнишь... — Она закрыла ему рот кляпом, не дав возможности договорить, и с негодованием произнесла:

— Ничего хорошего не получится, сэр, если вы будете запугивать меня. Я выполняю приказания своей госпожи, а не ваши. Не удивительно, что каждую ночь она уходит от вас обиженной. Для вас не составило большого труда обходиться с ней нежно, так как у нее нет никакого выбора, кроме как приходить сюда. Так нет же, у вас в душе одна жестокость.

Услышав эти сказанные ею на прощание слова, он впал в неописуемую ярость. Он что, должен был жалеть женщину, которая постоянно насиловала его? Он что, должен был сочувствовать ей, когда ее целью было похитить у него ребенка?

Она говорит, что рада, что ей на милость был отдан он, а не кто-нибудь другой. И почему это так? Чему она радуется? Другие женщины боялись его. Его жены... такие робкие, слабые создания. Они так и не смогли побороть свой страх перед ним, хотя он никогда не давал им повода думать, что может быть жестоким по отношению к ним. И так было с тех пор, как ему исполнилось шестнадцать лет и он лишился семьи и дома. Именно в тот трагический год в нем произошел перелом. Изменился его характер и даже внешность. Тот мрак, который поселился в его душе, отразился и на его лице.

С тех пор на его ложе никогда не было женщин, которые

первоначально не испытывали страха перед ним. Обе его жены давно умерли. А были они с ним в те времена, когда он жил и дышал мщением, когда каждая его мысль была только о разрушениях и убийствах, так же как и сейчас.

И чему она радовалась? Тому, что он был крепко связан и не мог дотронуться до нее? Потому что знала, что его не будет в живых, прежде чем с него снимут цепи, и поэтому ей совсем не нужно бояться его? Существовала вполне реальная перспектива того, что его зарежут прямо здесь, в постели, лишив его возможности защищаться, без малейшего шанса на отмщение. Смерти он не боялся. Бывали времена, когда он даже заигрывал с ней, когда его жизнь была пуста и ничтожна, и ему просто было все равно, жив он или нет. С тех пор не многое изменилось. Но сейчас ему представилась возможность заключить выгодный брак с леди Изабеллой. И он не хотел упускать этот шанс. Однако еще больше он сожалел о том, что ему не удастся отомстить этим людям за то зло, которое они причинили ему. Об этом он жалел гораздо больше, чем о возможной смерти.

К великому удивлению Уоррика, на следующий день Милдред появилась не с едой, а ворохом одежды и ключом от его оков, и, если ее словам можно было верить, она пришла по приказанию своей госпожи.

— Очень хорошо, сэр, что я нашла ключ. Моя госпожа хочет, чтобы вы ушли. И сделать это нужно сейчас, пока ее брат занимается вербовкой наемников в городе. — Все это она сказала ему, вынимая из его рта кляп. — Я постараюсь убедить его, что ваше семя попало на благодатную почву. Но это не означает, что он не попытается вновь поймать вас.

— Брат? — Уоррик вспомнил того человека и его зависть. — Я уверен, что он ей не родной брат.

— Нет, нет, между ними нет кровного родства, слава Божьей Матери, — сказала она, глядя на него и одновременно, чтобы не терять времени, открывая наручники.

— А если мое семя не попало на благодатную почву? Кто-нибудь другой займет мое место в этой проклятой постели?

— А это не должно вас волновать, сэр.

— Тогда скажи мне, зачем нужен ребенок. И именно мой ребенок? По крайней мере, я имею право знать это.

Милдред удивилась, считая, что Ровена должна была это ему сказать, но только пожала плечами.

— Ну, для чего же еще? Чтобы сохранить это владение. Она обвенчалась со старым лордом Киркборо, но он в тот же день умер. В тот самый день, когда захватили вас. Зачатый от вас ребенок будет объявлен наследником лорда.

Значит, здесь замешана алчность. Ему следовало это знать. А Киркборо, действительно, большое владение. В нем был даже город. Он видел хорошо укрепленную крепость, но должен был держаться от нее подальше, так как не хотел встречаться с ее владельцем, чтобы не объяснять ему причину своего присутствия в этой местности. Его эскорт, состоявший из тридцати человек, мог бы послужить причиной тревоги. Поэтому он выслал своих людей вперед. А единственное, что ему было нужно, так это койка и вода, чтобы вымыться, которые можно было найти на любом постоялом дворе. Жадная женщина, решившая любой ценой сохранить все, за что она выходила замуж, в его расчеты не входила.

Когда последняя цепь с громким стуком упала на пол, Милдред отошла в сторону, чтобы он не смог до нее дотянуться. Уоррик осторожно опустил руки. Три дня они были закреплены в неудобном положении, и сейчас все суставы ныли. От резкой боли он сжал зубы. Отсутствие кляпа во рту тоже показалось ему необычным. Но он не стал ждать, пока утихнет боль, и потянулся к принесенной одежде.

Рубашка была сшита из самого плохого материала, который ему когда-либо доводилось видеть, и более подходила самому жалкому рабу. К тому же от нее исходило ужасное зловоние. Но, по крайней мере, она была впору, хотя и чуть коротковата. Такими же были груботкание, потертые и побитые молью лосины, не доставлявшие ему до лодыжек. Башмаки были матерчатыми и по крайней мере смогли растянуться до его размера. Вместо ремня служила узкая полоска кожи.

Он ничего не сказал об этих унизительных для него тряпках.

Он думал только об одном.

— Где она?

— Нет. — Милдред попятилась к двери. — Если вы попробуете причинить ей зло, я подниму тревогу.

— Мне бы хотелось просто поговорить с ней.

— Вы говорите неправду, сэр. Я вижу это по вашим глазам. Она приказала мне помочь вам скрыться отсюда, потому что она не хочет, чтобы ваша смерть была на ее совести, но она не хочет вас больше видеть. Если вы вернетесь, то лорд Гилберт убьет вас. Поэтому уходите и спасайте свою жизнь.

Какое-то время он стоял, глядя на нее. Желание добраться до этой шлюхи, которая, возможно, уже вынашивает его ребенка, боролось в нем со стремлением побыстрее оказаться на свободе. И он не знал, с каким количеством людей ему придется драться, если Милдред позовет на помощь. Это решило дело.

— Хорошо, но мне понадобится мой меч, мой конь...

— Вы что, сумасшедший? — прошипела она. — Уходите так, как есть, чтобы не привлечь к себе внимания. Люди, которые вас захватили, давно отделались от вашего имущества, можете не сомневаться в этом. Теперь идите. Я проведу вас через боковые ворота. У нас очень мало времени.

Он последовал за ней, стараясь запомнить все, что видел, пока она выводила его из замка через внутренний двор. Он чуть не решился остаться, когда увидел, сколь мало людей охраняло замок. Оборонительные сооружения были крепки, но защищать их было некому.

Не удивительно, что ее брат отправился на вербовку воинов. Киркборо можно захватить в один день, и Уоррик менее чем через неделю вернется сюда, чтобы осуществить это.

Глава 10

— Дело сделано.

— Я знаю, — безучастно произнесла Ровена, отворачиваясь от окна. — Я смотрела, пока он не исчез за лесом.

— Мне как-то не по себе от всего этого, — сказала с беспокойством Милдред. — Нам нужно было бы подождать.

— Нет. Гилберт уже сказал, что он не уйдет отсюда, пока не будет уверен, что я зачала ребенка. Он намеревается поручить осаду Туреза своим рыцарям, так как в ближайшие недели никаких изменений ситуации не предвидится и он там не нужен. Ведь только сегодня он впервые за все это время покинул замок. Другого такого случая может и не представиться. И он ни с кого не спускает глаз, чтобы быть уверенным, что никто из слуг сюда тайком не заглядывает. И ты думаешь, он не заметил бы, как этот здоровенный мужик уходит отсюда? И замок запирают на крепкие запоры, а у всех дверей караулят его люди. Ты же знаешь, Милдред, это был самый подходящий момент, чтобы выпустить отсюда этого человека.

— Но нет уверенности, что он больше не потребуется, — напомнила ей прямо Милдред.

Дрожь пробежала по телу Ровены, хотя в комнате было не холодно. — Я... я не смогла бы повторить это, даже если бы он все еще был здесь. Я сказала тебе об этом вчера вечером. Только бы не начинать сначала.

— Да, моя козочка, я знаю, что это было нелегко...

— Нелегко? — перебила ее Ровена и резко рассмеялась. — Это был грех, такой грех! И я не могу больше совершать грехи только для того, чтобы предотвратить другой грех. Сначала я вынуждена была это сделать, чтобы показать Гилберту, что я делаю так, как он требует. Но после того как я убедила его не приходить, убедила, что его присутствие причиняет беспокойство этому мужчине, что мои усилия могут оказаться безрезультатными, мне не нужно было возвращаться туда. Но я таки вернулась. Я все еще целиком подчинялась Гилберту. Если б только я остановилась и подумала...

— Ну почему вы вините себя? — спросила Милдред. — Вы ведь даже не испытали никакого удовольствия, тогда как он испытал.

— Нет, и он тоже нет. Какое удовольствие он мог получить от того, что было ему ненавистно? Милдред, он каждый раз мне сопротивлялся. Несмотря на то что это сопротивление было сопряжено для него с физической болью. Ему это было отвратительно, я была ему отвратительна, и он делал все, чтобы я поняла это. Эти глаза... — Она опять содрогнулась. — Я не смогла бы вернуться туда опять. Я не смогла бы принуждать его, даже если бы от этого зависела моя собственная жизнь.

— Но если ваш план сорвется?

— Не сорвется. Он должен сработать. Гилберт не узнает, что он сбежал. Он будет думать, что я по-прежнему прихожу к этому человеку каждую ночь. А когда я буду знать, зачала я или нет, я скажу ему, что сама отпустила этого мужчину. Он не накажет меня за это, он не будет рисковать ребенком. А жив или мертв этот человек, большой роли в его плане не играет. Он сам говорил, что никто не поверит какому-то простолюдину, предъяви он свои права на ребенка. Это как раз менее всего меня беспокоит.

— Я не очень уверена, что он простолюдин, — с беспокойством заметила Милдред.

— Ты тоже обратила внимание на его высокомерие?

— Он заявил, что, когда его схватили, с ним был оруженосец, которого убили.

— Боже милосердный, еще одна причина, чтобы он презирал меня, — вздохнула Ровена. — Значит, он был незаконнорожденным рыцарем. Ты думаешь, он признается кому-либо в том, что с ним здесь делали?

— Нет, никогда, — ответила Милдред без тени сомнения.

— Тогда нам нечего беспокоиться, что он начнет распространять слухи... если будет ребенок. Но будет ребенок или его не будет, я скажу Гилберту, что он будет. Тогда он отправится сражаться с этим злосчастным Фалкхерстом — и пусть они уничтожат друг друга. А как только он уедет отсюда, мы сбежим.

У меня еще остались мои наряды, они стоят почти целое состояние, и здесь, в городе, мы сможем получить за них хорошие деньги. Мы наймем своих собственных людей, возьмем мою мать из замка Амбрей, пока Гилберт будет занят в Турезе, и отправимся во Францию, ко двору короля Генри.

— Лорду Гилберту будет неприятно потерять Киркборо, да еще и вас.

— Думаешь, меня это трогает? — сердито ответила Ровена. — После всего, что он сделал, я желаю ему, чтобы он никогда больше не испытывал радости, — продолжила она с горечью.

Позднее, в этот же день, пожелание Ровены, кажется, в какой-то степени исполнилось. Гилберт вскоре вернулся из города. Там он нашел лишь троих, которых, по его мнению, стоило нанимать, и еще четверых, которых можно было обучить. Не успел он вернуться, как пришла депеша, вызвавшая в нем приступ ярости. Ровене, которая сидела за шитьем у камина, доставило удовольствие наблюдать все это.

Ей было дозволено спускаться в Большой зал ежедневно на несколько часов, чтобы люди привыкали к ней, и чтобы она могла заверить любого, кто поинтересуется здоровьем лорда Гудвина, что он поправляется, но все еще не настолько здоров, чтобы покинуть свою спальню. Гилберт считал, что это необходимо, так же как и необходимо то, чтобы все думали, что Лайонз не настолько серьезно болен, чтобы не смочь выполнить своих супружеских обязанностей по отношению к молодой жене. Когда настанет нужный момент, Гилберт просто сообщит, что лорд, вновь серьезно заболев, умер.

И вот теперь Ровена наблюдала, как ее сводный брат багровел от гнева, как он изрыгал проклятия, разогнав из зала почти всех слуг. Сначала она подумала, что он каким-то образом обнаружил, что пленник сбежал. Но такое могло произойти, если только этот человек самым глупым образом позволил себя поймать, ибо Гилберт не поднимался наверх с той ночи, как все это началось.

Однако стоило ему заметить в зале Ровену, как гнев его понемногу стих. Он смотрел на нее задумчиво... возможно, слишком задумчиво; казалось, он весь был поглощен своими мыслями... и подсчетами. Она затаила дыхание, когда он приблизился к ней, вдруг ужасно испугавшись, что ее опять собираются принудить к какому-то новому злодеянию. Но когда она услышала, что он ей сказал, она чуть не рассмеялась. И рассмеялась бы, если бы не подумала, что он может ударить ее за это.

— Я не знаю, как он обнаружил, что Киркборо теперь уже мой. Фалкхерсту стало известно, что я здесь. Пусть он будет проклят Богом за свое упрямство.

— Мне показалось, вы сказали, что он в Турезе.

— Он там был. Но его, должно быть, предупредили, что мои войска были на подходе, и ему удалось уйти оттуда еще до осады. И, должно быть, он набрал другую армию, ибо он направляется сюда, имея под своими знаменами с изображением дракона около пяти сотен человек.

— Если он набрал еще одну армию, почему он немедленно не направил ее в Турез, чтобы там разгромить вашу армию.

— Не будьте дурочкой, Ровена, — раздраженно ответил Гилберт. — Замок в Турезе был самой надежной крепостью вашего отца. Вы знаете, как он укреплен. И малочисленный гарнизон, который Фалкхерст оставил в Турезе, сможет удерживать замок не одну неделю. Ему незачем спешить возвращаться в Турез, особенно теперь, когда он узнал, что я здесь всего лишь с горсткой людей. Доведись ему схватить меня, он сможет диктовать условия и тогда я потеряю свою армию.

— Или он может убить вас.

Он бросил на нее свирепый взгляд, но ей доставляло удовольствие видеть, как кровь отхлынула у него от лица и он стал бледен.

— Вы уверены, что это он? — спросила она. — Турез в двух днях похода к северу отсюда.

— Трудно не узнать его знамена, особенно этого проклятого огнедышащего красного дракона на черном фоне, стоящего на задних лапах. Это он, и он будет у стен крепости менее чем через час, поэтому я должен сейчас же уехать.

— А я?

— Независимо от того, буду я здесь или нет, он захватит этот замок. Он знает, что замок принадлежит мне, и он поклялся отнимать все мое за то, что мы вторглись на его территорию в Дервуде. Будь он проклят. Почему он не мог удовлетвориться смертью моего отца?

Так как это было сказано не ей, она и не попыталась ответить. Ей тем не менее была непонятна такая страшная мстительность. Но ее не встревожило и то, что лорд Фалкхерст был на пути сюда и что Гилберт намеревался оставить ее лицом к лицу с ним. Ее устраивало все, что могло помешать Гилберту и его омерзительным планам.

— Ты сама с ним договоришься, — продолжал он. — Он не причинит тебе зла. В прошлом году он захватил в плен еще одну из моих подопечных, леди Эвис, и он только заставил ее присягнуть на верность ему. Если он потребует того же, не отказывайся, ибо это не будет иметь никакого значения. Через три дня я вернусь сюда со своей армией и разобью его. Пожалуй, лучше это сделать здесь, чем в Турезской крепости, ибо Киркборо можно легко окружить. И сейчас у меня людей в три раза больше, чем у него. Не бойся, Ровена, очень скоро ты опять будешь под моей защитой.

При этих словах он обхватил ее и поцеловал, и поцелуй его совсем не был похож на братский. Она была поражена и в то же время испытала отвращение. До этого самого момента ей и в голову не приходило, что она для него желанна.

Глава 11

Только после того, как Гилберт ушел, Ровена поняла, что и она и ее мать, наконец, избавлены от его жестокости, так как теперь его занимали другие дела. Он был так поглощен своими новыми планами, в которых основное место занимал Фалкхерст и возможность его победить, что совершенно забыл о человеке, которому полагалось находиться наверху, в цепях. Оставайся он все еще там, Ровене пришлось бы немало потрудиться, чтобы как-то объяснить его присутствие захватчикам.

К счастью, сейчас ей не надо об этом беспокоиться. Никакого внимания она не обратила и на распоряжения Гилберта, поскольку она сама намеревалась покинуть замок сразу же после него. Но тут-то и обнаружилось, что ее презренный брат взял с собой всех до единого всадников и всех коней.

Тогда ей пришла в голову мысль отправиться в город и спрятаться там, оставив замок открытым, чтобы одни только слуги приветствовали армию Фалкхерста. Но Фалкхерст был человеком мести, и целью его было завоевывать и покорять: такой, как он, мог сжечь город дотла, чтобы отыскать Гилберта или молодую леди Киркборо. Ничего не получится, если она найдет убежище в лесу. Без лошади, без денег она не сможет спасти свою мать раньше, чем Гилберт обнаружит ее замысел.

На этот раз она была вынуждена следовать распоряжениям Гилберта, так как ничего другого ей не оставалось. Но она не собирается выдвигать какие-либо требования. Она подождет и посмотрит, какие условия будут предложены, и поступит соответственно. О том, что крепость совершенно беззащитна, нельзя было догадаться. Решетка крепостных ворот была опущена, ворота закрыты. Снаружи Киркборо выглядел внушительной крепостью. Ровена не сомневалась, что она добьется от командующего наступавшей армии благоприятных условий и для себя, и для слуг.

И уж коль скоро она встретит Фалкхерста и распознает его слабые стороны, может быть, она сможет обратиться к нему за помощью. Если он не хуже Гилберта, она предложит ему взять опеку над ней. Конечно, он уже захватил три ее владения и, похоже, не собирался их возвращать. Она даже не упомянет их. У нее есть другие, находящиеся пока еще в ведении Гилберта. Однако Фалкхерст намерен захватить все, что принадлежит Гилберту. Боже милосердный, у нее действительно нет ничего, что она могла бы предложить в качестве сделки... Хотя нет, она могла бы помочь Фалкхерсту. Она знает планы Гилберта, может предупредить о его возвращении. Но поверит ли ей этот вояка?

Милдред изъявила желание отправиться с Ровеной в помещение у ворот замка, но Ровена убедила ее остаться в зале и сделать все возможное, чтобы успокоить слуг. Она взяла с собой четверых слуг-мужчин, так как у нее не хватило бы сил самой поднять решетку ворот. Но она опоздала. Армия Фалкхерста уже прибыла и находилась на расстоянии полета стрелы от крепости. Вид этого войска, состоявшего из пятисот хорошо вооруженных и готовых к боевым действиям воинов и около пятидесяти рыцарей-всадников, вызвал панику у слуг.

Их единственным желанием было убежать и спрятаться, и она не могла их винить, ибо чувствовала такой же страх. Однако она не могла допустить этого, и, несмотря на страх, ее тон оставался холодным и спокойным, когда она разъяснила, что если они не останутся и не помогут ей, они умрут: либо их убьют враги, как только разобьют ворота и откроют их, либо это сделает она сама. Слуги остались, но съежились от страха, держась подальше от бойниц.

Ровена смотрела на то, что происходит за стенами крепости, заставляя себя успокоиться. Так много рыцарей. Этого она не ожидала. И красный огнедышащий дракон; было хорошо видно, как он развевался на нескольких знаменах, а у многих рыцарей изображением дракона были украшены попоны их боевых коней. Да, это действительно армия Фалкхерста, хотя она и не могла сказать, который из всадников был именно он.

Прошло совсем немного времени, и от скученного войска отделился один всадник и направился к воротам. На нем не было тяжелой кольчуги, значит, это был не рыцарь. По крайней мере, сорок человек из оруженосцев тоже были верхом, но не на боевых конях. Тот, кто направился к воротам, был одним из них.

Он закричал громким, возбужденным голосом. Ровена отчетливо слышала каждое слово, она просто не верила своим ушам. Никаких условий, никаких заверений. Полная капитуляция, в противном случае полное уничтожение. Ей дается десять минут, чтобы принять решение.

Решать было нечего. Даже если это был шантаж, в чем она сомневалась, ей некому было сказать о своем решении, ибо те мужчины, которых она привела с собой, не стали ждать, чтоб услышать его. Они, без ее приказа, ринулись поднимать решетки, и остановить их она не могла. Единственное, что она теперь могла сделать, — это спуститься во двор замка и ждать, когда войдет войско.

Рыцари вошли в крепость с обнаженными мечами, но во дворе замка не осталось ни единой души, кроме Ровены, которая стояла на нижней ступени замка. Казалось, они не удивились тому, что увидели. И те воины, которых послали осмотреть стены, быстро, без особой предусмотрительности и осторожности справились с этим, не опасаясь, что встретятся с каким-либо сопротивлением.

Туда, где находилась Ровена, подошло и все остальное войско, во главе которого были трое рыцарей. По дорогим доспехам и богатому убранству их лошадей можно было решить, что они лорды. Они спешились, и один из них, самый высокий, медленно приблизился к Ровене. Подойдя, он вложил меч в ножны. Все это время он не спускал глаз с Ровены, она не могла как следует рассмотреть его глаза, так как шлем у него был низко спущен на лоб.

Лучи солнца, светившие Ровене в глаза, зажигали в ее светлых косах золотистые искорки, ее матовая кожа казалась совсем белой. Ей трудно было разглядеть подошедшего рыцаря, хотя он почти склонился над ней. Единственное, что она могла сказать о нем, — так это то, что он был огромен и находился в полном боевом вооружении. Даже подшлемник, защищавший затылок, был застегнут на подбородке; а шлем с широким забралом был низко надвинут, — все это скрывало черты его лица, видна была только жесткая линия губ, похожая на глубокую рану.

Она открыла рот, чтобы произнести приветствие, но он так крепко схватил ее за плечи, что ей показалось, что у нее затрещали кости, и вместо приветствия она только захрипела. От боли она зажмурилась, но ее снова с силой тряхнули, чтобы она открыла глаза.

— Твое имя?

В голосе его было столько же холода, сколько жесткости в линии рта. Ровена не знала, что о нем подумать. Он должен был понять по ее платью, что она была леди, однако он обращался с ней, как с крепостной, и это ее очень испугало.

— Ле... леди Ровена Лайонз, — едва выдавила она.

— Больше не леди. С этого момента ты моя пленница.

Ровена ощутила огромную радость. По крайней мере, он не собирался изрубить ее мечом прямо здесь, на ступенях. И быть пленницей не так уж плохо, и потом — это временно. Многих людей благородного происхождения брали в плен и держали взаперти, их держали в хороших помещениях и даже обращались с ними учтиво, в соответствии с их статусом. Но что он имел в виду, сказав «больше не леди».

Он все еще крепко держал ее, чего-то ожидая. Чего же? Когда она начнет оспаривать его намерение превратить ее в пленницу? Ну уж нет, она ему перечить не станет. Судя по тому, что она уже увидела и услышала, он был хуже Гилберта, но что можно ожидать от человека, который готов захватить несколько миль за отнятый у него какой-нибудь жалкий дюйм.

Под его пристальным взглядом она начала терять мужество, но боялась поднять глаза, чтобы он не заметил ее состояние. Он повернулся назад, все еще крепко сжимая ее за плечи, и практически швырнул ее прямо на кольчугу одного из мужчин, который только что подошел и стоял позади него.

— Отведите пленницу в Фалкхерст и поместите в темнице. Если ее там не окажется, когда я прибуду, то вам не поздоровится.

Мужчина позади ее побледнел. Ровена этого не видела. Она сама была мертвенно-бледной и почти теряла сознание от этих зловещих слов.

— Почему?! — воскликнула она, но Фалкхерст уже отвернулся и направился в замок.

Глава 12

Милдред нашла его в той самой спальне, в которую она последние несколько дней боялась заходить. После последнего предрассветного визита Ровены в эту комнату высокие свечи сгорели дотла, но он нашел новую и закрепил ее на металлическом стержне подсвечника. Его люди грабили замок, забирая все, что им хотелось. Она не могла понять, что ему понадобилось в этой комнате.

С первого взгляда было видно, что в ней, кроме кровати, ничего не было.

Она не решалась заговорить, так как он стоял, устремив взгляд на постель. Он был высокого роста, а его широкие плечи напомнили ей о...

— Что тебе надо?

Она вздрогнула, он не оборачивался и не мог ее видеть — ведь она стояла в дверях и к тому же не издала ни единого звука. Не оборачиваясь, он нагнулся и вытащил из-под кровати длинные цепи. Она с изумлением увидела, как он медленно обернул ими свою шею, наподобие ожерелья. Концы цепей, свисавших с плеча, доходили ему до груди. Она вздрогнула, решив, что он собирается кого-нибудь в них заковать.

— Отвечай!

На этот раз она вздрогнула и, заикаясь, стала говорить:

— Мне... мне сказали, что вы — лорд Фалкхерст.

— Ну и?

— Пожалуйста, скажите, что вы сделали с моей госпожой. Она не вернулась...

— И не вернется. Никогда.

Он обернулся, говоря это последнее слово, и Милдред отступила на шаг назад.

— Боже милостивый, неужели это вы?

Уголок его рта угрожающе изогнулся.

— А почему бы и нет?

Милдред захотелось убежать, но, представив свою нежную Ровену в руках этого человека, она с трудом сдержала слезы и решила молить его о пощаде своей госпожи.

— Боже, не делайте ей ничего плохого! — в ужасе выкрикнула она. — У нее не было выбора...

— Замолчи! — прорычал он. — Думаешь, я должен простить ее за то, что она со мной сделала? Мне наплевать на ее оправдания. Клянусь, никому не удастся сделать мне плохо, не заплатив за это в десять раз больше.

— Но она же леди!..

— То, что она женщина, сохранит ей жизнь! Но не более. Ты тоже ничего не сможешь изменить. И не заступайся за нее, а то тебя может постигнуть такая же участь.

Милдред прикусила язык, на ее глаза навернулись слезы. Он знал, что она все еще стоит в дверях. Вероятно, он был обязан ей, но, если она еще раз заступится за эту белокурую суку, то он, без всякого сомнения, тоже отправит ее в свою тюрьму. Он не предупреждал дважды.

Уоррик прошел в расположенную напротив комнату. Гораздо большего размера с дорогой, правда, немногочисленной мебелью, она вполне подходила для благородного человека.

Трудно было определить, кому она принадлежала. Но Уоррик догадывался об этом. Он резко откинул крышку единственного в комнате сундука, и обилие богатой одежды в нем подтвердило его догадку.

И все же он спросил:

— Это ее?

Милдред почувствовала, как слова застряли у нее в горле.

— Да.

— Может пригодиться моим дочерям.

Он произнес это таким безразличным голосом, что страх у Милдред пропал, уступив место нарастающему гневу, хотя она была достаточно умна, чтобы не показать этого.

— Это все, что у нее осталось.

Он обернулся, чтобы посмотреть на нее. Его полные злобы серые глаза были более выразительными, чем его голос.

— Ну нет. У нее осталась кожа на спине и те тряпки, которые я подберу для нее. Хотя я и не забываю, что мне дали гораздо меньше.

Что это, равнодушие? Вероятно, нет, подумалось ей. Это просто еще один из способов отомстить, говоря так об одежде. Но, скорее всего, это мелочи по сравнению с тем, что он задумал. Трудно было что-нибудь придумать, чтобы помочь Ровене, если он не хотел слышать о том, что она была такой же жертвой, как и он. Очевидно, доводы Милдред для такого человека ничего не значили, ибо он был не каким-то там холопом или незнатным рыцарем, а самым настоящим лордом из знатного рода. И нельзя просто так сотворить с лордом то, что они с ним сделали, и надеяться остаться в живых, чтобы потом раззвонить кругом об этом.

Ее опять охватил сильный страх, но не за себя.

— Вы собираетесь ее убить?

— Нет, мне хотелось бы продлить удовольствие, — холодно произнес он. — Я не убью ее. Она моя пленница. Я никогда не освобожу ее за выкуп, и она никогда не покинет Фалкхерст. До своего смертного часа она будет зависеть от моей милости.

— А вы можете быть милостивым?

— К тем, кто причиняет мне зло? Нет, хозяйка, не могу. — Он вновь оглядел комнату и затем спросил:

— У Лайонза были родственники? — От его предыдущего

ответа у Милдред кошки заскребли на душе, поэтому она и не удивилась его вопросу.

— Да, мне кажется, у него есть брат.

— Я оставлю ему здесь только обгоревшие руины, — сказал он. — И ее брату здесь тоже ничего не останется.

Ее глаза расширились, когда до нее дошел смысл его слов.

— Вы собираетесь сжечь и замок?

— Все было сделано, чтобы сохранить права на это владение, не так ли?

Она не понимала, чем была вызвана такая всепоглощающая жажда мести. Но то, что Ровена была вынуждена все это проделать из-за Киркборо, было правдой.

Она так же, как и Ровена, не опечалится, если этот замок сожгут и что таким образом расстроятся планы Гилберта.

— А что будет со слугами? Они же станут бездомными.

Он безразлично пожал плечами, но все же сказал:

— Я не буду жечь город. За исключением постоялого двора, — холодно добавил он. — Люди из замка могут перебраться в город. Или я расселю их на своих землях, что, судя по их обтрепанному виду, только улучшит их судьбу. — Затем, поглядев на нее более внимательно, он произнес: — Ты тоже собираешься здесь жить, не так ли?

— Я приехала сюда три дня назад, когда сюда привезли мою госпожу,

— Тогда ты свободна и можешь возвращаться домой.

Обратно в замок Гилберта, который Фалкхерст, вероятно, в ближайшие дни подвергнет осаде? Или к себе домой в Турезский замок, который Гилберт намеревался вернуть обратно? Ничего не скажешь, чудесная перспектива — ведь в обоих случаях она оказывалась в центре военных действий и разрушений. Но Милдред не собиралась говорить ему об этом. Если он еще не знал того, кем была Ровена, и того, что ее сводный брат был его заклятым врагом, то от нее он этого не узнает, чтобы не усилить чувства охватившей его мести.

— Я потеряла свой дом, — наконец произнесла она.

Она похолодела, когда увидела, что он нахмурился и его взгляд стал еще более жестоким.

— Я рассчитываюсь с теми, кто причиняет мне зло, но я также рассчитываюсь с теми, кто оказывает мне услуги. Если хочешь, можешь поселиться в замке Фалкхерст. — Там, куда он отправил Ровену? Милдред не ожидала этого, она не могла поверить в такую удачу.

Но он заметил, что она обрадовалась, понял почему и резко произнес:

— Если ты поедешь жить в Фалкхерст, то только для того, чтобы служить мне, и только мне, а не ей. Ей ты больше никогда не будешь служить. Если ты не сможешь быть лояльной по отношению ко мне...

— Смогу, — быстро уверила она. — Я смогу и с удовольствием сделаю это.

— Правда? — скептически произнес он, и по его серым выразительным глазам можно было понять, что он в этом сомневается. — Ну что ж, поживем — увидим. Но, может быть, ты все же скажешь мне, как зовут ее брата?

От необходимости назвать это имя у Милдред закружилась голова. От того, что он будет его знать, с Гилбертом ничего не случится. Правда, его песенка спета в том случае, если Фалкхерсту удастся когда-нибудь его поймать. От этого больше может пострадать Ровена, так как он может передумать и убить ее, чтобы стать законным правопреемником ее собственности. А не удастся ли ему еще как-нибудь узнать его имя, пока он находится здесь? Вряд ли — слуги знали его как лорда Гилберта, и она сомневалась, что Фалкхерст сможет опросить всех жителей города.

— Почему ты никак не решишься? — произнес он требовательным тоном. — Ты же, без сомнения, знаешь его имя.

У Милдред онемела спина, когда она увидела, какой яростью он охвачен.

— Да, но я не скажу этого. Ровена хоть и ненавидит его, но сейчас он является ее единственной надеждой быть спасенной от вашей «милости». Я не буду помогать ей, но я не помогу и вам, чтобы не сделать ей хуже. Если вы будете настаивать, то мне придется отклонить ваше предложение.

Он посмотрел на нее долгим изучающим взглядом и затем спросил:

— Почему ты не боишься меня?

— Боюсь.

— Тогда ты хорошо это скрываешь, — хмыкнул он.

Она поняла, что гнев его стих и он готов считаться с ее доводами, хотя это ему совсем и не нравилось. Она почувствовала, что улыбается ему, подумав, что он не был таким уж жестоким, каким казался.

Уоррик не обратил внимания на ее улыбку, вопросов у него больше не было, и он отпустил ее собрать свои вещи и позвать кого-нибудь из его людей, чтобы взять одежду. Обе его дочери — Беатрис и Мелисант — были выше ростом, чем эта белокурая шлюха, но после переделки смогут носить ее одежду. И ему доставит удовольствие видеть, как ее вещи носят другие, так как он знал, что женщины очень ревностно относятся к своему гардеробу. Да, ему это доставит удовольствие, как, впрочем, и многое другое.

Еще ему нужно будет соответствующим образом вознаградить Роберта Фитцджона за его быстрые действия во время его злоключений. Сэр Роберт оставался во главе людей Уоррика, которых он назначил для сопровождения Изабеллы в Фалкхерст. В этой группе были также еще шестнадцать рыцарей из его свиты, причем некоторые из них были старше Роберта. На Уоррика произвело приятное впечатление то, как молодой человек, только недавно ставший капитаном гвардии, руководил боевыми действиями во время нескольких сражений, произошедших в этом году. Когда Уоррик не встретился, как ожидалось, со своими людьми, Роберт послал несколько человек в Киркборо для выяснения причины этого. Хозяин постоялого двора заверил их, что Уоррик покинул постоялый двор рано утром, как только открылись городские ворота. Причину, по которой тот солгал, Уоррик собирался выяснить еще до захода солнца. Но так как у Роберта не было причин не верить хозяину постоялого двора, он принялся за поиски Уоррика в прилегающей местности. Но к югу от города леса были очень густыми, и тридцать человек не могли обшарить всю эту территорию так быстро, как хотелось бы Роберту. К тому же часть из них он должен был оставить на дороге, чтобы встретить Изабеллу, когда она появится со своей свитой.

По тому Роберт послал за подмогой в одно из близрасположенных владений Уоррика. Им оказался замок Маннз, в котором за старшего был один из его вассалов — сэр Феликс Курбейл. Этот замок находился всего в полуторе лье от Киркборо. В это же время прибыла Изабелла и, вполне естественно, была расстроена, что Уоррик не встретил ее, да еще к тому же и исчез.

Случилось так, что, когда посланец Роберта прибыл в замок, у сэра Феликса гостил еще один вассал Уоррика — сэр Бриан, при котором находилось не меньше двух сотен воинов. Поэтому утром, когда Уоррик наткнулся на своих людей, ему сообщили, что через несколько часов прибудут сэр Феликс и сэр Бриан со своими двумя маленькими армиями, готовыми разнести Киркборо на куски, если к этому времени не найдут Уоррика.

Это его необыкновенно удивило и одновременно чрезвычайно обрадовало. Он думал, что ему придется потерять массу времени чтобы найти людей, которых можно будет послать в Фалкхерст, так как Феликс уже исполнил свою годовую повинность. Его воины в течение сорока дней принимали участие в осаде двух крепостей, принадлежавших его самому последнему из вновь приобретенных врагов — лорду д'Амбрейю. И он не считал возможным, как бы ему не хотелось этого, накладывать на Феликса новую повинность, хотя тот был бы и рад этому. А сэр Бриан просто любил воевать и по этой причине всегда держал под рукой небольшую армию наемников, но его Уоррик только в этом месяце отпустил домой заняться собственными делами, так как молодой лорд был на службе Уоррика около полугода.

Единственное, что произошло не так, как ему хотелось бы, — так это то, что леди Изабелла не стала его ждать и, пробыв у него один день, уехала, сопровождаемая своей небольшой свитой. Причина, по которой она так поступила, ему была непонятна. Письма она никакого не оставила, а на клочке бумаги, который ему передал Роберт, было только написано «Я уезжаю». Он не собирался наказывать ее за это до их бракосочетания, но, когда она станет его женой, он не потерпит подобных глупостей. Он оставлял Роберта вместо себя, и она должна была находиться под его присмотром.

Но даже это не омрачило его успех, ибо вид Ровены Лайонз, одиноко стоявшей в этом дворе, наполнил его животной радостью. Как он и поклялся, она была в его власти. И она вечно будет жалеть о том, что произошло.

Уоррик отправил двадцать своих воинов в качестве конвоя, чтобы исключить возможность побега пленницы, и покинул Киркборо, но прежде сам поднес факел к той самой кровати, к которой был прикован цепями.

Глава 13

Все, что произошло с Ровеной в этот ужасный день, ошеломило ее. Ее, со связанными руками, перекинули через круп лошади. Замок Фалкхерст находился севернее — это она знала, как и то, что ее на полном скаку везли туда. А как она туда попадет — не имело значения.

Сначала ее сопровождал отряд всадников, состоявший из пяти рыцарей. Поэтому если в этой местности и водились разбойники, то вероятность их нападения была практически исключена. Вскоре их догнал шестой рыцарь, который привез более подробные распоряжения своего господина.

Ровене с трудом удалось расслышать, что с ней нельзя разговаривать, до нее нельзя было дотрагиваться, кроме тех случаев, когда ей нужно было помочь взобраться или сойти с лошади. В последнем случае — необходимо ее тщательно связывать. То, что пленница оказалась знатной дамой, вызвало оживленные пересуды среди рыцарей. Но все это было ей безразлично, так как она все еще находилась в шоке от всего произошедшего.

Вечером они остановились на привал рядом с дорогой. Едва были расседланы лошади и разожжен костер, как подъехали еще двадцать всадников, посланных лордом Фалкхерстом. Судя по внешнему виду лошадей, они очень спешили присоединиться к первой группе.

Ровена сначала испугалась, предположив, что в сопровождении такого количества людей прибыл сам Фалкхерст, тем более что один из всадников был гораздо выше остальных ростом и отличался одеждой. Но когда он, сняв боевые доспехи, остался в тунике и шерстяных лосинах, она поняла, что этот темноволосый человек не Фалкхерст.

Она решила, что, по крайней, мере десять человек из прибывших были оруженосцами, так как все они были моложе ее и слишком изящно для рядовых воинов одеты. Но, конечно, она не могла быть в этом уверена. Почти все заговорили разом, и с того места, где она в одиночестве сидела у костра, прислонившись спиною к дереву, Ровена не могла ясно расслышать, о чем идет речь.

После того как ей позволили облегчиться в присутствии проклятого охранника, стоявшего не далее пяти футов от нее, ее снова связали на этот раз гораздо крепче. Одной веревкой ее ноги были обмотаны от лодыжек почти до колен, другой, более длинной, ее талия была привязана к дереву. Руки у нее были связаны за спиной, и поэтому у нее не было никакой возможности дотянуться до веревки на ногах.

Чрезвычайные неудобства и боль, причиняемые веревками, абсолютно не волновали ее охранников, и это соответствовало приказу Фалкхерста «не оказывать ей никакого особого внимания».

Когда высокий пришелец бросил на нее только один любопытный взгляд, она почувствовала необыкновенное облегчение. Это, скорее всего, был не Фалкхерст, — тот бы уделил ей больше внимания. И затем ее предположение подтвердилось, когда она услышала, как ее охранник обратился к нему.

— Он прислал ВАС, сэр Роберт? Я не думал, что она такая важная пленница.

— У него все пленники важные. Не важных он в плен не берет, — ответил сэр Роберт.

— Это точно, — согласился охранник.

— Хотя, если лорд Уоррик считает важным, чтобы она в полной сохранности добралась до Фалкхерста, то я рад передать ее под вашу ответственность. А вы не знаете, что она натворила? За что она заслужила тюрьму?

— Он этого не сказал, и это не нашего ума дело.

Но их всех разбирало любопытство. Ровена поняла это по их глазам, когда все вновь прибывшие воины, услышав вопрос охранника, посмотрели на нее. И если уж они не знали, за что ее так скоропалительно осудили, то и ей вряд ли удастся узнать это в ближайшее время. Хотя ей хотелось этого гораздо больше, нежели им.

Но Ровена также заметила, что у некоторых из них к любопытству во взгляде примешивается восхищение, но от этого ей стало не по себе. И, может быть, это, в конце концов, было хорошо для нее, что им было приказано не дотрагиваться до нее, ибо она знала, что они могли сделать со своими пленницами. В прошлом году Гилберт отправил в темницу одну женщину всего на один день. Он хотел ее немного припугнуть, но тюремщик успел всласть попользоваться ею.

— Ричард, а ты абсолютно уверен, что она не сможет убежать?

Сэр Роберт произнес это так строго, что Ричард поежился. Роберт задал этот вопрос, когда заметил веревку, которая была обвязана вокруг ее талии. Другой веревки, которой были связаны ее ноги, он не увидел, так как она была прикрыта юбками и одеялом, накрывавшим ее колени.

— Вы не слышали тона лорда Уоррика, когда он швырнул ее мне, — произнес Ричард в свою защиту.

— Нет, не слышал, но у меня здесь достаточно людей, чтобы обеспечить круглосуточную охрану пленницы. И он не приказывал не давать ей спать.

Говоря это, сэр Роберт обошел костер и развязал веревку на ее талии. Он также освободил ее связанные за спиной руки и вновь связал их, но уже у пояса. Когда он закончил свое дело, Ровена поблагодарила его. Но он избегал смотреть ей в глаза и, казалось, не слышал ее слов. Потом все забыли о ней и принялись за еду, а после ужина начали устраиваться на ночлег.

В конце вечера кто-то из оруженосцев принес ей корку хлеба, большой кусок заплесневевшего сыра и мех с водой. Еда не вызвала у нее аппетита, и ее могло бы даже стошнить, если бы она попробовала ее, но за воду она была благодарна. Однако она не стала ничего говорить. Если они не хотят с ней разговаривать, то почему она должна это делать?

Ей даже не хотелось думать, в какой сложной ситуации она оказалась с прибытием сэра Роберта. Было бы значительно легче все пережить, если бы ее разум отказался воспринимать происходящее.

Теперь она знала имя человека, отправлявшего ее в свою темницу. Она слышала раньше имя Уоррика де Шавилля, но не знала, что говорящий имел в виду лорда Фалкхерста. Его темница, Боже милостивый, — темница! Сейчас это обретало реальные формы. Да, темница. И она окажется там завтра, как только ее довезут туда.

Должно быть, он ее знал и знал то, что она является законной владелицей трех поместий, которые недавно сдались на его милость. Какая могла быть еще причина? Но откуда он все это узнал? Она никогда с ним не встречалась, никогда раньше даже не видела его. Вероятно, он просто слышал, что она должна была обвенчаться с Гудвином Лайонзом. А свое новое имя она ему сообщила. Ну конечно, за что же еще хотел он упрятать ее в темницу? А в темницах люди погибали и от болезней, и от дурной пищи, и еще по многим другим причинам. А если она там умрет, то не сможет претендовать на свою собственность. Впрочем, и Гилберт тоже не сможет.

О Боже! Тогда получается, что ее неволя будет пожизненной! Фалкхерст хочет ее смерти, но он не собирается лишить ее жизни своими собственными руками. Для нее же было безразлично, как она умрет.

Ей захотелось, чтобы у нее вообще не было никакого наследства, захотелось стать никому не известной простолюдинкой без всякой собственности, на которую мог кто-нибудь претендовать. Турез и все, что с ним было связано, после того как семейство д'Амбрей решило убить ее отца, чтобы завладеть им, не принес ей ничего, кроме несчастий.

Хотя Ровена почти не спала в эту ночь, наутро она не выглядела уставшей. Тревожные предчувствия не оставляли ее ни на минуту. День пролетел незаметно, да и дорога в замок ей показалась слишком короткой.

Они достигли Фалкхерста как раз в тот момент, когда краешек солнца коснулся горизонта. Красные отблески на стенах замка напомнили ей первое впечатление о Киркборо, и ее бросило в дрожь. Неужели прошло всего четыре дня с того момента, когда ей показалось, что она входит во врата ада? Теперь, она была в этом уверена, ее ожидало гораздо худшее — логово черного огнедышащего дракона.

Крепость была неприступной и напоминала Турезский замок. Но если пятиэтажные башни Туреза тянулись только в небо, замок Фалкхерст занимал еще и значительную территорию. Наружный двор был пристроен только в последние десять лет, поэтому внутренний двор по своим размерам был больше обычного. Стены крепости были очень толстыми, и перед ними были выкопаны глубокие рвы с водой.

Большой внешний двор из-за множества строений скорее походил на город. Здесь же возводился новый двухэтажный дом для владельца замка. Наличие большой свободной площади позволяло проводить боевые учения воинов во внутреннем дворе.

Каменная башня насчитывала всего четыре этажа. Но очень скоро Ровена узнала, что в ней был еще один этаж, сооруженный под землей. Эту новинку использовал в замке лорд Уоррик, и предназначалась она под темницу, попасть в которую можно было лишь через люк, устроенный в полу первого этажа башни. Ступени вели вниз в небольшое помещение с каменными стенами и деревянными полами, предназначенное для охраны и в данный момент пустовавшее. Единственная дверь была сделана из железа и закрывалась на железный брус. Дверь вела в маленький, не более шести футов, длинный коридор, в конце которого находилась еще одна железная дверь. И еще по две двери находились с каждой стороны коридора. Камера, расположенная в конце, представляла собой квадрат размером восемь на восемь футов и была здесь самым большим помещением, хотя Ровена об этом не догадывалась. Полом служила утрамбованная земля, стены были сложены из хорошо пригнанных камней, потолком служила железная решетка, похожая на ту, из которой изготавливались ворота крепости, и через нее виднелся деревянный пол первого этажа башни.

В камере, кроме голых стен, ничего не было, — не было даже какого-нибудь тряпья, на которое можно было прилечь. На дворе было лето, и поэтому здесь было не очень холодно, но через щели в досках пола над головой тянуло сквозняком. Ровена рассматривала эту маленькую зарешеченную камеру, освещаемую только светом факела, и старалась изо всех сил подавить рыдания.

Сэр Роберт сам привел ее сюда. Нахмурившись и не произнося ни слова, он развязал веревки, стягивавшие ее руки. Но когда их глаза встретились, она была уверена, что он хотел заговорить с ней. Но приказ его господина связывал его язык, ибо он был из тех людей, которые до мельчайших подробностей выполняли полученные инструкции.

Повернувшись к выходу, он рявкнул на человека, державшего факел:

— Оставь это здесь, разыщи тюремщика и скажи ему, чтобы он принес тюфяк и все, что здесь нужно.

До тех пор пока за сэром Робертом не закрылась дверь и она осталась в этой ужасной камере, ей и в голову не приходило, что она может очутиться в темноте. Но то, что она оказалась в абсолютной тишине, было сверх ее сил. Она с напряжением вслушивалась в звуки удалявшихся шагов, но и они вскоре стихли. Затем она услышала звуки, издаваемые суетливо бегавшими по полу над ее головой крысами.

Глава 14

Когда появился тюремщик с двумя тонкими одеялами, на которых ей предстояло спать, и заржавленной миской с водой, Ровена до конца осознала, в каком ужасном положении она оказалась. Тюремщик был крепким, коренастым мужчиной средних лет, с водянистыми глазами и жидкими темными волосами; от него исходил такой отвратительный запах, что Ровена чуть не задохнулась. Увидев ее, он сначала удивился, даже был поражен, но это длилось лишь секунду, после этого он даже не пытался скрыть своего удовольствия оттого, что она находилась в темнице. Он был так доволен этим, что даже улыбался, рассказывая о существующих здесь порядках, которым она должна подчиняться.

Еду он будет давать ей лишь раз в день, и сегодняшний прием пищи она уже пропустила, так что придется ей подождать до завтрашнего дня. А если ей захочется что-нибудь еще, кроме заплесневелого хлеба и воды, ей предстоит подумать, как заплатить ему за дополнительную пищу. Она могла бы получить масло и сыр, и ей хватило бы этого на две недели, но после этого...

Облегчаться ей придется в углу темницы, и он, может быть, раз в неделю пришлет, а может и нет, одного из конюхов, чтобы вынести нечистоты. Воды для омовения не будет. Он не лакей и отказывается таскать ведра с водой из колодца, хотя источник воды и был неподалеку. Она не имеет права жаловаться, а то он может забыть принести ей еду. Если ей захочется иметь еще чего-нибудь, в том числе и светильник, ей придется за это расплачиваться.

Пока он все это сообщал ей, Ровена старалась не показать охватившего ее ужаса. По тому, как он осматривал ее тело, по тому, как жадно его взгляд перебегал с ее бедер на грудь, она поняла, о какой плате идет речь. Она была уверена, что никогда, ни за что не прикоснется к этому вонючему борову, но что будет с ней через месяц? Даже через неделю? Она ничего не ела ни накануне вечером, ни сегодня. От голода она уже ощущала слабость. И никакого светильника? Суждено ли ей навсегда быть погребенной в темноте и с нетерпением ожидать появления этого омерзительного тюремщика только лишь из-за того, что он будет приносить с собой светильник?

Он был недоволен молчанием Ровены, но она не смогла бы

произнести ни слова, даже если бы захотела. Он даже позволил себе, уходя, хмыкнуть. Как только дверь за ним закрылась, Ровена упала на одеяла и разрыдалась. Факел, который был в темнице, погаснет через несколько часов, и тогда... По правде говоря, она не боялась темноты, но ей не приходилось подолгу находиться без света, да еще в таком месте, где было полно крыс.

Ровена впала в оцепенение и сначала даже не услышала громкой перебранки, доносившейся из караульного помещения. Спорили недолго, но последнюю фразу «Убирайся!» она услышала отчетливо. Очень скоро дверь снова открылась, и Ровена сжалась в комок. Но на этот раз это был не тюремщик: вошедший держал в руках пару свечей, он установил их в центре темницы.

Внешний вид Ровены привел человека в изумление. Он осмотрелся, увидел, что выдал Ровене тюремщик, и грубо выругался:

— Этот сукин сын, я могу побиться об заклад, он не дал вам никакой еды, ведь так?

Ровена заморгала, потом медленно кивнула.

— Конечно, я так и думал. Теперь я понимаю, почему он вдруг перестал скулить и полюбил эту работу. Вы такая изящная и такая хорошенькая. Должно быть, лорд Уоррик считает, что вы совершили какое-то ужасное преступление, раз он поместил вас сюда, но я уверен, все разъяснится, как только он здесь появится.

Ровена продолжала молча смотреть на вошедшего. Она не знала, ни кто этот человек, ни что означают его слова. Ясно, что он был чем-то возмущен, но она не знала, чем.

Однако она его не испугалась, как того, другого. Поистине в его голубых глазах было столько доброты, что она чуть не расплакалась снова.

Должно быть, он это заметил, потому что произнес грубовато:

— Ну вот, только не это. Здесь будет не так уж плохо. Это не подходящее место для леди, но зато уединенное, и я сделаю все, что в моих силах, чтобы вы не скучали.

Не скучала в темнице? Она не могла сдержать улыбки от такой несообразной мысли.

— Кто вы? — решила она спросить.

— Джон Гиффорд, так меня называют.

— Вы тоже тюремщик?

— Только когда в этом есть необходимость, но это случается не часто. Меня только что вызвали сюда и сказали, чтобы я позаботился о вас. Поздно пришел этот приказ, хотя лучше поздно, чем никогда. Этот сукин сын, он не причинил вам боли, а?

Какой сукин сын? Она почти произнесла этот вопрос, но вовремя поняла, что он говорил о другом тюремщике.

— Нет, он не тронул меня. Но ведь это приказ вашего хозяина, чтобы никто меня не трогал и не помогал мне, разве не так? И со мной нельзя разговаривать. Вам не сказали, что вы не должны со мной разговаривать?

— Нет, никто ничего такого мне не говорил, да если бы и сказали... Я поступаю по своему разумению и всегда буду так делать, хотя на спине у меня несколько шрамов, что могло бы меня убедить в обратном.

Как ни странно, она вдруг почувствовала гнев на его обидчиков.

— Кто же это бил вас плетью?

— Ничего, — ухмыльнулся он. — Не берите это в голову. Это было давно, и мое собственное упрямство было тому причиной. А теперь подумаем, что я могу найти для вас в такой поздний час. Похоже, что кухня уже заперта, но я ручаюсь, что там наверху в кладовых найдутся какие-нибудь фрукты.

Он отыскал для нее четыре крупных, недавно сорванных яблока, которые вполне утолили ее голод. Затем он принес узкий деревянный топчан и толстый матрац с кучей теплого постельного белья. Он нашел даже старый, выцветший ковер, который почти полностью закрыл пол темницы. Он еще сходил куда-то и принес подставку для свечей и целый ящик со свечами, чтобы она могла заменить сгоревшие и не оставаться в темноте. Он принес ночной горшок, ведро воды и простыни для умывания, а также холодную свежую питьевую воду.

Джон Гиффорд был послан самим Господом Богом. Он превратил ее темницу в комнату, может быть, и не самую приятную, но, по крайней мере, вполне удобную. Дважды в день он приносил ей обильную еду, ту, которая подавалась обычно к господскому столу. Она не испытывала недостатка в воде для омовений и в питьевой воде. Он принес ей нитки и иголки, чтобы она могла занять себя шитьем, и проводил время с ней, чтобы ей не было скучно. Ежедневно он подолгу находился с ней, сплетничая о том о сем, чаще о всяких глупостях. Ему просто нравилось говорить, а ей очень нравилось слушать его.

Она знала, что за Джона Гиффорда ей надо благодарить сэра Роберта. Должно быть, сэр Роберт знал, что из себя представлял тот, другой тюремщик и что у Гиффорда было доброе сердце. Конечно, ее пожалел сэр Роберт, и вряд ли он дождется благодарности за это от Уоррика де Шавилля. Но сама она поблагодарит его, если только ей представится случай.

Дни превращались в недели. Так прошел месяц. Когда Ровена наконец убедилась, что настало время месячных, а обычного для этого периода кровотечения не появилось, она села и истерически заплакала. Итак, план Гилберта сработал. Семя этого проклятого мужлана дало свои всходы. И для этого потребовалось всего лишь три ночи. Но Киркборо больше нет. Они остановились на дороге по пути сюда и видели, как над верхушками деревьев поднимался дым: все, что было построено из дерева, было охвачено пламенем. Ничего не осталось, что можно было бы завещать ребенку; так что ребенок, который был зачат только с этой целью, теперь был ни к чему.

После истеричного смеха пришло время слез. От жалости к самой себе слезы лились ручьем. Что же она такое совершила, чтобы заслужить такую несчастную судьбу? Что произойдет, когда в Фалкхерст вернется Уоррик де Шавилль?

Конечно, тогда уберут от нее Джона Гиффорда, это уж точно, а вместе с ним придется расстаться и с уютом ее жилья. Вернется тот, другой тюремщик, или кто-нибудь еще такой же. Да и не все ли равно будет де Шавиллю, что она ждет ребенка? Конечно, все равно, ведь он хотел, чтобы она умерла. И даже если она будет умолять его сохранить ей жизнь ради ребенка, вряд ли это поможет. Ему не нужен был Киркборо. Он его уничтожил, значит, он не будет беспокоиться и о ребенке, если она скажет, что это наследник Лайонза. Но ребенок этот еще и ее; его цель — избавиться от нее — не будет иметь смысла, если он оставит в живых ее наследника.

Скорее всего, ей и не придется рожать в заточении, потому что как только вернется Фалкхерст, он убьет ее. Единственное, на что можно надеяться, это на то, что война с Гилбертом, у которого все еще есть армия Лайонза, затянется. И если ребенок появится на свет до возвращения Фалкхерста, она бы приложила все усилия, чтобы уговорить Джона Гиффорда найти для него приют.

Ровена не могла сказать точно, когда ребенок стал основной ее заботой. Для нее уже не имело значения то, что зачат он был с греховной целью и что отцом его был какой-то мужик, которому отвратительны были ее прикосновения. Это было ее дитя.

В этой темнице у нее было слишком много времени для размышлений, и очень часто в своих воспоминаниях она возвращалась к человеку, ставшему отцом ее будущего ребенка. И хотя она гнала от себя эти воспоминания, они возвращались вопреки ее воле. Как только она закрывала глаза, она видела его, лежащего перед ней; его тело было трудно забыть. Она вспоминала, какие чувства вызывало оно в ней, вспоминала ту опьяняющую силу, которая оживала в этом теле, несмотря на сопротивление его воли.

Она не солгала, когда сказала, что была рада тому, что это был именно он. Она поначалу не испытывала удовольствия от близости с ним, но когда прошла боль, ей уже не было неприятно прикасаться к нему, чувствовать его. Он не был отталкивающим, и смотреть на него было приятно — только не в его глаза цвета серебра, полные ненависти к ней. Но до того как она впервые обратилась к нему, глаза были совсем другими — приятными, они прибавляли обаяния его облику, несмотря на кляп, который исказил его рот.

Ровена не слышала, как подошел Джон, пока не открылась с обычным скрипом дверь, и это вывело ее из задумчивости. Джон не улыбнулся ей, как обычно. Казалось, он чем-то озабочен.

— Вы беременны, леди Ровена?

Она уставилась на него в изумлении. По утрам ее не тошнило, как это часто бывает у женщин в положении, у нее нисколько не увеличилась грудь и не изменилась фигура.

— Как вы догадались?

— Значит, это так?

— Да, но...

— Я об этом совсем и не думал, но мой господин спросил, были ли уже у вас... ну, то, что должно быть регулярно у женщин, и тогда мне пришло в голову, что вы не попросили у меня дополнительных... ну... салфеток. Почему вы мне не сказали?

— Я сама только недавно поняла это. Но что вы хотите сказать этим «спросил ваш господин»? Когда?

— Только что.

Ровена мертвенно побледнела.

— Он вернулся?

— Да, и я должен сейчас отвести вас к нему.

Глава 15

Ровена не стала умолять Джона не отводить ее к его господину. Это было бы бесполезно. Если не он, так кто-нибудь другой все равно отведет ее туда. Все, что у нее осталось в памяти о Фалкхерсте — это его огромный рост и жесткая линия рта, да еще леденящая душу холодность голоса, когда он отдавал приказы отправить ее в темницу своего замка.

Она даже не заметила, как ее провели через Парадный зал. Был день, поэтому народу по пути встретилось немного, кое-кто из прислуги и несколько не очень богато одетых рыцарей.

Ее привели в большую комнату господина в верхнем этаже замка, расположенную рядом с залом. Комната была залита солнцем: свет струился через два окна, которые находились в глубоких нишах, расположенных по обе стороны камина. Огромная кровать с тяжелым балдахином на четырех столбах находилась у каменной стены, отделявшей комнату от зала. Зимой от стены исходило тепло, так как со стороны зала в этой стене находился огромный очаг, который и нагревал камни.

Там было много и другого, на что она не обратила внимания: Ровена как зачарованная не сводила глаз с кровати, ибо на ней, посередине, лежало что-то похожее на груду цепей. Она даже не заметила человека, стоявшего по другую сторону кровати, пока он не подошел к ней.

Прежде всего она обратила внимание на его рост, потом разглядела прекрасную черную тунику и обувь, и еще, конечно, его рот, эти плотно сжатые тонкие губы, делавшие его похожим на глубокую рану, — и этого ей было достаточно, чтобы узнать, кто перед нею. Еще мгновение ушло у нее на то, чтобы разглядеть его светло-каштановые с золотистым отливом волосы, потом глаза цвета серебра, в которых угадывалась целая буря чувств. Зрачки ее расширились: беззвучно, одними

80

губами она произнесла единственное слово «Вы» и упала без чувств.

— Ну вот, — проворчал Джон, подхватывая ее и не давая ей упасть.

Уоррик бросился вперед и почти выхватил ее из рук Джона. Он поднес ее к кровати и положил. Одной рукой она касалась цепей, лежащих рядом. Она ощутит их прикосновение, как только придет в себя. Он улыбнулся.

— Я не могу понять, чем вызван этот обморок, мой господин, — с волнением произнес Джон за его спиной. — Она хорошо питалась.

Уоррик не сводил глаз с золотоволосой женщины.

— Так ты все-таки баловал ее. И на ее гладкой коже нет следов от крысиных укусов?

Вместо ответа Джон лишь громко фыркнул. Уоррик знал своего слугу. Джон был известен своим мягким сердцем и добротой по отношению ко всем живым существам.

Уоррик был страшно недоволен собой, когда отправил приказ о том, чтобы Ровену охранял один Джон Гиффорд. Но он не послал вслед никого, чтобы отменить приказ. Он не хотел, чтобы она страдала до его прибытия, нет, он сам заставит ее страдать. Ему также не хотелось, чтобы ее маленькое, изящное тело исхудало от лишений, это не входило в его планы. Но более всего ему не хотелось, чтобы к ней прикоснулся какой-либо мужчина, по крайней мере, пока он не будет знать, насколько она преуспела в своем воровстве. По словам Джона, она-таки преуспела.

— Она такая прекрасная, нежная дама, мой господин. Что же такое она совершила, чтобы заслужить темницу?

— Ее преступление было направлено против меня лично, и преступление это столь велико, что я не могу даже говорить о нем.

— Не может быть!

— Ты позволил этому красивому личику околдовать себя, Джон. Она всего лишь отвратительная девка, которая не остановится ни пер д чем, даже самым ужасным, лишь бы добиться своей цели. В ней столько упрямства и решимости, что ей мог бы позавидовать мужчина. Она... — Он замолчал, понимая, что говорит больше, чем нужно. Ему нет необходимости объяснять кому бы то ни было мотивы своего поведения. — Я лишил ее титула, который она получила, выйдя замуж за

Гудвина Лайонза, так что не называй ее больше леди. И ты больше не будешь присматривать за ней. Она не вернется в темницу — пока.

Даже не глядя на Джона, Уоррик понял, что тот хочет что-то сказать. Но слуге следовало быть разумным, чтобы не переступать границу дозволенного, и Джон, должно быть, это понял, потому что он тихо вышел из комнаты, не произнеся больше ни слова.

Уоррик продолжал, не отрываясь, смотреть на свою пленницу, не придавая значения тому, что ее обморок лишил его возможности немедленно осуществить возмездие. Теперь, когда, наконец, настал его час, он мог и потерпеть, хотя до сих пор он испытывал нетерпение. Однако он намеренно не возвращался сюда, слишком хорошо понимая, что как только он здесь появится, он начнет приводить в исполнение задуманный план мщения. Но прежде всего ему надо было узнать, добилась ли эта девка осуществления своего намерения.

Теперь ему это было известно, и это усугубило ее вину перед ним. Если бы ему и пришла в голову мысль хоть немного пожалеть ее, то тот факт, что она вынашивала ребенка, окончательно решил дело, вызвав в нем бурю негодования и желание мстить. Она носила под сердцем его ребенка. *У нее не было на это никакого права.* Он сразу догадался, когда она его узнала. Он увидел страх, который заставил ее потерять сознание. Ее страх был его победой. Там, в Киркборо, во дворе замка он не был абсолютно уверен, что она его узнала. На нем были тогда позаимствованные у Роберта доспехи. И ему стало ясно, что она узнала его только теперь. Возможно, к этому времени она уже имела представление о том, что он за человек, уже слышала о его готовности уничтожить любого, кто осмелился посягнуть на его собственность. Не имело никакого значения, что он никогда ранее не старался отомстить женщинам. Ему нужно было теперь только решить, какую форму расплаты следует потребовать от такой, как она, и у него было достаточно времени, чтобы осуществить это, пока он не найдет Изабеллу. Пока все его усилия отыскать свою невесту оставались бесплодными. Когда один из его посыльных вернулся и сообщил, что его невеста не прибыла в Фалкхерст, он даже был доволен, что у него есть повод отложить его собственное прибытие туда. Но поиски Изабеллы закончились ничем. Было слишком много дорог, по которым она могла бы направиться в

Фалкхерст. В конце концов, он предоставил возможность продолжить эти поиски отцу Изабеллы, который, конечно, был больше, чем Уоррик, расстроен ее исчезновением. Ситуация раздражала его. В то время как ему надо было бы побеспокоиться о своей пропавшей невесте, все мысли его заняты этой девкой.

Ровена вздохнула, Уоррик затаил дыхание, с нетерпением ожидая, когда она откроет свои огромные, цвета сапфира, глаза. Рот у нее был приоткрыт. Он помнил пьянящий вкус ее губ, помнил их горячее прикосновение к его коже, когда ей приходилось стараться, чтобы вызвать ответный отклик его тела. Ее льняные локоны были заплетены в две толстые косы, одна — за спиной, другая была переброшена на грудь. Он помнил и эти груди, полные и соблазнительные, и, хотя он и не прикоснулся к ним, один только их вид воспламенял его чувства, что неизбежно вело к его поражению. Теперь он мог их коснуться, но это единственное, что он мог сделать без того, чтобы не разорвать на ней платья. Но не сейчас. Не сейчас. Она должна совсем прийти в себя и полностью осознать свою беспомощность перед ним, так же как он мучительно осознавал все, что она делала с ним.

Она потянулась, в горле у нее возник какой-то тихий звук, потом снова затихла, только рука ее продолжала двигаться. Он видел, как пальцы ее руки, лежавшей на куче цепей, ощутили холод стали; видел, как она нахмурилась, стараясь понять, что это могло быть.

— Сувенир, — объяснил он. — Из Киркборо.

Она мгновенно распахнула свои огромные, в половину ее маленького овального лица, глаза. Она издала еще какой-то звук, как будто задыхаясь. Страх ее был очевиден, он был слишком велик, скорее, это был настоящий ужас. Если она опять потеряет сознание, он не потерпит этого.

Ровена страстно желала снова потерять сознание. Боже милосердный, ничего удивительного, что она провела все эти недели в темнице. Это совсем не из-за ее владений. Она не забыла ненависть этого человека и понимала, что, возможно, он замучает ее до смерти. Теперь ей было ясно, почему он так отчаянно сопротивлялся ее насилию над ним. Никакой он не холоп, который должен был испытать благоговейный страх перед ней, он был сильный военачальник, человек, с которым никто не осмелился бы поступить так, как поступили они. А

Гилберт, этот безмозглый глупец, даже не знал, что он захватил своего заклятого врага. Впрочем, в Фалкхерсте тоже не знали, кто она такая, как не знали и того, что она была самым заклятым *его* врагом, у которого он был в плену.

Где-то в горле у нее забулькал смех. Она не могла сдержать его. Если она еще не сошла с ума, то скоро сойдет. А он стоял рядом с кроватью и, нахмурившись, смотрел на нее. Неужели когда-то он показался ей красивым? Бред какой-то. Этот рот, этот ледяной взгляд — каждая черточка в лице говорила о жестокости.

Ее начало трясти, как в лихорадке. Он грубо выругался и крепко сдавил рукой ее горло. Глаза ее еще больше расширились.

— Если ты вздумаешь снова потерять сознание, я изобью тебя, — прорычал он.

Нечего сказать, хороший способ он выбрал, чтобы ее успокоить. Но он разжал руку и отошел от кровати.

Из чувства самосохранения она следила за его движениями, но он лишь подошел к остывшему очагу и остановился, уставившись на него.

Со спины он не выглядел таким уж монстром, вполне обычный мужчина. Его каштановые с золотистым отливом волосы не были кудрявыми, но на шее лежали завитками. Волосы казались мягкими, но она не осмелилась поднести свою руку поближе, коснуться их. Он был статен, широк в плечах, но она не предполагала, что он окажется настолько высоким. Чувствовалось, что он был напряжен, как струна. Туника плотно облегала его широкую спину и плечи.

Прошло несколько минут, потом еще, но он не оглядывался и не смотрел в ее сторону. Ровена перестала дрожать и несколько раз глубоко вздохнула. Ее еще не начали мучить. Пытки начнутся не здесь, не в этой комнате. Похоже, что ее привели сюда, чтобы просто попугать и позлорадствовать. Былой пленник стал теперь тюремщиком.

— Ты успокоилась, девка?

Успокоилась? Доведется ли ей еще когда-нибудь испытать это состояние? Но она кивнула, потом поняла, что он не видел этого, так как даже не взглянул на нее, и тихо произнесла:

— Да.

— Хотя у меня и есть полное право убить тебя, я не собираюсь этого делать.

Ровена не осознавала до сих пор, что, как и он, была в сильном напряжении, и теперь она с облегчением позволила своему телу обмякнуть и погрузиться в перину. В данной ситуации она и думать не могла, что ей так повезет, она и представить себе не могла, что он будет настолько милосерден, что сообщит ей об этом. Он мог бы и ничего не сказать, не развеять ее ужаса. Мог бы... значит, он был еще не конченый человек.

— Ты будешь наказана. Не обольщайся на этот счет. Но мое возмездие будет по принципу — око за око.

Сказав это, он повернулся, чтобы увидеть ее реакцию, но увидел лишь непонимание, и тогда он объяснил:

— Ты и твой брат собирались лишить меня жизни, если бы я не вырвался; твоя жизнь теперь в моих руках, и я не оценю ее высоко. Как обращались со мной, так будут поступать и с тобой. У тебя была отсрочка только потому, что я сначала хотел узнать, насколько велика твоя вина. Теперь мы оба знаем, что ты преуспела в своем низком воровстве. Поэтому, так же как ты силой взяла этого ребенка из моей плоти, так и он будет взят у тебя, как только родится.

— Нет, — сказала она спокойно.

— Нет?! — взорвался он, не веря своим ушам.

— Право владения — девять десятых...

— Речь идет не о владениях! Плоть от моей плоти — вот что ты украла!

Боже милосердный, как она осмелилась бросить ему такой вызов и заставить его впасть в ярость? Он был просто вне себя от гнева и казалось, вот-вот бросится к ней и разорвет ее на части. Но она не могла позволить ему, чтобы и ребенок стал объектом его мести.

Она продолжала, не повышая голоса, моля Бога, чтобы он увидел здравый смысл в том, что она говорила.

— Я ношу его под сердцем, я произведу его на свет, и я хочу, чтобы он родился только для того, чтобы быть моим.

— Никогда этот ребенок не будет твоим. Ты будешь лишь сосудом для него, пока он не родится.

Он не кричал, говоря это, нет, но произнес это угрожающе ледяным тоном.

— Зачем он вам? — воскликнула она. — Для вас он будет не более, чем побочный ребенок. Разве у вас мало таких, чтобы вы были удовлетворены?

— То, что мое, то мое, — так же, как теперь моя и ты, и я

могу сделать с тобой все, что пожелаю. Не спорь со мной более, девка, в противном случае ты об этом пожалеешь.

Это уже была угроза, которую ей нельзя было проигнорировать. Она и так позволила себе слишком много, зашла слишком далеко, дальше разумного. Несмотря на то что они были известны друг другу и знакомство это было очень интимным, она совсем его не знала. Но время покажет, а времени у нее теперь будет много. Время он ей дал, он пожаловал ей жизнь. Конечно, вопрос о ребенке встанет опять, так как для нее это было слишком важно. Но она может подождать до того времени, когда у нее будет больше шансов на победу.

Она поднялась и встала у кровати. Она удивилась, что ее, так сильно презираемую, вообще положили на кровать. А у него были все основания презирать ее.

Для нее было бы лучше, если бы она не осознавала этого. Но она прекрасно все понимала. Ей хотелось бы, чтобы он понял ее. Но он не понимал и не хотел понять. Для него не имело никакого значения, что она сожалела о том, что ей пришлось сделать и что она совсем не хотела этого делать. По своей воле или против, но она это сделала. Поистине она заслуживает кары, какой бы она ни была. И она действительно не достойна того, чтобы ребенок принадлежал ей, — ведь он был похищен у него. Но разве может быть мать откровенной, когда речь идет о ребенке.

Она опять вся напряглась под его пристальным, леденящим взглядом, но, наконец, он произнес с нескрываемым презрением:

— И меня нисколько не удивит, что ты к тому же и глупа, судя по тому плану, который ты придумала, чтобы удержать Киркборо.

— Это был план Гилберта, а не мой. И Киркборо был нужен ему, а не мне.

— И опять ты ничего другого, кроме глупости, не проявляешь. *Никогда*, слышишь, никогда не перебивай меня, девка. И никогда больше не говори мне о том, что у тебя не было причин поступить так, как ты поступила. Ведь это не твой Гилберт пришел ко мне и заставил меня...

Злость не дала ему закончить. Лицо его потемнело, и Ровена опять заволновалась.

— Мне очень жаль! — выпалила она, понимая, что это

было не совсем уместно в данной ситуации, но не зная, что еще сказать.

— Жаль? Ты пожалеешь еще больше, это я обещаю тебе. Но ты можешь начать расплачиваться за нанесенное мне оскорбление прямо сейчас. Я с трудом узнал тебя в одежде, девка. Сними ее.

Глава 16

У Ровены перехватило дыхание, и она от ужаса закрыла глаза, когда Фалкхерст произнес: «око за око». Она знала, что это означало: он будет принуждать ее так же, как это проделала с ним она. А это будет столь же неприятно, как и тогда. Да иначе и не может быть. Но почему он избрал подобный способ наказания, если он так сильно ненавидел ее и действительно не имел желания прикасаться к ней?

Видимо, для него самым главным было отмщение. Она уже поняла, какова его натура. Но заставлять ее раздеваться в его присутствии...

— Мне что, помочь тебе...

Прозвучала еще угроза, смысл которой она не поняла и, по правде говоря, не хотела понять.

— Нет, я сама это сделаю, — произнесла она робким шепотом.

Она повернулась к нему спиной и принялась развязывать расшитый пояс. Сделав несколько шагов, он больно схватил ее за плечо и развернул лицом к себе. Она опять что-то сделала не так, — он вновь пылал от гнева.

— Чтобы возбудить мой аппетит, я должен видеть, как ты раздеваешься. Ты для этого раздевалась передо мной раньше. Тот, кто посоветовал тебе это, дал тебе хороший совет. Но знай, если я не смогу сделать то, что намереваюсь, из-за отсутствия интереса к твоим прелестям, то виноватой в этом будешь только ты. Но не думай, что это облегчит твою участь. Если этого не смогу сделать я, то будет приглашен кто-то другой. Нет, десять других. Может, с ними тебе будет приятнее, чем со мной...

Он отступил назад, и их взгляды встретились. Ровена молила Бога, чтобы понять, действительно ли он намеревался это сделать или это было просто угрозой. Но его внешний вид говорил о том, что он исполнит свою угрозу. Но ведь он хотел «око за око», а не наблюдать, как ее будут насиловать другие. Это были разные вещи. А может быть, нет?

Она бросила пояс на пол и быстро стала развязывать шнуровку на боку своей туники. Ей нельзя было рисковать, имея в перспективе такие ужасающие последствия, и она попыталась вспомнить, что советовала ей в таких случаях Милдред, но так и не смогла сделать этого, — в комнате было слишком светло, она сгорала от смущения, и пальцы ее стали слишком непослушными. Она ни на йоту не сомневалась в том, что была соблазнительной женщиной и что у Уоррика от желания бушевала кровь. Но возбуждал его только ее страх, а не миниатюрное, но изящно скроенное тело, которое он запомнил и которое сейчас должно было вновь открыться его взору. Но, к своему огорчению, он понял, что больше не может смотреть на нее и не сможет сделать все, что запланировал. Мысленно ругнувшись, он подошел к постели с другой стороны и взял в руки цепь. Первоначально он хотел, чтобы она сама протянула ее под кроватью и положила так, как он скажет, но сейчас решил это сделать сам.

Красное верхнее платье Ровены лежало на полу. Поверх него лежала сорочка с длинными рукавами. Взяв за подол тонкую полотняную рубашку, Ровена стала снимать ее через голову и только тогда заметила, чем был занят Фалкхерст.

— Пожалуйста, не надо, — умоляюще произнесла она, глядя в его холодные глаза. — Я не буду сопротивляться, клянусь вам...

Ни тени сомнения не промелькнуло в его безжалостном ответе:

— Все будет похоже, абсолютно похоже...

Ровена уставилась на цепи, которые он протянул с наружного торца кровати к стойкам, расположенным таким образом, чтобы она не могла сомкнуть ноги.

— Было не так, — произнесла она. — Ведь вам не приходилось раздвигать ноги, а мне придется.

Мысленно представив себе картину, которую предполагали его слова, она закрыла глаза. Око за око. И она не могла предотвратить этого. Не могла даже молить его о жалости, ибо таковая у него отсутствовала. Он был решительно настроен проделать все это с ней, и все будет так, как было с ним.

— Ты слишком долго копаешься, — предупредил он ее тихим голосом. — Не испытывай больше моего терпения.

Она сдернула рубашку через голову и молниеносно оказалась в центре постели, согласная на все, лишь бы этот вязкий страх покинул ее. Прежде чем он приказал ей, она легла, но тело ее одеревенело от напряжения. Сомкнув, причем очень плотно, веки, она теперь могла только слышать звук его шагов, которые замерли у спинки кровати в ногах.

— Раздвинь ноги. — Она внутренне застонала, но не осмелилась перечить ему. — Шире, — добавил он. Она выполнила и это. И все же ей стало трудно дышать, когда его пальцы дотронулись до ее лодыжки и держали ее до тех пор, пока вокруг нее не сомкнулись холодные железные оковы. Они не впивались ей в ногу, как это было в случае с ним, но своим весом сильно прижимали ногу к постели. Так же быстро он заковал и другую ногу, но, когда цепь, свисавшая со спинки в изголовье кровати не дотянулась до ее запястий, он выругался. Цепь подгонялась под его рост, который был гораздо больше, чем ее.

— Кажется, придется сделать еще один допуск.

В его тоне явственно слышалось раздражение. В душе Ровены шевельнулась надежда, что он откажется от своей затеи использовать цепи. Но надежда была напрасной. Он просто вышел и вернулся с двумя полосками ткани, которые он одним концом привязал к ее запястьям, а другим — к наручникам. Око за око, и теперь ей придется слышать, как поскрипывает цепь при ее движениях, — так же, как и тогда, и чувствовать, как они своим весом растягивают ее суставы, — так же, как было с ним.

Она попробовала оковы на прочность, и ее охватило чувство ошеломляющей паники. Боже, неужели он тоже себя так чувствовал? Таким беспомощным, таким испуганным? Ну нет. Страха он не испытывал. В нем клокотала только ярость. Ей хотелось, чтобы у нее тоже появилось это более сильное чувство, которое помогло бы пройти через все, что ей предстояло, но в данный момент она меньше всего была в состоянии прийти в ярость. Значит, все будет не совсем похоже. Она не будет извиваться и сопротивляться его прикосновениям, не будет пытаться испепелить его своим взглядом или сталкивать его с кровати. Ей оставалось только надеяться, что эти раз личия в ее поведении ему будут безразличны и не озлобят его еще больше.

Когда ей в рот поместили кляп, она от удивления открыла глаза. Об этом она забыла. Он не хотел больше ее слушать, так же как и она его, правда, причины для этого были совсем не одинаковыми. Он, в отличие от нее, не чувствовал за собой никакой вины. Им руководило отмщение, а она только пыталась спасти жизнь своей матери. Ее полная беспомощность вызывала у него удовлетворение, которое светилось в его глазах. Ровене не хотелось видеть этого, так же как и того, что он сбросил свою одежду перед тем, как вставить ей кляп. Однако свидетельство его готовности принесло ей мало утешения. Ей придется страдать только из-за того, что ее изнасилует он, а не многие другие в его присутствии, а как он будет чувствовать себя, войдя в нее, она уже знала. Она сможет вынести это, ей придется это сделать.

— Интересно, ты здесь тоже девственница, как и там?

Обеими руками он дотронулся до ее груди, туда же был устремлен его взгляд. Ровена широко открытыми глазами смотрела на него. Других действий он не предпринимал, так как для него не было никакой необходимости ласкать ее и довести себя этим до готовности, как это приходилось делать ей с ним. Он уже был в состоянии готовности. А ей это было не обязательно. Кроме тепла его рук и мимолетного удивления оттого, что его прикосновения были нежными, она ничего не испытывала. Ровена была просто слишком сильно испугана, чтобы чувствовать что-нибудь еще.

Он долго играл ее грудью, легко дотрагиваясь, чуть сжимая и оттягивая мягкие соски. Но, когда он, нахмурившись, прекратил это занятие, она испытала очередной приступ страха, так как не знала, что он огорчился, не добившись ласками того, чтобы ее соски хоть чуть-чуть набухли. С хмурым выражением, которое все еще пугало ее, он положил свою руку между ее ног и изо всех сил ввел ей внутрь палец.

Почувствовав резкую боль, она застонала, а он еще больше нахмурился.

— Ну, что, девка, будешь отрицать, что не испытываешь такого же позора, какой заставила испытать меня? Будешь?

Еще одна угроза, но сейчас она находилась в полной растерянности и не могла попросить у него объяснений. Ровена не имела ни малейшего представления о том, что вызвало у него такое неудовольствие. Она не могла понять, о каком позоре, которого она не испытывала, он говорил. Она бы сделала все, что бы он ни захотел, лишь бы с его лица исчезло это пугающее ее выражение. Но, будучи прикованной к кровати, она мало что могла сделать. Ее начал бить озноб, но не так сильно, как тогда, когда она думала, что умирает, но все же достаточно ощутимо, чтобы он заметил и прорычал:

— Закрой глаза, черт бы тебя побрал. Это хорошо, что ты боишься меня, но я не потерплю, если ты будешь реагировать на каждый мой хмурый взгляд. Я тебе причиню зла не больше, чем ты мне, и ты знаешь, как это должно выглядеть. Забудь обо всех своих страхах. Я приказываю тебе.

Он сошел с ума, если думает, что она сможет это сделать, даже принимая во внимание все его заверения. Во всяком случае, он действительно был сумасшедшим, так как, по его собственным словам, он хотел, чтобы она его боялась, но не сейчас. Боже милостивый, а какая разница — когда? Но он же приказал ей. О Боже! Как, каким образом она сможет выполнить его приказ?

Ровена закрыла глаза. Он был прав, говоря, что она реагирует на выражение неудовольствия, ясно написанное на его лице. Даже страх оттого, что она была не в состоянии предугадать его следующего шага, не мог сравниться с тем ощущением ужаса, который она испытывала при виде его нахмуренного лица. А потом он, как и обещал, стал делать с ней то же, что делала она с ним. Он стал ласкать ее, сначала грудь, а потом и все тело. Она отказалась от попыток понять, для чего он прикасался к ней, когда для его замысла это было совсем необязательно. Его руки действовали на нее успокаивающе, и она не возражала против его прикосновений, — лишь бы умиротворить его, и понемногу стала расслабляться. Ровена стала вдруг испытывать чувства, совсем не похожие на страх, — она чувствовала поверхность его ладоней, мозолистую, но все же приятную, его теплое дыхание, когда он близко наклонялся к ней, и появление мурашек, когда он прикасался к чувствительным зонам.

Она до того расслабилась, что, когда он прикоснулся губами к ее груди, Ровена встревожилась лишь на какое-то мгновение, не более. Ее обдало жаром, она почувствовала резкое покалывание в области напрягшихся сосков груди, и внизу живота появилось странное ощущение. Это напомнило ей о некоторых приятных моментах, которые она испытывала тогда, когда ласкала его. Чувствовал ли он нечто подобное тогда? И чувствует ли он это сейчас?

Его ласки стали чуть грубее, когда он почувствовал, что они, как он и хотел, вызвали ее ответную реакцию. Она и им не стала противиться. И действительно, неосознанно ее тело изогнулось дугой навстречу ему, как будто неожиданно она страстно возжелала того, что он собирался сделать. Но когда его рука скользнула к тому месту, где у нее расходились ноги, она вновь напряглась. Но в этот раз он не пытался ввести ей внутрь свои пальцы. Он просто продолжал осторожно ласкать ее, дотрагиваясь до чего-то, скрытого в этом месте, отчего у нее появилось чувство сладостной истомы. Ровена еще больше расслабилась, забыв, за что с ней так обращаются и кто делал это. Ощущения были очень острыми, они растекались по секретным уголкам ее тела.

Почувствовав, как толстый корень его мужской силы стал медленно, но легко скользить в теплую глубину ее тела, она широко открыла глаза и встретилась с его взглядом, в котором светилось животное торжество. Ровена внутренне съежилась. Он опирался на расставленные во всю длину руки, и единственное место, где он к ней прикасался, было там, где он вошел в нее. Она не могла оторвать взгляда от его глаз.

— Ну, теперь ты знаешь, что ты чувствуешь, когда не можешь контролировать предательское тело. — От удовольствия он почти мурлыкал.

— Ты заставила меня захотеть этого, несмотря на мою ярость. Поэтому я заставил тебя захотеть этого, несмотря на твой страх. — Она неистово затрясла головой, но он только рассмеялся и еще глубже вошел в нее. — Давай, можешь говорить, что это не так, но доказательством этому служит та легкость, с которой я вошел в тебя, и та влага, которая меня сейчас окружает. Это то, что я хотел, девка, — силой заставить тебя захотеть этого, так же как ты заставила меня. И ты каждый раз будешь испытывать стыд оттого, что не сможешь противостоять мне, когда я буду брать тебя.

Видеть его восторг от мщения Ровене было не менее тяжело, чем наблюдать проявления его гнева. Она снова закрыла глаза, но это было ее ошибкой, так как она почувствовала, как он заполнял всю ее глубоко внутри. Это ощущение было для нее не ново, но раньше ее никогда к нему «не подготавливали».

А разница оказалась громадной. Каждое медленное погружение его фаллоса заставляло ее страстно желать следующего, еще более сильного, еще более глубокого... еще... еще... до тех пор, пока она, наконец, не вскрикнула из-за охватившего ее огромного удовольствия, унесшего ее в незнакомые смутные дали.

Ослабевшую и удовлетворенную, ее оставили в одиночестве, и, когда некоторое время спустя способность мыслить вновь вернулась к ней, она почувствовала тот самый стыд, которого он добивался от нее. Было немыслимо то, что она получила удовольствие от этого тяжелого испытания, удовольствие от человека, который ненавидел ее каждой своей клеточкой. Теперь она знала все, абсолютно все о том, что чувствовал он. И ненавидела его за то, что он и ее заставил это понять.

Глава 17

Этот первый день в покоях лорда для Ровены тянулся бесконечно, даже несмотря на то, что де Шавилль оставил ее одну в тот самый момент, когда натешился ею, — так же, как всегда поступала с ним она. Конечно, она останется прикованной к кровати. Око за око. И если он будет придерживаться в точности того, что он испытал в ее руках, то сегодня он больше не будет ее насиловать. Правда, ее удивило то, что он не стал дожидаться полночи, чтобы ее доставили к нему, так как именно в это время Гилберт привел ее к нему в первый раз.

Тот первый раз... она была совершенно безграмотна в этих делах и испытала неожиданную и ужасную боль... Однако справедливости ради следует отметить, что каждый раз, когда он пытался сопротивляться ей, он тоже испытывал боль. Сегодня же для него все обошлось безболезненно. И она прежде не получала удовольствия от обладания им, в то время как он каждый раз испытывал, хоть и помимо своей воли, свое мужское удовольствие. К тому же, насилуя ее здесь, он все равно будет получать физическое удовольствие, а это было совсем несправедливо. То, что он мстит и получает удовольствие, вызывало у нее чувство глубокого возмущения.

Око за око. Если он будет справедливым до конца, то она может ожидать, что он продержит ее прикованной к кровати только в течение трех ночей, а затем наутро третьего дня освободит ее. Она также могла ожидать, что на вторую и на третью ночь он постарается посетить ее по три раза, если сможет совершить это без ее ласк. Если же ему это не удастся, то ей страшно даже было подумать, что он может тогда сделать.

Часы пролетали в полном безмолвии. Руки у нее занемели, но она поняла это только тогда, когда попыталась вытянуться. Сопровождаемая колющей болью, к ней стала возвращаться чувствительность. После этого она периодически осторожно шевелила руками, и можно было только догадываться, что бы с ними случилось, засни она надолго.

Однако спать ей совсем не хотелось. С приближением ночи в комнате стало темнеть, но она не закрывала глаз. Ей нужно было облегчиться, но она постаралась подавить в себе это желание. Вдруг она осознала, что может опозорить его в постели. О Боже, вспомнила она, с него же никогда не снимали цепей, чтобы дать возможность облегчиться, — в этом ему помогала Милдред. Но когда Ровена представила, как это выглядело, ее обдало жаром от одной возможности такого унижения. А ему пришлось пройти через это. Тогда Ровена об этом даже не задумывалась. Ну, а если бы она и знала об этом в то время, что она могла сделать, чтобы предотвратить это? Гилберт не хотел, чтобы о присутствии в замке пленника знал кто-нибудь еще, кроме Ровены и Милдред, поэтому она не могла прислать к нему слугу, в присутствии которого эта операция могла бы быть менее затруднительной. Ей показалось, что он обладал способностью читать ее мысли даже через толстые каменные стены, ибо в этот момент в сопровождении служанки, несшей поднос с едой, в комнате появился лорд Фалкхерст и подошел к спинке кровати. Заметив Ровену, женщина замерла. В ее округлившихся темных глазах светилось любопытство, смешанное с ужасом. Уоррик даже не прикрыл Ровену, когда уходил от нее, в то время как она всегда, перед тем как уйти, накидывала на него банную простыню, с которой его захватили.

— Поставь это, Инид, и принеси, что здесь еще нужно, — приказал он женщине.

Инид поспешно ушла. Ее хозяин не заметил ее ухода, так как он смотрел на Ровену, которая старалась не замечать этого до тех пор, пока он не провел пальцем вдоль ее ноги, — это был его способ привлечь внимание. И тогда она взглянула на него, и в ее взгляде отражалась вся ненависть, которую он старался вызвать по отношению к себе.

— О, что-то случилось? Мы, наконец, перестали бояться? — Он улыбнулся, но недобрая улыбка скорее являлась выражением злорадства, которое он все еще испытывал по поводу одержанной им победы.

— Запомни, меня не расстраивает твоя ненависть ко мне. Мне это, скорее, даже нравится.

Она закрыла глаза, чтобы он не мог видеть в них ненависть, которая радовала его. С ее стороны это было как бы маленькое возмездие, но он не позволил ей и этого.

— Смотри на меня, — резко приказал он, а когда она сразу же подчинилась ему, он произнес:

— Вот так-то лучше. В моем присутствии, женщина, ты будешь смотреть на меня до тех пор, пока я не разрешу тебе этого не делать. И не заставляй меня повторять это.

Еще одна угроза. Они следовали одна за другой, хотя он никогда не говорил ей, что произойдет в случае неповиновения. Она одарила его еще одним недобрым взглядом, чтобы показать свое отношение к тому, что он говорил. А почему бы и нет, если ему этот взгляд нравился?

Но он сменил тему разговора и объяснил ей цель своего визита.

— Мне кажется, придется сделать еще одно исключение, принимая во внимание твой пол. Ты приставила ко мне женщину, чтобы та обслуживала меня. И я, будь в этом уверена, без всякого сомнения, приставил бы к тебе мужчину, но мне на ум не приходит никто, кому бы я мог доверить обслуживать тебя, так как в таком виде ты можешь пробудить похоть в любом мужчине. Поэтому тебе будет прислуживать Инид, у нее есть опыт ухода за ранеными и больными. К тому же она не сможет никому ничего рассказать, так как лишилась языка в то время, когда у Фалкхерста был другой хозяин.

Выражение его лица снова стало жестоким, — таким, каким она его видела раньше, лицо человека, способного совершить любую жестокость. Так как она не сделала ничего такого, что бы могло послужить причиной такой перемены, она решила, что это произошло от воспоминания о том, что замком Фалкхерст владел кто-то другой.

Но это выражение вскоре сменилось деланной улыбкой.

— Однако я считаю, что не буду удовлетворен, если ты не

пройдешь через все унижения, как и я. Поэтому я буду лично присутствовать, когда Инид будет обслуживать тебя, и ты не сможешь проигнорировать мое присутствие, я не разрешу тебе закрывать глаза или отворачиваться. Ты все время будешь смотреть на меня. Поняла?

От страха Ровена не могла даже кивнуть, но, если бы была в состоянии, то разразилась бы бранью. Теперь она узнала еще одну причину его страданий — отчаяние оттого, что нет возможности ответного действия.

Очень скоро появилась Инид и приступила к исполнению своих новых обязанностей. Помня об угрозе Уоррика, Ровена устремила свой взор на то место, где он стоял, прислонившись к стойке кровати, и стала думать об Инид. Несмотря на седые волосы, это была не очень старая женщина. Ей было около сорока лет. За исключением небольшой горбинки на носу, черты ее лица были правильными, кожа гладкая, без морщин. А еще у нее были очень проворные, умелые и к тому же нежные руки, за что Ровена будет ей вечно признательна.

Наконец, самое худшее осталось позади, но это вторжение в ее частную жизнь было для нее хуже, чем изнасилование. По крайней мере, при изнасиловании он тоже был обнаженным, но она понимала, что заслуживает этого. И все же Уоррик сделал так, что при ее позоре присутствовало двое свидетелей, тогда как в его случае свидетель был только один.

Она попыталась убедить себя в том, что он тоже страдал от подобной вещи и чувствовал то же, что и она, и именно поэтому он заставлял ее пройти через все это. В данном случае разницы между ними не было никакой. Как только у нее вытащили кляп, она отбросила все мысли, с помощью которых пыталась уйти от реальности, и высказала своему мучителю все, что о нем думала.

— Вы самый презренный, самый жестокий из всех живущих людей. Вы в тысячу раз хуже Гилберта! — Вместо ответа он обратился к служанке:

— Мне наплевать, что она там говорит. Заткни ей рот едой, Инид, чтобы она жевала, а не болтала.

— Ублю...

Она чуть не задохнулась, когда ей в рот затолкнули большую ложку с едой. И не успела она прожевать пищу, как ей затолкнули вторую ложку. Инид пунктуально выполняла приказания своего хозяина, а Ровена уже собиралась быть вечно признательной ей. И прежде чем Ровена успела произнести еще слово, ей заткнули рот новым кляпом.

После этого служанка была отпущена, а Уоррик, покинув свое место у спинки кровати, склонился над Ровеной. Его лицо снова было почти прекрасным.

— Глупая женщина, — мягко произнес он. — Ты ловко придумала — переключить свое внимание на другое. Но если бы ты подчинилась мне, ты бы заметила, что в этот момент я только присутствовал и ни на что не обращал внимания. А теперь ты заслуживаешь наказания за свою несговорчивость. Догадываешься, что тебя ждет? Его рука дотронулась до ее поясницы, затем его пальцы, причинив ей сильную боль, проникли в сухое влагалище и замерли там. Однако, когда она не отреагировала, он не нахмурился, ибо помнил, как раньше она поддалась этим его действиям и убедила его, что она так же, как и он, не могла долго устоять.

Медленно, с необыкновенной уверенностью он свободной рукой стал развязывать завязки своей одежды, а другую руку он держал у нее между ног. И по его приказу она должна была на все это смотреть.

— Сопротивляйся, маленькая воровка, — тихо приказал он. — Сопротивляйся, как я, и ты поймешь, что телу наплевать на ненависть, злость и стыд. Тело — это простой сосуд с примитивными, но мощными инстинктами, основным из которых является старый как мир инстинкт воспроизведения потомства.

Его плоть под туникой напряглась, и по выступу черной материи она поняла, что плоть достигла максимальной величины. Осознание этого довело ее до состояния экстаза; он ощутил влагу на своих пальцах, она застонала, поняв, что означала эта влага. Об этом же свидетельствовал его победный смех.

Больше он нигде к ней не прикасался, а моментально оказался на ней и легко проник в ее тело. Это было всего лишь наказанием, а не частью его возмездия «око за око», ибо по его плану не предполагалось, что он будет принуждать ее к этому до следующего утра. Правда для ее тела это не имело значения. Оно ликовало, хотя она сама изо всех сил боролась с этим, противилась этому, яростно протестовала против этого. Ровена испытывала удовольствие от его глубоких проникновений в ее плоть, сотрясавших ее, и этого нельзя было отрицать. И,

Боже, помоги ей, Уоррик наблюдал, как она достигла оргазма, и она, затрепетав, вся запылала от удовольствия. Ее полная капитуляция перед его силой говорила о его умении. Но в этот раз она впервые тоже наблюдала за ним, и, когда он испытал такое же удовольствие, она увидела, как на какое-то мгновение жестокое выражение исчезло с его лица и перед ней предстал действительно симпатичный мужчина, скрывавшийся до этого под маской ненависти.

Ровена закрыла глаза, чтобы не видеть этого, и ей было все равно, убьет ли он ее за это или нет. А он всего-навсего рухнул лбом на подушку, прижавшись к ее виску, и тяжело дышал ей в ухо. И поднялся он не так быстро, как раньше. Когда он поднялся, дыхание его пришло в норму и на лице было прежнее выражение. Он быстро завязал шнурки и, оглядев ее с ног до головы, провел пальцами по ее мягкой поднятой руке и остановил взгляд на все еще пылавшем лице.

— Может быть, в следующий раз ты будешь выполнять мои приказания более точно. А может быть, и нет. — Его жестокие губы скривились в презрительной усмешке. — Ты не будешь отрицать, что я никогда не сдавался так легко, как ты. Интересно, что происходит с тобой, когда ты думаешь о том, сколько раз я приду к тебе ночью. А я не буду ждать ночи, так как не собираюсь жертвовать своим сном, как это делала ты. Ты напугана, маленькая воровка, или ты больше не считаешь мою месть такой отвратительной?

Если бы не кляп, она бы плюнула ему в лицо. Он понял это по ее глазам и засмеялся.

— Отлично. Мне бы не хотелось думать, что ты с нетерпением дожидаешься моего прихода. Твои визиты ко мне были отвратительными. И я думал только о том, как бы схватить тебя за твое мягкое горло и выдавить последнее дыхание из твоего маленького тела.

То, что он дотронулся руками до ее горла и сжал его, не вызвало у Ровены тревоги. Она знала, что он был слишком жесток и безжалостен, и поэтому никогда не пойдет на убийство, чтобы прекратить ее мучения. Заметив, что она его не боится, он снял руки с ее горла и сдавил ей грудь.

— Ты думаешь, что ты знаешь меня, не так ли? — съязвил он, явно недовольный ее поведением. — Подумай еще раз, женщина. Ты никогда не узнаешь меня настолько хорошо, чтобы понять, на что я способен, никогда не узнаешь, какие демоны ослепили меня и превратили в то, что я есть. Лучше молись о том, чтобы я был удовлетворен своей местью. А то, если мне все надоест, тебе очень может захотеться умереть.

Если он хотел просто напугать ее этими словами, то он был чертовски изобретателен.

Глава 18

Ровену начинало трясти, когда она думала о том, что Уоррик де Шавилль снова придет к ней. Поэтому она старалась не думать об этом. Но он пришел.

Он явился к ней на следующее утро, когда едва стало светать и она еще толком не проснулась. Но как только она, наконец, осознала, что он здесь, она сразу же поняла, что он уже своими ласками подготовил ее тело к тому, чтобы принять его. И он быстро справился с этим, так быстро, что она почувствовала разочарование скорее из-за того, что был нарушен ее сон, чем из-за того, что над ее телом было совершено насилие. Она была так измучена и опустошена, что после его ухода не смогла больше уснуть.

Вскоре пришла Инид, но Уоррика на этот раз с ней не было. Ровене теперь не хотелось обращать внимание на сочувственные взгляды этой женщины, однако она опять испытывала чувство благодарности к ней. До тех пор, пока Инид не начала массировать Ровену, она и не предполагала, что у нее так болят плечи. И, хотя Инид вполне могла этого не делать, она все же тщательно вымыла Ровену.

Но в полдень он снова пришел. И еще раз в сумерках. Единственным вознаграждением для Ровены было то, что ему пришлось немало потрудиться, чтобы ласками вызвать эту постыдную для нее влагу. То же самое произошло и на следующий день. А третий его визит, когда она в последний раз должна была перенести его вторжение в свое тело, оказался самым тяжелым.

Этого мужчину явно заботило не только то, как подготовить ее к тому, чтобы она приняла его; у него что-то еще было на уме, и Ровена совсем не удивилась бы, если его целью оказалось свести ее с ума. Даже когда он знал, что она уже готова принять его, он еще долго продолжал ласкать ее так, что ей это было трудно вынести. Он разжигал в ней страсть, доводя ее до такого состояния, что она — если бы кляп не мешал этому — стала бы умолять его овладеть ею. Но ей осталось принимать то, что давал ей он, в том числе и новое для нее понимание своего собственного тела, осознание того, что она была слабой и духом и плотью. Этот ублюдок сделал так, что она хотела его. И он это знал. В этом заключалась его окончательная победа.

Единственное, что поддерживало Ровену, — это уверенность, что все будет закончено на третье утро, когда его чувство мести будет удовлетворено. Однако она с ужасом думала о том, какое еще возмездие он приготовил для нее, ибо ни на минуту не сомневалась, что Уоррик не ограничится тем, что уже совершил. Он ведь сказал, что теперь ее жизнь, которую он абсолютно не ценил, в его руках, как плата за намерение Гилберта убить его. Он также сказал, что она теперь полностью в его распоряжении и он может делать с ней все, что пожелает.

Нет, он не отпустит ее, как она отпустила его, — по крайней мере, пока не родится ребенок. Если он намеревается оставить ребенка себе, а ее не допускать до младенца, тогда он позволит ей уйти или просто отправит ее в какое-нибудь свое владение. Она не могла допустить, чтобы такое случилось, хотя и не знала, что можно предпринять в такой трудной и неожиданной ситуации. Ведь ей даже неизвестно, что произойдет завтра.

А назавтра произошло вот что: Инид пришла с ключами от цепей. Ровена надеялась, что Уоррик явится сам, чтобы сообщить ей, какие еще унижения ей предстоит пережить. Инид, конечно, ничего не могла сказать ей об этом. Она принесла также еду, которую Ровена смогла кое-как проглотить, одежду.

Именно эта одежда заставила Ровену заподозрить, какая судьба ей уготовлена. Ее собственную одежду забрали уже давно. Принесенная сорочка и верхняя туника были из домотканой шерсти мрачно-коричневого цвета, не сказать, чтобы ткань была очень грубой, но все же она была очень низкого качества. Это была одежда для дворцовых слуг, — туника была короткой — такую не надела бы истинная дама, но она была чистой, новой и предназначалась для Ровены. Поясом служила полоска из переплетенной кожи. Были здесь и толстые шерстяные чулки, и простые матерчатые башмаки, но не было ни мягкого лифа, ни нижней сорочки. Она должна была надеть все это на голое тело. Похоже, это было еще одним унизительным напоминанием о том, что обстоятельства изменились.

После массажа Ровена ощутила, что боль в руках и плечах прошла, она оделась, причесалась и заплела косу. Инид кивком головы пригласила ее следовать за ней. Служанка не могла сказать, что с Ровеной собираются делать, но, совершенно очевидно, она знала, куда ее надо отвести. И не успели они войти в Парадный зал, как Ровена почувствовала устремленный на себя взгляд, который приковал ее глаза к столу господина.

Там сидел Уоррик. Солнечный луч, падавший сверху вниз из высокого окна, придавал его светло-каштановым волосам яркий золотистый оттенок. Хотя время для утренней трапезы уже давно прошло, перед ним все еще стояли высокая кружка с элем и деревянное блюдо с едой. Он уставился на нее без всякого выражения, просто смотрел, не отрываясь, и это заставило ее вспомнить тот последний раз, когда он видел ее обнаженную в постели.

Но она тотчас напомнила себе, что это уже прошло. Она способна выдержать все, что угодно, все, что он приготовил для нее, — лишь бы то, что произошло тогда, навсегда прошло. Однако он не подозвал ее к себе. Он не собирался сообщать ей о том, что должно было произойти. Что же, пусть будет так. Хорошо, если бы он не захотел быть свидетелем того ужаса, который может вызвать у нее сообщение о его дальнейших намерениях.

Ровена продолжала стоять, не двигаясь. Сбоку от Уоррика она заметила какое-то движение. Вглядевшись, она увидела сидящую у очага группу женщин. Все они с большим любопытством уставились на нее. Она не заметила их раньше из-за того, что лучи солнца ярко освещали лишь стол господина и их свет не доходил до очага. И в самом деле, солнечный луч, падающий на Уоррика, был так ярок, что казалось, все остальные вокруг него находились в тени. Но глаза ее привыкли к яркому свету, и она заметила, что большинство женщин были дамами, некоторые из них — очень молодыми. А две самые юные смотрели на нее, одинаково нахмурившись...

Боже милосердный, у Уоррика были еще совсем молоденькие дочери! Они не были похожи на него, если не считать этого насупленного взгляда, по которому их сразу можно было отнести к роду де Шавиллей. Тогда у него может также быть и жена. Впрочем, нет. Какая жена, если она настоящая дама, допустит, чтобы в главной комнате замка, предназначенной для госпожи и господина, ее муж насиловал другую женщину? Но, с другой стороны, какой бы ни была жена Уоррика де Шавилля, она не могла высказать свое мнение относительно того, что делает Уоррик: содержит ли любовниц или насилует женщин в своей постели. Ровена могла бы лишь посочувствовать женщине, имеющей такого мужа, как он.

И тут Ровена чуть не открыла рот от удивления, когда одна из женщин поднялась со своего стула и Ровена смогла ее как следует разглядеть. Милдред! Как могло это произойти?

От радости у нее вспыхнуло лицо, сердце подпрыгнуло в груди, и Ровена сделала шаг вперед. Милдред отвернулась от нее и посмотрела в сторону Уоррика, потом она снова села на свое место, и ее загородила женщина, сидевшая перед ней. Она не сказала ни единого слова. Даже не поздоровалась. Ровена ничего не понимала. Но потом она посмотрела на Уоррика, увидела его улыбку, и все поняла. В каком-то смысле это был еще один акт его возмездия. Неужели ему удалось каким-то образом полностью настроить Милдред против нее? Нет, она не может представить, что такое возможно, но, очевидно, Милдред запрещено разговаривать с ней. И радость, еще минуту назад переполнявшая ее сердце, сменилась гневом. С ней уже поступили неподобающим образом, лишив ее собственной одежды и заставив надеть одни лишь чулки и юбки. Но чтобы еще лишить ее и служанки, которая была для нее как вторая мать? Ровена забыла о том, что она пленница, что Уоррик может вновь бросить ее в темницу, избить и даже убить.

Она не обратила внимания на то, что Инид пыталась удержать ее за руку, и направилась прямо к столу, остановившись напротив Уоррика. Он лишь вопросительно поднял брови, как будто бы и не видел, что она была в ярости.

Она наклонилась к нему и произнесла свистящим шепотом, так, чтобы только он мог ее расслышать:

— Вы можете лишить меня всего, что мне дорого, но я могу и буду до конца дней своих денно и нощно молиться, чтобы вы, Уоррик, сгорели в аду.

Он ответил ей той жестокой улыбкой, которую она уже так хорошо знала.

102

— Неужели ты думаешь, что заставишь меня убояться за душу, которая уже проклята, женщина? И я не давал тебе разрешения так фамильярно ко мне обращаться.

Она выпрямилась, не веря своим ушам. Она только что прокляла его, пожелав ему вечный ад, а его обеспокоило только то, что она звала его по имени? Она кипела от гнева, а он просто продолжал над ней посмеиваться?

— Прошу вас извинить меня, — произнесла она с издевкой. — Мне следовало бы назвать вас иначе, а именно ублюдком.

Он поднялся так быстро, что она даже не успела испугаться. И прежде чем она подумала, что надо бежать, он перегнулся через стол и схватил ее за руку.

Ровена даже задохнулась, так крепко он ее схватил, но она лишь услышала, как он сказал: «Мой господин».

— Что?

— Ты не закончила своей речи должным обращением ко мне. Скажи «мой господин».

Он не собирался убивать ее за то, что она назвала его ублюдком?

— Но вы не мой господин.

— Теперь я твой господин, женщина, и отныне ты будешь называть меня именно так, и я хочу услышать это сейчас.

Она скорее отрезала бы себе язык. Должно быть, он понял это по ее упрямому выражению, потому что он резко дернул ее к себе и тихим, но исполненным угрозы голосом произнес:

— Ты это скажешь, или я прикажу принести кнут и определю наказание, соответствующее такой дерзости.

Он не шутил. Он так сказал, и, значит, он это сделает, хотелось ему этого или нет. Такие мужчины, как он, не произносят пустых угроз. Сердце ее бешено колотилось, и прошло несколько минут, прежде чем она процедила сквозь зубы «мой господин».

Он сразу же отпустил ее. Она потерла запястье, за которое он держал ее; он снова сел за стол, лицо его приняло то же выражение, что и до того момента, когда она бросила ему вызов — и проиграла. Но на этот раз его вид был обманчив, ибо на самом деле он был раздосадован тем, что, освободившись от оков, она сразу же обрушилась на него, вместо того чтобы стать вполне послушной и не пытаться навлечь на себя его гнев.

— Может быть, ты не так обделена житейской мудростью,

как умом, — сказал он в ответ на ее капитуляцию, а затем грозно добавил: — Убирайся с глаз моих долой. Я не хочу тебя видеть.

Ровена не нуждалась в том, чтобы ей повторили такое, она даже не оглянулась, выходя из зала. Вместе с Инид, которая ждала ее около двери, они спустились на один этаж и прошли на кухню.

Обычно кухня располагалась в отдельном здании во дворе замка, но в последние годы стало принято устраивать кухню непосредственно в центральной, наиболее укрепленной, части замка. Кухня этого замка находилась в помещении, где раньше располагался гарнизон, и занимала огромную площадь. Человек двадцать занимались подготовкой к вечерней трапезе.

В огромный очаг, над которым висела мясная туша, подбрасывали поленья. За длинным столом повара чистили овощи, готовили сладости, отбивали мясо. Кладовщик раздавал специи. Два воина на ходу перекусывали, а хорошенькая служанка кокетничала с ними. Молочница разлила немного молока из ведра, споткнувшись об одну из многочисленных собак, находившихся на кухне. За это какая-то повариха поколотила девчонку. Та со зла пнула собаку, которая только взвизгнула и не сдвинулась с места рядом с колодой, где мясник рубил мясо. Судомойка мыла кружки после утренней трапезы. Пекарь ставил в печь противень с буханками хлеба. Двое здоровенных слуг поднимались из подвала с двумя тяжелыми мешками.

На кухне было очень тепло, хотя и не душно, так как помещение было просторным, и довольно дымно из-за большого количества горевших очагов и свечей в подсвечниках по стенам. Там же находился и мажордом. Он только что вышел из своей конторки, которая находилась над кладовой. Инид подвела Ровену к крупной женщине, которая только что колотила молочницу. Светловолосая, с цветущим лицом, ростом более пяти с половиной футов, она была свободной гражданкой, женой главного повара.

— Значит, ты та самая, еще одна из Киркборо, — сказала Мэри Блауэт, оглядев Ровену с головы до ног. Все остальные на кухне тоже смотрели на Ровену, но не так открыто, как Мэри.

— Ходили слухи, что в темнице держали какую-то даму,

но то, что тебя направляют ко мне, говорит о том, что это вранье, это сразу видно. Ты будешь называть меня миссис Блауэт и не вздумай важничать и дерзить мне. Я уже достаточно натерпелась от этой заносчивой Милдред, которая находится в такой милости у господина, что я не могу ей как следует врезать. Ты-то не в такой милости, не так ли, женщина?

— Напротив, — ответила Ровена, не сумев скрыть подавленности. — Я в такой немилости, что мне уготовано нести вечное наказание.

— Вечное наказание? — нахмурилась Мэри. — Никаких наказаний, пока в этом не будет надобности. Ладно, пошли. Мне надо за всем присмотреть, а то с этими ленивыми девками ничего никогда не будет сделано. По дороге я объясню твои обязанности.

Ровена была поражена.

— Значит, я буду работать на кухне?

— Здесь? — Мэри искренне рассмеялась. — У нас здесь хватает работников, и мой муж не любит, чтобы мои женщины находились в его владениях. Он терпеть не может лени в своих работниках, а мне, как проклятой, именно на таких везет, и я не знаю, как вылечить их от этого. Что тут сделаешь, когда эта ведьма Силия, стоит мне только отвернуться, всячески принижает мой авторитет. И ей это сходит с рук, потому что она самая любимая из всех потаскух лорда Уоррика, и все это знают. Как бы я хотела...

Мысль осталась незаконченной, Мэри поднималась по лестнице, направляясь в Парадный зал. Ровена тащилась за ней, страшась неожиданной встречи с Уорриком, но его уже не было в зале. Немного осталось и дам у камина. Милдред среди них не было видно.

— Я не распоряжаюсь служанками дам, — сказала Мэри, заметив, куда смотрела Ровена. — Но тебе повезло меньше, чем Милдред, которая получила легкую работенку.

— Милдред здесь уже давно?

— Нет, она прибыла вместе с господином. А что? Ты ее знаешь?

— Да.

— Знаешь, держись от нее подальше. Обитатели замка, как везде, не равны по своему положению, одни из них выше, другие — ниже. А то, что она находится в услужении у дочерей господина, ставит ее даже выше служанок других дам, а они все выше тебя. Но ты выше, чем те слуги на кухне, так что и от них держись подальше. Ты выберешь себе подругу из тех девушек, которыми распоряжаюсь я, но уж послушай моего совета и не выбирай себе в подруги эту самую Силию.

Ровену не интересовала «эта самая Силия», даже если она была любимицей Уоррика. Ее волновала только собственная судьба.

Она поняла, что ей предстоит стать одной из «женщин», находящихся в распоряжении Мэри, но ей не сообщили, что все это будет означать.

Она была не слишком шокирована своим новым положением служанки. Судя по той одежде, которую ей дали, она что-то подобное и предполагала. И потом, первое, что ей сообщил Уоррик, было то, что она более не дама. Унижение заключалось в том, что она, оставаясь леди, каждый день должна была чувствовать горечь своего положения, положения рабыни, не имеющей права даже на собственное имя.

Однако Уоррик не мог превратить ее в настоящую служанку, ибо она была рождена и воспитана как благородная дама, и этого у нее нельзя было отнять, как бы сильно ему этого ни хотелось. Но он мог сделать так, чтобы с ней обращались как со служанкой, он уже отдал соответствующий приказ, и Ровена ничего не могла поделать, так как теперь она была пленницей. Однако, когда она вдруг подумала, что он мог бы вместо этого отправить ее назад в темницу и теперь уже лишить ее заступничества доброго Джона Гиффорда, она вынуждена была согласиться, что ей повезло, даже более, чем просто повезло. Служанка могла ведь свободно передвигаться, ходить почти незамеченной. Служанка имела возможность сбежать.

Глава 19

— Здесь ты будешь проводить большую часть своего времени, — сказала Мэри, открывая дверь ткацкой мастерской, расположенной одним этажом выше Парадного зала замка.

От окна резко отпрянули три женщины, глазевшие на мужчин на плацу. Но пока Мэри не прикрикнула на них, они и не подумали занять свои места — одна из них хотела быстро возобновить работу, но уронила веретено с заправленной нитью, и оно закатилось под юбку Мэри.

Пока та сердито выговаривала работницам, Ровена оглядела маленькую комнату. В ней находилась большая корзина, доверху наполненная веретенами. Их было достаточно для того, чтобы соткать большое количество ткани, хватало бы только рабочих рук, но ткачих было всего восемь. Вдоль стен располагались корзины большего размера, в которых лежала свежерасчесанная шерсть, готовая к переработке в нить. В комнате были установлены шесть больших ткацких станков, но только три из них были заправлены нитью, и только на одном было почти готовое полотно. В углу находилось несколько ручных ткацких станков. Единственное окно пропускало достаточно света для работы.

Мэри между тем принялась отчитывать остальных женщин.

— Опять бездельничаете? — строго выговаривала она. — Или вы выполните ваше сегодняшнее задание, или большинство из вас сегодня останется без обеда. А если я на этой неделе еще хоть раз застану вас без дела, будете немедленно переведены в прачечную. Я могу привезти из деревни других девушек с ловкими руками.

Произнеся это, она вышла, захлопнув за собой дверь.

— Я думала, что мне придется работать здесь, — удивленно сказала Ровена.

— Да, ты будешь работать здесь, но сегодня тебе придется сделать кое-что еще. Ты же не хочешь начать свою работу сейчас, чтобы разделить наказание, которое получат ленивицы.

После всего пережитого Ровена не могла не согласиться с ней, и в знак благодарности она сообщила Мэри:

— Я знаю, как изготавливать тонкую нить, хотя с двойным скручиванием на это уходит гораздо больше времени. Я также могу научить ткачей, как изготавливать полотно гораздо лучшего качества, которое больше подойдет дамам из замка.

За последние три года у нее была небольшая возможность командовать слугами, и не только теми, которые прислуживали именно ей. К пятнадцати годам, когда жизнь Ровены так резко изменилась, ее мать уже успела научить дочь всему необходимому для управления замком. И все, что она могла приказать, она могла выполнить сама, ибо как же можно было правильно управлять хозяйством, не представляя точно, что необходимо делать? Некоторые же вещи она могла выполнять лучше других.

Полностью заинтересовав Мэри, она продолжала:

— Но здесь мои таланты могут не пригодиться, так как я лучше владею иглой.

— Так же, должно быть, считает и мой господин. Он приказал, чтобы ты следила за его одеждой и шила ему новую. Хотя для этих целей у нас есть гораздо лучшие материалы, чем домотканая шерсть. Ты говоришь, что можешь научить других, как изготавливать более тонкую пряжу? — Ровена, сочтя приказание присматривать за его одеждой еще одним наказанием, покраснела и только смогла кивнуть в ответ. При тусклом освещении коридора Мэри не заметила этого. На нее произвело впечатление сообщение Ровены.

— Ты в Киркборо приглядывала за ткачами? — спросила она.

— Нет, я там недолго была.

— Было бы неплохо, если бы ты, когда будешь ткать, немного подучила моих женщин, но мне не приказывали, чтобы ты это делала, и у тебя вряд ли будет много свободного времени, так как работы будет предостаточно. — Затем она повернулась, собираясь уйти, и только добавила: — В конце дня можешь вернуться сюда ночевать вместе с остальными.

Ровена представила себе маленькую комнату, в которой так было мало свободного пространства, и не удержалась от вопроса:

— И все они спят там?

— Нет, только трое. Остальные пять такие же испорченные, как Силия. У них есть мужики, к которым они тайком бегают по ночам. — Мэри остановилась на верхней лестничной площадке и пробуравила Ровену прищуренным взглядом. — А ты не из этой породы?

Ровена знала, что люди видели, как три дня тому назад она входила в покои лорда. Некоторые из них видели, как она сегодня утром выходила оттуда. Хотя казалось, что Мэри об этом не знала, она могла, вероятно, что-нибудь слышать об этом. Ровена не хотела приобрести в лице Мэри врага, если впоследствии та узнает вещи, о которых Ровена может рассказать сейчас. К тому же Мэри казалась вовсе не злой женщиной.

Просто она подозревала всех и вся. Возможно, она даже смогла бы помочь Ровене, если той удастся добиться ее расположения.

— Я была бы чрезвычайно благодарна вам, миссис Блауэт, если бы вы смогли оградить меня ото всех мужчин. Но есть одна вещь, которую вам следует знать, если ваш хозяин еще не сообщил вам об этом. Последние три дня он держал меня в своей комнате прикованной к кровати.

— Нет, этого не может быть! — с негодованием воскликнула она. — Зачем ты врешь? — Последние слова были рассчитаны, как решила Ровена, на то, чтобы случайно услышавший их разговор понял, как она защищает своего хозяина. Неужели Мэри не знала, каким человеком он был на самом деле?

— Об этом знает Инид, и я сомневаюсь, что ваш хозяин будет это отрицать, так как у него есть причины для наказания меня таким образом. Я говорю это вам только для того, чтобы вы не удивлялись, если он уведет меня от вас для дальнейшего наказания, так как, похоже, он еще не до конца отомстил мне.

Все еще с недоверчивым видом Мэри произнесла:

— Нет, он вряд ли это сделает. Я думаю, что твои новые обязанности, которые вряд ли тебе понравятся, и будут твоим наказанием. Ведь ты еще должна будешь прислуживать лорду Уоррику за столом во время еды, вместе с Инид отвечать за чистоту в его комнате, мыть его в бане, за что на тебя, вероятно, обидится Силия, так как раньше это была ее обязанность и она ей очень нравилась.

У Ровены судорогой свело желудок. А она-то думала, что самое худшее осталось позади.

— Есть еще одна вещь, которую вам следует знать: я беременна, и лорд Уоррик знает, что это его ребенок.

— И он заставляет тебя работать больше любого раба? Ну, нет, этому я тоже не могу поверить.

— К чему мне лгать, когда через несколько месяцев все доказательства будут налицо?

— Тогда он об этом не знает, — стала настаивать Мэри.

— Ко мне, кроме него, никто никогда не прикасался, миссис Блауэт. Ребенок его, и он даже собирается отнять его у меня.

Мэри чуть не задохнулась.

— Ну, девочка, в своих обвинениях ты зашла слишком далеко. Если ты и в самом деле беременна, то мой хозяин найдет тебе мужа. Поэтому больше мне ничего не говори об этом. Теперь пошли. До конца дня тебе придется убираться в комнате хозяина, так как этим никто не занимался за последние... эти... три...

Мэри не закончила предложение, так как, по правде говоря, все это подтверждало одно из уверений Ровены. Она плотно поджала губы и пошла вниз по лестнице.

Ровена не сразу последовала за ней, поскольку ее снова охватил страх, который невольно вызвала в ней Мэри. Уоррик может выдать ее замуж и за раба, и за самого низкого крепостного. Боже, умоляю, не разрешай ему сделать это.

Ровене было противно снова входить в эту комнату, и хотя сейчас она и не произвела на нее сильно угнетающего впечатления, о том, чтобы близко подойти к кровати, не было и речи. Лучше на четвереньках скрести полы, за что она и принялась, в то время как Инид меняла постельное белье, стирала пыль и занималась общей уборкой. Ровена даже хотела вынести ковры для провстривания, но Инид покачала головой. Сегодня они должны были заняться стиркой. С ворохом одежды на руках они отправились в прачечную.

До этого Ровена стирала белье только раз в своей жизни, хотя она довольно хорошо знала, как это делается. Занятие было не из приятных. Простыни можно было просто замочить в деревянной кадке в растворе древесной золы и каустического мыла, затем отбить, прополоскать и повесить сушиться. Грубую шерстяную одежду слуг можно стирать таким образом, но это уже не годилось для одежды лорда, сшитой из тонкого сукна. Ее нужно было сначала кипятить, а затем простирать вручную с более мягким мылом, затем снова прокипятить и снова прополоскать, но не один, а три раза, и только после этого ее можно было вывешивать для просушки.

Несмотря на то что в прачечной стояли огромные котлы с кипящей водой, клубился пар и не совсем мягкое мыло раздражало ее нежную кожу, Ровена решила, что это было не самым худшим из занятий, особенно принимая во внимание дружелюбие прачек. Некоторые из них даже старались помочь ей, когда ушла Инид. Нет, самое худшее было у нее впереди, и можно было только надеяться, что лорд Фалкхерст не был таким уж чистоплюем, чтобы принимать ванну больше одного раза в неделю. Может быть, у нее еще будет несколько льготных дней прежде, чем ей придется столкнуться с этой обязанностью.

Когда она вернулась в дом, то увидела, что в зале был уже установлен стол для вечерней трапезы. Уоррика еще не было, но за стол уже начали садиться те, кто имел привилегию есть рядом с ним: его дочери, некоторые из его рыцарей, управляющий замком, который тоже был рыцарем, и дама чуть больше среднего возраста, которая была наставницей его дочерей по вопросам ведения домашнего хозяйства.

Одним из присутствующих рыцарей был сэр Роберт, и Ровена опрометью бросилась на кухню посмотреть, что еще нужно было принести на стол лорда, в надежде, что ей удастся переговорить с ним один на один, пока не появился Уоррик. Она не забыла о помощи этого рыцаря, когда он приставил к ней Джона Гиффорда, так же как и то, что обещала отблагодарить его за это. И ей не повредит поддержать это знакомство, ибо, однажды получив его помощь, она может снова на нее рассчитывать, когда попробует бежать отсюда.

Но когда она вернулась с первым подносом еды, Уоррик уже сидел на своем месте, и, как только она появилась, его глаза сразу же остановились на ней. Он не отрывал от Ровены своего взгляда, пока она не исчезла из вида. Она этого не видела, так как снова решила не смотреть на него, и только ощущала его взгляд. Но она безошибочно определила, что в его взгляде было что-то нервирующее ее.

Когда она вернулась со вторым подносом, то с изумлением увидела, что Уоррик ждал ее на верху лестницы. И выражение его лица определенно не предвещало ей ничего хорошего.

— Я предупреждал тебя, чтобы ты смотрела на меня в моем присутствии? — требовательно спросил он.

— Я, я забыла, — солгала она.

Но это успокоило его только наполовину.

— А если снова забудешь?

— Нет.

— Нет — что?

— Мой господин, — твердо произнесла она.

Это умиротворило его.

— Может быть, нужно что-нибудь сделать, чтобы ты запомнила, кому ты принадлежишь, — произнес он задумчивым голосом, прежде чем дотронуться рукой до ее груди.

Ровена так быстро отпрыгнула назад, что попала на ступеньки лестницы и не удержалась на ногах. Уоррик бросился к ней, но все произошло так быстро, что он не успел подхватить ее. Она не вскрикнула и на мгновение почувствовала облегчение оттого, что все ее несчастья кончились таким образом. Затем ей стало жалко себя, но и это чувство владело ей недолго, так как, перелетев через несколько ступенек, она налетела на слугу, поднимавшегося по лестнице с подносом еды. И опять она не успела вскрикнуть.

Подносы с грохотом упали на каменные ступени лестницы. Уоррик в это мгновение резко дернул ее на себя и продолжал крепко держать ее в руках. Он отпустил Ровену только после того, как сильно встряхнул ее, по крайней мере, пару раз.

— Никогда не пытайся избежать моего прикосновения, женщина, или с тобой может произойти нечто худшее, чем падение с лестницы. Теперь убери все, что ты тут натворила, и сделай это как можно скорее, потому что я не притронусь к еде до тех пор, пока ты не наполнишь мою тарелку. А я голоден.

Другими словами, она могла ожидать, что его гнев будет нарастать с каждой минутой, которая уйдет на уборку лестницы. И не удивительно, что по окончании работы руки ее дрожали.

Глава 20

Ровена была вне себя от ярости, так как, вернувшись, наконец, в зал с подносом, уставленным блюдами, она увидела, что Уоррик накладывает себе на тарелку ту еду, которая уже была на столе. При этом он был так поглощен беседой со своим мажордомом, что, похоже, вспомнил о ней, только когда она встала с подносом перед ним.

Кивками головы Уоррик стал указывать ей те блюда, которые его интересовали. Затем он захотел, чтобы она наполнила элем его кубок, хотя специально для этого за его спиной находился молодой слуга с кувшином.

В течение всей трапезы Ровена обязана была не спускать глаз со своего господина. Это раздражало ее не меньше остального. Ей совсем не нравилось смотреть на него и видеть малейшие изменения его лица, ей не хотелось знать, когда его мысли вновь вернутся к ней. Но она понимала, что обязана следить за жестоким выражением его лица. Это была одна из форм мести. Все сводилось к тому, чтобы заставить ее почувствовать, что она все еще полностью зависит от его милости, что как раз миловать он пока не намерен.

Закончив свою трапезу, он, не глядя на Ровену, взмахом руки подозвал ее к себе. Она понимала, что он испытывал ее, желая увидеть, насколько она подчиняется ему, хотя он, конечно, ожидал безоговорочного послушания. И это тоже бесило Ровену. Неужели никто никогда не выражал ему открытого неповиновения? Глупая мысль, так как, даже когда он не хмурился, лицо его все равно имело грозное выражение. И как бы он ее ни злил, она не осмеливалась испытывать судьбу и оказаться избитой или получить еще какое-нибудь наказание — пока еще не осмеливалась.

— Мне нужно сегодня вечером принять ванну, — сказал он ей, когда почувствовал, что она стоит рядом. — Иди и проследи, чтобы ее приготовили.

Ровена на мгновение закрыла глаза, сожалея, что ей не пожаловали никакой передышки. Она услышала смешок одной из дочерей — за этим последовало суровое наставление дамы-наставницы — и почувствовала, что краснеет. Нужно было быть слепым, чтобы не заметить, как Уоррик во время трапезы опять обратил на нее свое внимание. И всегда, когда господин выделял кого-нибудь из своих служанок, обращал на нее внимание, это означало, что почти наверняка эта служанка, в конце концов, окажется в его постели. По крайней мере, все так будут думать. В ее случае все было по-другому, ибо они не знали, что ее наказывали, а не выражали благосклонность.

Она быстро вышла из зала, чтобы избежать взгляда этих холодных, цвета серебра, глаз. На кухне она увидела Мэри и ее мужа. Они сидели и обедали. Ровена вспомнила, что сама еще не ела. Но на это не было времени, и как его найти, если на нее было возложено столько обязанностей. Конечно, сегодняшний день был исключением: надо было убрать грязь, накопившуюся за три дня, и приготовить ванну. Но ведь не может же он требовать ванну каждый вечер.

Объясняя Ровене, как ей справиться с требуемой работой, Мэри не переставала запихивать рот сочные кусочки жареной куропатки. В животе у Ровены урчало: она могла насладиться лишь запахом, исходящим от еды. Из объяснений Ровена поняла, что ей не нужно притаскивать большое количество ведер воды, так как это делали слуги-мужчины. И в следующий раз она сможет сама отдавать им приказания. Ей сказали, где найти банную простыню и мыло, которым пользовался только господин. Ее предупредили, что Уоррик любит, чтобы вода была очень теплой, но не горячей, и она сама должна следить за температурой. И если будет что-то не так, она получит оплеуху.

Можно было сойти с ума из-за того, что опять нужно было пересечь весь зал, чтобы попасть в его покои. Но, казалось, на этот раз Уоррик ее не заметил. Она бросала на него взгляд через каждые несколько шагов. Нельзя же было ожидать от нее, что она будет идти, не спуская с него глаз, ведь так можно и наткнуться на что-нибудь.

Неожиданно перед покоями лорда она лицом к лицу столкнулась с Силией. Ровена сразу поняла это по яркой красоте и нескрываемой ненависти, блеснувшей в зеленых глазах молодой женщины. И туника, и рубаха на ней были с глубоким вырезом, так, чтобы можно было видеть ее красивую пышную грудь, а копна ярко-рыжих кудрей придавала ее облику такую необузданную чувственность, что редкий мужчина мог остаться к ней равнодушным. Желтеющих зубов почти не было видно, зато от нее исходил такой сильный запах роз, что начиналось головокружение. Видимо, эта женщина ошибочно полагала, как, впрочем, и многие дамы неблагородного происхождения, что благоухание может скрыть неопрятность.

Силия, не выбирая слов, сразу перешла в наступление.

— Я знаю тебя — ты сидела в темнице. Что ты такое сделала, чтобы после такого наказания к тебе относились с таким вниманием? Ты перед ним ножки свои раскидывала? Ты вставала на колени и...

— Закрой свой грязный рот, Силия, и убирайся отсюда!

Глаза Силии так и вспыхнули зеленым огнем. Она не поверила своим ушам.

— Ты... ты осмеливаешься так говорить со мной?!

Этого только и не хватало Ровене: ссора из-за мужчины, которого она презирала. Ну не смешно ли? Думать, что к ней относятся благосклонно? Завидовать ее обязанностям, которые для нее самой ненавистны? Боже милосердный, что еще ее ждет? Но такое высокомерное отношение Силии было неприятно Ровене и напоминало ей то, о чем говорила Мэри Блауэт. Очевидно, Силия осознавала свое положение фаворитки господина и вела себя надменно. Она также очень старалась, чтобы ее речь не была похожа на речь служанки. Но ведь и ты служанка — в настоящее время, напомнила себе Ровена. Тогда какое ты имеешь право обижаться на наглость другой служанки?

— Я думаю, что могу разговаривать с тобой, Силия, так, как сочту нужным. Разве не я сейчас пользуюсь благосклонностью господина?

За это она получила совершенно неожиданную пощечину, да в придачу и злобный ответ:

— Это не надолго, стерва. Запомни, что, когда ему надоест твое бледное костлявое тело, я заставлю тебя сильно пожалеть, что тебе вздумалось занять мое место.

Ровена онемела от неожиданности, а Силия вышла, захлопнув за собой дверь. Ровене никогда не давали пощечин, никогда в жизни, и это определенно оказалось не из приятных вещей. Но она предположила, что это будет еще одним, к чему ей здесь придется привыкнуть. Но от служанки этого она не должна терпеть — а уж от этой тем более. Но ей не к кому было обратиться за помощью. Она могла себе представить реакцию Уоррика, попробуй она ударить в ответ его «фаворитку»-служанку. И Силия знала это. Поэтому ей все сходило с рук, в том числе и ее ужасное поведение.

Мужчины-слуги стали приносить воду. Ровена пошла за банными простынями и мылом, которые находились в специальном сундуке в покоях господина. Она захватила с собой еще одно полотенце, которое намочила в холодной воде и приложила к щеке. Это холодило горевшую от пощечины щеку, и к тому моменту, когда не торопясь вошел Уоррик, красный след от удара почти исчез.

Сначала он посмотрел на лохань, над которой медленно поднимался пар. В нее вошли все ведра горячей воды. Ей оставили только холодную воду, которой она должна была ополаскивать его. Она хотела приказать, чтобы принесли еще горячей воды, но эта мысль сразу вылетела у нее из головы, как только Уоррик взглянул на нее и задержал свой взгляд на ее щек.

Он подошел прямо к ней и поднял за подбородок ее лицо.

— Кто тебя ударил? — требовательно спросил он.

— Никто.

— Ты лжешь, женщина. Что ты такое сделала, чтобы уже вызвать неудовольствие госпожи Блауэт?

Почему он сразу решил, что это она виновата? Ей следовало бы сказать ему правду, да только пощечину она получила всего лишь за то, что опустилась до уровня Силии. Но она прекрасно понимала, что он ничего не предпримет в ее защиту, если узнает, что это была его драгоценная Силия, и почему-то именно это причиняло больше боли, чем сама пощечина.

Поэтому она солгала и сочла это самым удобным в данной ситуации.

— Я просто споткнулась, когда шла через зал, ведь вы приказали смотреть только на вас. — И ей удалось провести его, так как он не следил за ней все время.

На этот раз его грозный взгляд не напугал ее.

— Ну и глупая же ты женщина. Тебя надо учить и здравому смыслу, а не только тому, как выполнять свои обязанности?

— Если мне разрешено смотреть под ноги, когда я хожу там, где вы находитесь, вы должны мне об этом сказать. Я не хочу вас ослушаться.

— Не хочешь? — хмыкнул он, услышав кроткий ответ, и отпустил ее.

— Тогда посмотрим, действительно ли ты готова меня слушаться. Раздень меня.

Она этого ожидала, но тем не менее сразу покраснела, так, что обе щеки стали одинаково красными. А он стоял, возвышаясь над ней, спокойно опустив руки, и совсем не собирался ей помогать. Ей было отвратительно выполнять это поручение, и он знал это. То, что с ней обращались как с рабой, тоже было частью его мести.

Она быстро его раздела, даже не пытаясь скрыть своего негодования. У него на губах заиграла мрачная улыбка, которая была ей так ненавистна. Ровена отвела взгляд от его лица и старалась не смотреть на него. Она стала разглядывать его безупречное тело.

Он даже не наклонился, чтобы она могла снять с него тунику, вынудив ее приблизиться к нему вплотную. У нее перехватило дыхание, когда нечаянно она коснулась его своей грудью, потом, почувствовав, как напряглись и сразу сделались твердыми ее соски, она судорожно глотнула воздух. Она так сильно дернула за тунику, что, когда та, наконец, оказалась у нее в руках, Ровена не удержалась и упала назад, на ступеньки.

Уоррик рассмеялся над ее сердитым выражением лица —

116

по крайней мере она надеялась, что он смеялся только над этим. Ведь не мог же он знать, как отреагировало ее тело на прикосновение к его телу? И как вообще такая реакция возможна, если она его ненавидела? Это было выше ее понимания.

Ей не хотелось снова приближаться к нему. Нужно было еще снять с него штаны и обувь, но она не могла этого сделать. От одной мысли об этом у нее опять возникало ощущение покалывания в грудях. Боже милостивый, что же такое с ней происходит?

Он терпеливо ждал, но, когда она не сделала никакого движения в его сторону, он сказал:

— Заканчивай.

Она медленно отрицательно покачала головой, видя, как у него вопросительно поднялась бровь.

— Тебе хотелось бы, чтобы тебя снова приковали цепями к моей кровати?

Она резко подскочила, чуть не столкнувшись с ним в спешке. Она услышала его смех и заскрежетала зубами. Значит, и эта угроза будет постоянно висеть над ней? Он был совершенно отвратителен, вне всяких...

— На колени!

Она упала на колени, даже не задумываясь над его новым приказом, и прямо на уровне лица увидела под тканью его штанов большую выпуклость. Краска снова залила ее лицо, и пальцы ее дрожали, когда она протянула руку, чтобы развязать шнурок и освободить его орудие мщения.

— Меня вполне устраивает видеть тебя в такой жалкой позе — как щенка у моих ног, — продолжил он небрежно. — Может быть, я прикажу тебе прислуживать мне в такой позе за столом.

— На виду у всех? Пожалуйста, не надо, — слова вырвались со стоном.

Он коснулся рукой ее макушки — как если бы она была не более, чем щенком, виляющим хвостом у его ног, — и отдернул руку, как только она подняла на него глаза.

— Ты еще будешь колебаться, выполнять тебе свои обязанности или нет?

— Нет, не буду.

Он больше ничего не сказал, оставив ее в ужасе раздумывать, удовлетворил ли его ее ответ. Теперь она стояла на коленях, потому что она осмелилась отказаться закончить раздевать его, наказание было скорым и унизительным. Неужели этого мало? Она сдернула с него штаны и подштанники, стараясь не смотреть на то, что было у него ниже пояса; она наклонилась пониже, чтобы заняться его обувью. Когда она кончила раздевать его, он не двинулся с места, и она не сводила глаз с его голых ног, что было своеобразным вызовом с ее стороны, но что нельзя было назвать прямым неповиновением, ибо разве его ноги не были частью его тела?

— Поистине ты таки продолжаешь испытывать мое терпение, — сказал он, видя, как она продолжает смотреть на его ноги.

На этот раз он не упорствовал, и она увидела, как он переступил ногами и забрался в лохань с водой. Она с облегчением вздохнула. Она стала забывать, что еще означает «прислуживать ему, когда он принимает ванну». Он ей напомнил.

— А теперь чего ты ждешь, женщина? Подойди, помой мне голову и спину.

Это входило в «прислуживание ему». Она знала это. И то хорошо, что он не настаивал, чтобы она вымыла его всего. Но ей не хотелось опять приближаться к его телу; от одной только мысли об этом ее бросило в жар.

Она взяла кусок ткани, служивший мочалкой, намочила и намылила ее, но прежде чем коснуться его тела, она спросила:

— Почему ваша жена не занимается этим?

— У меня нет жены.

— Но у вас есть дочери.

— Я был дважды женат, но обе жены давно умерли. И я бы женился еще раз... — Вдруг он схватил ее за тунику, притянул к себе и сердито проворчал: — Я должен был встретить ее, а меня задержали, и она, не дождавшись, уехала и пропала. Тебе известно, женщина, где я был и почему не мог встретить, как намеревался, свою невесту.

Ровена боялась что-либо отвечать. Он и не ждал ее ответа.

— Меня приковали цепями к кровати только ради твоего удовольствия.

Боже милостивый, и за это он должен винить ее?

— Не ради моего удовольствия, — прошептала она. Он отпустил ее, слегка оттолкнув.

— Тебе надо хорошенько молиться, чтобы леди Изабелла нашлась и чтоб она была жива.

Еще одна страшная угроза неизвестными последствиями. Ровена подумала, что, может быть, леди и не пропала, а воспользовалась случаем и сбежала от такого жениха. Уж она сама наверняка бы так сделала, представься ей такая возможность. Эта тема вызвала в нем гнев. Она почувствовала это по тому, как напряглась у него спина, которую она терла. Так что она и не удивилась, что он не взял протянутой ею мочалки. Она заслужила еще одно наказание за то, что рассердила его.

— Мне кажется, что я сегодня слишком устал, так что можешь вымыть меня, женщина, всего. И лучше сними-ка с себя одежду, чтобы не намочить ее.

Да будут ему уготовлены вечные муки. Ну почему он должен мстить за любой пустяк? Он настоящее дьявольское отродье.

Но Ровена сделала так, как ей было приказано, сбросив с себя и тунику и рубашку, в спешке оборвав несколько шнурков. После этого она сразу же накинула на себя тунику без рукавов, фактически опять проявив неповиновение.

Когда она опустилась перед ним на колени и начала намыливать ему грудь, он увидел, что она сделала, и очень удивился. Она затаила дыхание, ожидая пощечины. Но когда этого не произошло, она, наконец посмотрела ему в лицо — и увидела, что он улыбается, по-настоящему улыбается, и эта улыбка сделала его опять привлекательным. На ее лице отразилось удивление, и это вызвало у него взрыв смеха.

Раздосадованная, Ровена села на корточки. Менее всего она думала, о том, чтобы развеселить чудовище. Но сегодня у нее ничего из того, что она хотела, не получалось.

Перестав смеяться, но продолжая улыбаться, он сказал:

— Давай заканчивай, а то вода начинает остывать.

Она повиновалась, но мытье этого крупного мужского тела было настоящей пыткой, и по-другому это назвать было нельзя. Ее сердце сильно билось, пульс участился, а напрягшиеся соски грудей ломило от боли. Мытье слишком явственно напоминало ей о том времени, когда она принуждала его быть готовым к соитию, оно было очень похоже на ласки с ее стороны. И то, что было символом его мужского достоинства и силы, несколько раз упиралось в ее руку, и она поняла, что оно взорвется прежде, чем она дойдет и до этого места и начнет там мылить.

Ее лицо пылало. А его — оставалось по-прежнему необыкновенно прекрасным, ибо он продолжал улыбаться, довольный тем, что она испытывала чувство неловкости. Но она на это сейчас и не обращала внимание, потому что пылало не только ее лицо. У нее вдруг возникло безумное желание забраться к нему в эту лохань.

Но вместо этого она вскочила на ноги и начала намыливать ему голову. Но она делала это слишком сильно, взбивая слишком обильную пену, которая потекла ему в глаза.

— Хватит, женщина, — попросил он. — Сполосни теперь волосы.

Ровена дотянулась до ведра, чувствуя облегчение, что процедура мытья подходит к концу, и вспомнила, что больше не осталось горячей воды.

— Вам придется подождать...

— Нет, споласкивай сейчас же.

— Но, мой господин, вода...

— Сейчас же, черт тебя побери!

Она стиснула зубы. Ну что ж, сам напросился. С великим удовольствием она вылила целое ведро ледяной воды ему на голову.

Она услышала, как он захлебнулся водой, стекающей по лицу, потом закашлялся и начал отплевываться. Злорадное удовольствие сменилось тревогой. Ну теперь он наверняка поколотит ее, хотя во всем этом не было ее вины. Пока он не выскочил из лохани, она начала медленно отступать к двери, а он продолжал смахивать руками воду с лица, потом опустил руки, и эти его глаза цвета серебра пригвоздили ее на месте.

— Я... я пыталась сказать вам, что не осталось теплой воды, мой господин.

— Да, ты пыталась. Если бы мне не щипало так глаза, я бы мог выслушать.

Она насторожилась.

— Значит, вы меня опять обвиняете? Если бы вы меня спросили, я бы сказала вам, что никогда раньше никого не мыла и не знаю как...

— Замолчи!

Было очевидно, что он раздражен, но не похоже, что он собирался поколотить ее, поэтому она предложила свои услуги, спросив:

— Что вы теперь наденете? Я принесу одежду.

— В этом нет нужды. Уже пора ложиться спать. Так что я пойду прямо так.

— Тогда... можно ли мне быть свободной... мой господин?

Она нарочно заколебалась, прежде чем употребить обращение «мой господин», и по тому, как он посмотрел на нее, было ясно, что он это понял, и, видимо, поэтому он ответил:

— Нет, сначала ты меня вытрешь.

Но, скорее, это было наказанием за холодную воду. Произнеся приказ, он поднялся во весь рост, а она, стоя от него на некотором расстоянии, не могла не видеть его тела.

Она было покачала головой, снова отказываясь подчиниться ему, но он опередил ее, спросив:

— Ты довольна тем, к чему привела твоя помощь?

— Нет! — сказала она.

— А раньше ты в таких случаях была довольна, — напомнил он ей.

Произнесено это было каким-то слишком хриплым голосом. Боже милосердный, уж не собирался ли он соблазнить ее, вызвав у нее желание отдаться ему? Если это так, тогда, похоже, он отпустит ее и пошлет за своей Силией. Он уже отомстил ей, уже была приведена в исполнение месть «око за око». Он не может еще раз возжелать ее. Нет, ему только хотелось все больше и больше мстить ей.

— Я... мне насилие так же не нравится, как оно не понравилось и вам, — умоляюще произнесла она. — Я уже говорила вам, как я сожалею о том, что с вами сделали. Когда же кончится ваша месть?

— Когда один лишь твой вид не будет приводить меня в ярость. Когда я буду отомщен за все нанесенные мне оскорбления. Когда убью твоего брата, отомстив за смерть моего оруженосца. Когда я, женщина, потеряю к этому интерес, и не раньше, а может быть, и никогда.

Глава 21

Ровена лежала на своей неудобной постели на полу ткацкой мастерской и не могла заснуть. Перед тем как лечь, она снова надела сорочку. Она знала, что грубая шерсть может вызвать зуд на теле, но тот убогий шерстяной тюфяк, который служил ей постелью, был сделан из еще более грубой шерсти, и потому рубашка была совсем нелишней и давала некоторый покой телу. Но в душе не было покоя: ее тревожили те чувства, которые вызвал в ней лорд Возмездие. Она не могла разобраться в этих чувствах. Она не хотела Уоррика де Шавилля. Она не могла хотеть человека, которого ненавидела. И все же за эти дни ему удалось заставить ее хотеть его, несмотря на ее ненависть к нему, и сегодня ночью тело Ровены вспомнило об этом и снова откликнулось на все это не так, как ей хотелось бы.

Ровена вспомнила, как одеревенели ее ноги, когда она приблизилась к нему с мягкой тканью, служившей полотенцем. И ей не стало легче, когда раздался его холодный голос.

— Встань снова на колени, — приказал он. — И смотри, женщина, чтобы на теле не осталось ни одной капли. Если из-за твоей халатности я простужусь, то изобью тебя.

Он произнес это так, как будто все его прежние угрозы были нереальны. Она очень в этом сомневалась, но ее озадачила именно эта угроза. И, чтобы обезопасить себя, Ровена стала вытирать его очень тщательно, стараясь не пропустить ни одного участка тела.

То, что она испытывала при этом, ей вряд ли захочется еще когда-нибудь испытать. От страха ее стало чуть-чуть знобить. И он знал об этом, так как наблюдал за ней, как коршун, и не мог не видеть, как подействовали на нее его слова. Но еще более очевиден был эффект, который она произвела на него — его фаллос упирался ей прямо в лицо. Она невольно испытывала чувство восхищения от его мужского органа и даже позволила себе поласкать его.

В этот момент он знаком приказал ей удалиться. Ее это очень удивило, но она не стала дожидаться повторения приказания и бегом устремилась в женскую половину дома, где располагались швейная и ткацкая мастерские.

В ее комнате было темно и тихо. Ткачихи где-то развлекались. Ровене следовало успокоиться и найти что-нибудь поесть. Но вместо этого она взяла горевший в коридоре факел, зажгла в комнате несколько свечей, приготовила свой тюфяк, одела рубашку и легла спать.

Но заснуть ей никак не удавалось. Она все еще не спала, когда пришли четыре ткачихи, несколько минут пошептались и заснули. Она все еще не спала, когда звуки урчания в ее животе смешались с ровным дыханием спящих. Прошло еще какое-то время, и во дворе запели птицы. Неожиданно открылась дверь, и в ее проеме появился силуэт огромной фигуры, освещаемой со спины светом факелов.

Она знала, кто это был. Она даже смутно подозревала, что он придет, хотя думала, что он будет утешаться с Силией. А может быть, он думает, что Силия здесь? Может быть, он пришел за своей фавориткой, а не за нею?

Но когда он произнес «пошли», он смотрел на Ровену.

Теперь у нее не было сомнения, что он обращался к ней, даже несмотря на то, что его лицо было полностью скрыто тенью. Никто из женщин не пошевелился. Ровена тоже лежала неподвижно.

Он вытянул вперед руку и повторил это единственное слово, а ее охватили воспоминания о его прикосновениях к ней и о том неправдоподобном ощущении удовольствия, которое его тело недавно заставило ее испытать. Она яростно затрясла головой, так как не жаждала повторения этого удовольствия.

Видя, что она сопротивляется, он тихо произнес еще несколько слов, так, чтобы только она могла их слышать.

— Ты испытываешь те же трудности, что и я, иначе ты бы уже давно спала. И я больше не намерен страдать по этой причине. Собирайся, пошли. Или я вынесу тебя отсюда.

Она с ужасом представила, как все это будет происходить и как от этого непременно проснутся остальные женщины, но все же не шевельнулась. Поэтому он добавил:

— Твой крик не будет иметь никакого значения. Ты еще не поняла этого?

Она была все же выше этого. Но так как, если бы он к ней прикоснулся, она действительно могла закричать, она поднялась и вышла следом за ним из комнаты и остановилась в пустом коридоре. Он пошел вперед, полностью уверенный в том, что она следует за ним. Поняв, наконец, что она стоит на месте, он вернулся. Его брови были вопросительно изогнуты.

— Тебе требуется помощь?

То безразличие, с которым он это произнес, вызвало в ней ярость.

— Я не пойду с вами, — храбро произнесла она упрямым голосом. — Вы уже отомстили мне таким способом. И заставлять меня снова делать это противоречит принципу «око за око».

— А разве я сказал тебе, женщина, что буду обращаться с

тобой только по этому принципу? После сегодняшнего дня ты могла бы это понять. Однако я предпочитаю получить от тебя вознаграждение, и я получу его. — На его губах опять появилась мрачная улыбка, и он пожал плечами. — Но это не имеет никакого значения. Мне просто пришло в голову, что, по правде говоря, ты сейчас не более чем крепостная и принадлежишь Фалкхерсту, как и все остальные крепостные. Это означает, что без моего разрешения ты не можешь ничего делать, и, как все мои остальные крепостные, ты должна платить мне оброк. Это также означает, и это относится ко всем моим крепостным женского пола, что если я решу задрать тебе юбку и попользоваться тем, что находится у тебя между ног в любом месте и в любое время, то это является моей привилегией. Поэтому, если я прикажу тебе забраться ко мне в постель, ты должна сделать это незамедлительно. Тебе ясно?

— Да, но...

— Что — но?

— Мой господин, — огрызнулась она.

— Ты очень неспособная ученица. Но тогда от такой глупой, как ты, ничего хорошего и ожидать нельзя.

— Я не глупая, мой господин.

— Разве? А ты не думаешь, что это было глупо с твоей стороны пытаться украсть у меня ребенка?

— Не глупо, — произнесла она, — очень нехорошо, но у меня не было выбора.

— Никто не приставлял тебе к горлу нож, — резко произнес он.

Ее предупредили, чтобы она не оправдывалась перед ним. А сейчас он был рассержен и не стал бы ее слушать, если бы она попыталась объясниться. Но она не смогла промолчать.

— Вы хорошо знаете, так же как и я, что я не крепостная, лорд Уоррик. Если бы я ею была, я бы, без всякого сомнения, согласилась бы со всем, что вы сказали, и даже, вероятно, по-другому воспринимала ваши ви... визиты среди ночи. Оттого, что вы назвали меня крепостной, я ею не стала, не воспринимаю окружающее иначе, не могу согласиться с тем, что вы называете «привилегиями».

— Тебе очень нравится рассказывать мне, что у тебя не было выбора. Ты что, думаешь, у тебя сейчас есть выбор?

— Тогда вам придется снова заковать меня в цепи, — уверила она его. — Добровольно я никогда не приду к вам в постель.

Он грубо рассмеялся от ее уверенности.

— Те цепи были для твоей же пользы, а не моей, женщина. Мне было предпочтительнее, чтобы ты сопротивлялась, так как мне не нужна была твоя уступчивость. Совсем наоборот — мне нужна была твоя ненависть и твой позор в тот момент, когда ты, наконец, поддалась мне. Может быть, мне даже удастся заставить тебя умолять меня вернуть то время и сделать то, чего ты не хочешь.

При этих словах она побледнела, хотя из-за тусклого освещения он и не увидел этого. Она ясно помнила тот последний раз в его постели, когда он, играя с ней, довел ее до такого неистовства, что она, если бы не кляп во рту, была готова умолять его, чтобы он взял ее. А это было бы более унизительным, чем все остальное, вместе взятое. Но тогда она была скована цепями и не могла противостоять всем его интимным ласкам. Без цепей она станет сопротивляться, и ему не удастся довести ее до такого состояния, чтобы она испытала желание принадлежать ему. Никогда.

Взбудораженная этими мыслями, она едва не заявила Уоррику, что это у него не получится. Это, конечно, было бы глупейшей ошибкой, так как он, конечно, стал бы доказывать обратное. В этот момент ее желудок громким урчанием нарушил молчание. Ровена, однако, не смутилась, хотя глаза Уоррика тут же уперлись в ее живот.

— Когда ты в последний раз ела? — требовательно спросил он.

— Сегодня утром.

— Почему? У тебя было много времени...

— До вашего купания у меня его не было, а после него мне просто захотелось спрятаться и зализать раны.

— Ты больше не сможешь обвинить меня в том, что пропустила обед. Мне все равно, будешь ли ты морить себя голодом в будущем. Но тебе придется повременить с этим сейчас, пока в твоем чреве находится мой ребенок. На твоих костях очень мало мяса, и, если ты еще хоть раз пропустишь еду, я изобью тебя.

Хотя вид у лорда Уоррика был весьма решительный, но произносил он свою очередную угрозу так торопливо, что она не вызвала у нее сильного страха.

— У меня нет намерения умереть от голода, чтобы избежать вашего отмщения.

— Хорошо. Ты должна понять, что его невозможно избежать, особенно тебе. Теперь пошли...

— Я возвращаюсь в свою собственную постель.

— Ты пойдешь со мной. Разве я не предупреждал о том, что меня нельзя перебивать?

— Предупреждали. Но так как вы сами не придерживаетесь этого правила, я не думаю, что вам хочется, чтобы вас считали лицемером и чудовищем.

Мрачная улыбка опять появилась на его лице. И действительно, эта улыбка была более пугающей, нежели его угрозы, так как до настоящего момента она предшествовала большинству из его наказаний.

Он сделал шаг вперед, она шаг назад.

— Уж не думаешь ли ты убежать от меня, — усмехнулся он.

Она выпятила вперед подбородок.

— А почему бы и нет? Вы в любом случае собираетесь наказать меня. И мне ничего не остается, как быть более проворной, чем вы, неотесанная деревенщина.

Прежде чем он сделал шаг, чтобы схватить ее, она вихрем промелькнула мимо него по направлению к винтовой лестнице в конце коридора. Если она сможет достичь Парадного зала, то будет множество мест, где она сможет укрыться, даже спрятаться среди слуг, находящихся там. Она намеревалась далее добраться до кладовых в подвале.

Она бежала, перепрыгивая сразу через две ступеньки. Но звук ее тяжелого дыхания не заглушил раздававшихся за ее спиной проклятий. Внизу лестницы послышался металлический скрежет, она замешкалась, оступилась и шлепнулась на ступеньки.

Человек, преградивший ей путь, в одной руке держал свечу. В другой у него был обнаженный меч. По возрасту он был не старше ее, только на локоть выше.

У Ровены не было времени сообразить, как проскочить мимо меча и молодого человека. Ее подняли с пола, и Уоррик скомандовал:

— Убери это в сторону, Бернард, и пойди разбуди повара.

Но как только юноша, как ему было приказано, ушел,

126

жесткий тон Уоррика сменился на угрожающий шепот, и он произнес ей в ухо:

— Если ты, женщина, прежде заслуживала наказания, то сейчас ты его заработала. Но сначала я накормлю тебя.

Глава 22

Без пылающей печи и множества факелов, разгонявших тени, кухня выглядела мрачновато. Живший в ней кот-крысолов жалобно зашипел и опрометью скрылся за колодцем. Повар что-то мямлил о том, что ему нарушили сон, а Бернард, держа факел в высоко поднятой руке, светил ему. Уоррик держал Ровену на руках, и каждый раз, когда она пыталась шевельнуться, он думал, что она старается освободиться, и еще крепче сжимал ее. Затем он усадил ее на стул, и Ровена увидела на столе огромное количество прекрасной — на любой выбор — еды. Все закуски были холодными, но все равно соблазнительны для пустого желудка. Половина булки, оставшейся после завтрака, до сих пор сохранила свою свежесть, так же как и намазанное на нее масло. Перед ней лежал толстый кусок ростбифа, стояло блюдо с заливным из телячьих ножек, здоровенный кусок макрели, посыпанный мятой и петрушкой. Не хватало только соуса из щавеля, который подавали на обед. Большой ломоть сыра, маринованный горошек, яблочный пирог и большая кружка эля завершали открывшуюся перед ней картину.

— А куропаток не осталось? — спросил Уоррик повара, когда Ровена принялась за еду.

— Только одна, мой господин, но леди Беатрис попросила, чтобы ей подали ее утром...

Уоррик перебил его:

— Принеси ее. Моя дочь, так же как и все мы, может съесть утром то, что будет приготовлено. А эта женщина очень голодна.

Ровена не поверила тому, что услышала. Он что, не понимал, что из-за этого у нее появится еще один враг? Нельзя кормить слуг тем, что отбирается у хозяйских дочерей. Гостя, конечно, можно, а вот слугу нельзя, к тому же повару утром придется объясняться с рассерженной Беатрис, а это добавит ей еще одного врага. А он муж Мэри Блауэт, которая опекала ее.

— Здесь больше еды, чем я могу съесть, — быстро уверила она их. — Мне не нужно...

— Тебе нужно разнообразие, — настаивал Уоррик.

— Но я не люблю куропаток, — солгала она.

— Ты кормишь не только себя, — кратко бросил он.

От смущения Ровену бросило в жар. Так как повар и Бернард слышали ее перепалку с лордом Уорриком, было очевидно, что теперь о ее беременности узнают все. Связав же этот факт с повышенным вниманием, которое Уоррик уделял ей, каждый догадается, кто является отцом. Неужели ему это безразлично? Ведь он собирался оставить ребенка у себя. Ровена бросила на Уоррика свирепый взгляд.

— Нам с малышом не нравятся куропатки, и мы не будем их есть.

Он чуть дольше задержал на ней свой взгляд и затем уступил, проворчав:

— Хорошо. — И, обернувшись к повеселевшему повару, добавил: — Вместо эля у нее должно быть вино, а не эта кислятина. Принеси бутылку того сладкого вина, которое я прислал из Туреза.

Ровена напряглась. То же произошло и с поваром, который произнес:

— Но мне придется разбудить дворецкого, чтобы взять ключ, милорд.

— Ну, тогда пойди и разбуди.

Отказавшись от своей любимой еды, она едва избежала появления у нее двух новых врагов. И она не собиралась заполучить еще одного в виде дворецкого, согласившись отведать вина, которым она, вероятно, поперхнется, так как это было ее вино. Было жестоко предлагать ей то, что она потеряла. Но в этой жестокости она не могла обвинить Уоррика, так как он не знал, что она владелица Туреза.

Она остановила повара посредине лестницы.

— В этом нет необходимости, господин Блауэт. От вина я сейчас не очень хорошо себя чувствую, — снова солгала она. — Поэтому я не могу его пить.

Повар обернулся, в надежде получить подтверждение от своего хозяина, но Уоррик, нахмурившись, смотрел на Ровену.

— Меня удивляет, что ты, не желая беспокоить других,

отказываешься от предлагаемых тебе яств, — произнес он, обращаясь к Ровене.

— Это не так, — возразила она.

— Не так?— В его голосе слышалось сомнение. Затем с холодной яростью он добавил: — Никогда не пытайся перечить моим приказаниям, женщина. Если бы господин Блауэт послушался тебя, то он получил бы десять ударов плетью.

Услышав это, бедный повар пулей помчался будить дворецкого. Ровена перестала есть и положила руки на колени, как бы давая ему понять, что этим он портит ей аппетит.

— Ваша злость делает вас отвратительным. — От такой наглости Бернард чуть не задохнулся, но она тем не менее продолжила: — Что вы будете делать с этим вином? Я его пить не буду.

— Прикажу отнести в мою спальню, так как тебя отведут туда, как только ты покончишь с едой, если ты уже не закончила...

Ровена так проворно накинулась на еду, что на губах Уоррика появилась мрачная усмешка.

— Бернард!

Но тому не нужно было повторять.

— Да, милорд, как только она поест, — заверил юноша Уоррика.

Уоррик дотронулся пальцем до подбородка яростно жевавшей пищу Ровены.

— Не набивай себе желудок, женщина. И не задерживайся здесь, а то мне придется вернуться сюда, чтобы посмотреть, что тебя задерживает, а мне бы этого не хотелось.

Произнеся это, он ушел, оставив ее наедине со своим оруженосцем. Ровена стала жевать медленнее, но от некоторой обеспокоенности у нее свело желудок. Он снова собирался изнасиловать ее. И коли уж он обещал это, то непременно выполнит свое обещание.

Может быть, ей следует подраться с этим мальчишкой, а не с Уорриком, а потом убежать и спрятаться. Бернард был выше ее ростом, но он был очень молод, и у нее, конечно, будет больше шансов одержать верх над ним, чем над его хозяином. Но не накажут ли его за это? И если Уоррик придет за ней сюда, не разбудит ли он других, чтобы те помогли разыскать ее? Конечно, этот безжалостный негодяй так и поступит. Ему плевать на то, что жильцы замка целый день были заняты тяжелым трудом и им необходим был сон. Ей тоже не следовало бы обращать на это внимания, но она не хотела злить обитателей замка, где не было ни единой души, которая смогла бы защитить ее от их мести.

— Вы лучше поторопитесь, госпожа, — раздался за ее спиной голос Бернарда. — Он в таком настроении, что не станет ждать долго.

Не оборачиваясь она ответила:

— Вы думаете, меня это волнует? Значит, ему придется спуститься сюда еще раз, чтобы увести меня. Мне в любом случае придется столкнуться с его гневом. И те наказания...

Интересно, как унизят ее на этот раз за неповиновение ему в коридоре, за то, что она убежала от него и досадила ему здесь. Он что-то сказал о том, что она будет его умолять? Или еще что-то похуже? Вряд ли. Что может быть хуже, чем умолять об удовольствии человека, которого она презирала?

— Вы порочная женщина. Разве можно быть такой неблагодарной за его щедрость?

Ровена поперхнулась куском говядины. Когда кашель стих, она обернулась и одарила яростным взглядом молодого человека, сделавшего такое оскорбительное заявление.

— Какая щедрость? — переспросила она требовательно.

— Он кормит вас после того, как кухня была закрыта на ночь. Ранее этого никогда не случалось. Даже господин Блауэт, умирая от голода, не осмелился бы на подобное.

Это правило соблюдалось в большинстве замков, так как в противном случае это способствовало бы увеличению количества мелких краж, и поэтому на Ровену его слова не произвели впечатления.

— Он кормит своего ребенка, а не меня, — с усмешкой произнесла она.

— Он бы не открыл кухню даже для своих дочерей, — усмехнулся в ответ юноша.

— Вы ничего не знаете! — нетерпеливо выпалила она. — Этот человек ненавидит меня!

— И предпочитает вас другим? И часами не решается разбудить вас, хотя его желание огромно? И даже несет вас на руках, чтобы вы не ходили по полу босиком и не простудились?

Она бы легко могла опровергнуть все его утверждения, но почувствовала, что краснеет от его упоминания о желании Уоррика, которое она сама у него разбудила, когда мыла его.

Она полагала, что он пошлет за Силией. Почему он этого не сделал? Потому что с ней он чувствовал себя отмщенным, а желание удовлетворенным. Но для чего столько ждать? Потому что, по правде говоря, он так же не переносил ее прикосновений к нему, как и она его. Хотя нет, она лгала самой себе. В действительности она никогда, когда он был в ее власти, не имела ничего против того, чтобы прикоснуться к его прекрасно сложенному телу. А сегодня вечером ее действительно возбудило прикосновение к нему, в то время как он совсем не трогал ее. Она желала этого! Она хотела, чтобы он на нее так воздействовал!

— А разве не имеет значения то, что мне не нужно его внимание, — спросила она так, как будто молодой человек мог понять ее и изменить свое мнение.

В ответ она услышала только:

— Как я уже сказал, вы испорченная женщина.

— А вы ничего не знаете и у вас против меня есть предубеждение! А ваш хозяин жестокий, мстительный...

— Нет! — воскликнул Бернард, и чувствовалось, что его расстроило услышанное. — Он добрый и благожелательно относится к тем, кто ему служит. Он скор только на возмездие своим врагам.

— А я одна из его врагов, — прошептала она, поворачиваясь к нему спиной.

Уставившись на еду, которой ей больше не хотелось, она услышала, как Бернард произнес за ее спиной:

— Его враг? Женщина? Что вы могли сделать такого, чтобы попасть в число его врагов?

Всего-навсего изнасиловала его и похитила у него ребенка. Но это преступление, по ее собственному мнению, было таким ужасным, что добровольно она никогда бы не согласилась сообщить о нем кому бы то ни было. Если она это сделает, то Уоррик наверняка изменит свое мнение и убьет ее.

Поэтому она не ответила на его вопрос и удрученно произнесла:

— Если вы собираетесь отвести меня к нему, то действуйте. Я уже поела.

Вернулся повар с дворецким и торопливо направился к ней.

— Вы очень много не доели.

— Все было прекрасно, господин Блауэт, просто я уже сыта. И я непременно в дальнейшем буду питаться в определенное время, чтобы вас снова не беспокоить.

Он замахал руками:

— Ребенок должен питаться. Я прослежу, чтобы вам давали дополнительную порцию.

— Нет, не нужно...

— Лорд Уоррик прикажет это сделать. А то, что прикажет лорд Уоррик, должно быть исполнено.

Ровена, сжав зубы, направилась к выходу из кухни. Но прежде чем она дошла до каменных ступеней, она почувствовала, как ее снова подняли с пола. Однако в этих руках она не чувствовала себя в безопасности. Ей казалось, что она может упасть.

— Поставьте меня на пол, Бернард. Я прекрасно могу...

— Испорченная, — пробормотал он себе под нос, поднимаясь по лестнице. — Она предпочитает умереть, чтобы с меня живьем содрали кожу. Ужасно испорченная.

— Более вероятно, что я сломаю себе шею, когда вы уроните меня, ненормальный.

— Очень благородно помогать всем женщинам, но в следующий раз, госпожа, надевайте обувь.

Он что, жаловался? Ровена могла бы дать ему пощечину, если бы не боялась, что он от удивления уронит ее. Бог уберег ее от того, чтобы связаться с рыцарем.

— Пришли, — наконец, сказал он и быстро опустил ее на пол. — Деревянный пол не такой холодный. Мне нужно перевести дыхание, а вы можете идти.

Может? Ровена решила оправдать свою репутацию испорченной, как он назвал ее.

— Откуда вы знаете, что пол не холодный, если вы в башмаках? У меня мерзнут пальцы. Вам придется и дальше нести меня

Он стоял, судорожно ловя открытым ртом воздух. Перед ним простирался длинный, темный коридор, в конце которого горел единственный факел, освещавший узкий проход между телами спящих слуг.

Бернард в ужасе посмотрел на нее.

— А может быть, вы вместо этого наденете мои башмаки?

— Может быть, я вернусь в собственную кровать?

Его ужас увеличился.

— Вы не можете этого сделать.

— Следите за мной, сэр.

Она повернулась и пошла по коридору. Не прошло и пяти секунд, как она снова почувствовала, что ее поднимают на руки. На этот раз Бернард разозлился, и его злость вылилась в ехидные замечания.

— Вам не удается выглядеть настоящей леди. Думаете, что благосклонность лорда дает вам право претендовать на такие выходки? Отнюдь нет, и лучше будет, если вы запомните это.

Его слова больно уязвили ее, и она, не задумываясь, быстро ответила:

— Это ваш добрый и благородный лорд сделал из меня то, чем я сейчас являюсь. А в действительности я леди... — Здравый смысл вернулся к ней прежде, чем она успела произнести «Турез», — Киркборо, — поправилась она. — Который он недавно уничтожил.

— Вы лжете, женщина.

— А вы говорите так же, как ваш хозяин, деревенщина, — отпарировала она. — По правде, я солгала только в том, что у меня мерзнут ноги. А теперь поставьте меня на пол!

Чуть не уронив ее, так как сила в его руках иссякла, он выполнил ее просьбу. Но для нее уже от этого было мало пользы, так как они дошли до комнаты, ведущей в спальню, а ее дверь была широко распахнута, и в ней моментально возникла фигура лорда, привлеченного ее голосом.

— Что случилось? — спросил Уоррик своего оруженосца, который не мог произнести ни слова и только шумно дышал.

Ровена смогла ответить раньше Бернарда.

— Он думал, что, как и вы, может нести меня на руках, но понял, что для этого ему нужно немного подрасти. Тогда у него появится возможность стать варваром и попытаться подчинять женщин своей воле.

Двойная насмешка не ускользнула от внимания мужчин, — Бернард от злости покраснел, а Уоррик улыбнулся той мрачной улыбкой, которую она ненавидела.

— Значит, у моей новой крепостной есть когти, не так ли? — заметил он. — Придется подумать, что можно сделать, чтобы вырвать их. Пройди в комнату, Ровена.

Она не сдвинулась с места, ужаснувшись тому, что она только что наделала. Почему она решила, что может насмехаться над ним и оскорблять его, не заплатив за это? Но, во всяком случае, пока над ней висело это проклятие...

— Я, я больше не желаю получать наказание за то, что не имеет ничего общего с... — прежде чем закончить фразу, она бросила взгляд на Бернарда, — тем, что лежит между нами. Если вы хотите, чтобы я была в вашей комнате, вам придется затащить меня туда. Я вам уже сказала, что добровольно я туда не пойду.

Было бы хорошо, если бы Бернард не загораживал ей выход, но он стоял на пути, и когда Уоррик принял ее вызов и подошел к ней, чтобы схватить ее, бежать ей было некуда. И, хотя она старалась изо всех оставшихся сил вырваться из сжимавших ее кисть пальцев, в мгновение ока она оказалась в спальне, и дверь за ней захлопнулась. Не останавливаясь, он подошел к кровати и бросил на нее Ровену.

Затем медленно, с очевидным удовольствием, он склонил свое тело над ней, и она безошибочно поняла, что ей даже не удастся шевельнуться под ним.

— Ну, видишь теперь, что все твое нежелание подчиниться мне ничего не значит? — насмешливо спросил он.

— Я вас ненавижу.

— От всего сердца могу ответить тебе тем же и заверяю тебя, что нахожусь сейчас в гораздо лучшей форме, чем ты. — На его лице все еще играла мрачная улыбка, и поэтому она ничуть не сомневалась, что он выполнит все, что намеревался.

Неожиданно она почувствовала, что ей хочется разрыдаться. В ее глазах появилось несколько сверкнувших, как бриллианты, слезинок.

Он заметил это и какое-то время внимательно смотрел на нее, прежде чем произнес:

— Не думаешь ли ты, что таким образом облегчаешь мне жизнь? Где то сопротивление, которое ты обещала мне?

— Моя ненависть доставляет вам слишком много удовольствия, так же как и то, что я вам сопротивляюсь. А я предпочитаю не давать вам ни малейшего повода для удовольствия.

— Ты эгоистка, женщина, — промолвил он, хотя в его глазах неожиданно появилось шутливое выражение. — Значит, ты собираешься лежать здесь, как бревно, а мне это надоест и я разрешу тебе уйти отсюда?

Она впервые столкнулась с таким настроением и поэтому осторожно произнесла:

— Ну, раз уж вы говорите об этом...

Он рассмеялся, сбил ее с толку и стал смеяться еще громче,

когда увидел, как она смутилась. Затем он дотронулся до ее щеки. Прикосновение было таким нежным и успокаивающим, особенно когда он дотронулся до ее нижней губы.

— И что мне с тобой делать?

Казалось, что вопрос был обращен не к ней, а он просто размышлял вслух. Но, невзирая на это, она произнесла:

— Отпустите меня.

— Нет, только не это, — тихо произнес он, уставившись на ее губы. — Ты оказалась девственницей не только в одном месте.

Его глаза потеплели, и улыбка, которая делала его красивым, почти загипнотизировала ее. Его губы коснулись ее губ. Она видела, как они приближались к ней, и решила сопротивляться, но тело, как оказалось, стало неподвластно ей. Его язык облизал ее губы, а отозвалось все в ее животе. Он языком раздвинул ее губы и стал ласкать ее язык, а у нее появился жар в паху.

Действительно, у нее не было любовников, которые могли бы обучить ее искусству целоваться. Поцелуй Гилберта, когда он оставил ее на милость Уоррика, был совсем не похож на этот.

Он был кратким, очень жестким и вызвал у нее отвращение. А этот поцелуй был мягким, бесконечным, и она очень пожалела, что у нее была возможность сравнения. Все поцелуи должны быть одинаковыми. Она не смогла бы отрицать, что ее враг мог делать вещи, которые не вызывали у нее отрицательной реакции.

— Так я и думал. Еще одна девственная область, которую я должен исследовать, — произнес он, и казалось, что он был доволен этим. — Должно быть, тебя держали взаперти, пока я не нашел тебя.

Казалось, что единственным средством защиты у нее были слова, и она решила пользоваться ими, пока все это будет продолжаться.

— Не вы нашли меня, а вас нашли для меня. Вспомните, и вам не захочется делать все это. Отпустите меня, Уоррик.

В ответ он снова поцеловал ее, и она так быстро была захвачена страстью этого поцелуя, что забыла все свои насмешки, которые использовала, чтобы избежать близости.

Но он не забыл. Он рассердился на нее, как она и предполагала, и результатом стало то, чего ей так не хотелось. И она не вспомнила об этом до тех пор, пока не услышала, как он шепотом приказал ей:

— Моли меня...

Желание ее, проникнув во все частички тела, достигло такого оглушающего воздействия, что для мольбы уже не требовалось никакого приказания.

Глава 23

Уоррик испытывал противоречивые чувства: с одной стороны — полное удовлетворение, с другой — недовольство и раздражение. Эта раздвоенность его не устраивала. Погружаясь в эту световолосую ведьму, он испытывал невероятное удовлетворение. Особенно приятным было то, что он при этом приводил в исполнение свой план возмездия. Такое огромное удовольствие Уоррик мог испытывать только по этой причине.

Но вообще-то он не должен был бы испытывать ничего подобного, ибо поначалу у него не было намерения еще раз прикасаться к ней, после того как ее освободили от цепей. Конечно, Уоррик намеревался продолжать ее мучить, вызывая в ней все больше и больше угрызений совести и чувство стыда. Он даровал ей жизнь, и эта женщина должна расплачиваться за это.

Но сегодняшний вечер показал, каким глупцом он был, думая, что заставит Ровену при исполнении интимных услуг испытывать чувство стыда. Она вместо этого сама возбуждалась, и то, что она желала его, наполняло Уоррика страстным желанием. Пока еще он сопротивлялся этому сладкозвучному зову сирены и отсылал Ровену прочь. Однако мысль о ней не выходила у него из головы; она продолжала мучить его разум и тело.

То, что она заставляла его страстно желать ее, должно было бы приводить его в ярость. Это можно было сравнить с тем его беспомощным состоянием, когда он находился в ее власти. И он таки боролся, стараясь победить в себе огромное желание привести ее опять сегодня вечером к себе. Но как только ему пришла в голову мысль, что само ее положение в замке давало ему все необходимые права, чтобы он мог позвать ее, борьба с самим собой закончилась: он потерпел поражение.

Сейчас он склонился над ней и смотрел на нее. Она делала вид, что спит, надеясь избежать дальнейшего к ней внимания с его стороны. Он улыбнулся про себя. Он даже не ожидал, что она окажется такой забавной. Ее решимость, ее попытки открыто ему не повиноваться казались ему смешными. В основном она действительно его боялась, но часто она слишком сердилась на него, и страх пропадал. Он обнаружил, что ему гораздо больше нравится, когда она сердится на него, а не боится, ибо он не мог понять причины ее страха.

Было ему непонятно и то, зачем она специально пыталась навлечь на себя его гнев, учитывая серьезность положения, в котором она находилась. Хотя он сказал, что ему не нужна ее покорность, однако ему было приятно слышать, и это смиряло его гнев, когда она умоляла его овладеть ею. Он положил руку на ее обнаженное бедро и наблюдал, как она затаила дыхание. Но она не открывала глаз, все еще притворяясь спящей. Вот и еще одно проявление неповиновения, на которое он пока не среагировал.

Безусловно, он ненавидел ее за то, что она тогда сделала ему, и в то же время получал удовольствие от той власти, которую имел над ней. Но желание прикоснуться к ней, когда он уже физиологически был удовлетворен, вызывало у него раздражение.

Нахмурившись, он отнял руку, решив, что именно в ее присутствии заключалась причина его странного настроения. По крайней мере, это можно исправить и сделать это побыстрее.

— Можешь идти, женщина. Моя потребность в тебе не включает того, чтобы я делил с тобой свою постель и дальше. Мне не понравилось последние три ночи спать на жестком тюфяке.

— Не могу не посочувствовать, — дерзко ответила она, скатываясь с матраца на пол. Затем быстро поднялась и направилась к двери.

Ее сарказм был слишком явным и не позабавил его.

— Вспоминай мою мягкую постель, когда будешь спать на своем жестком тюфяке, — прокричал он ей вслед.

Она оглянулась и напряженно улыбнулась ему:

— Ваша постель уже забыта.

— Ты была другой, когда умоляла взять тебя.

Ее лицо покраснело. Хорошо. Это научит ее быть поосторожнее с колкостями. Но как только он увидел ее босые ноги, он позабыл обо всем.

— Иди сюда, Ровена. — Ее лицо, бывшее только что красным, побледнело, и он поспешно добавил: — У меня нет настроения относить тебя в твою постель только потому, что ты оказалась забывчивой и не захватила с собой башмаки.

— Я — забывчивой? У меня не было намерений покидать комнату, где я спала. Вы будите меня среди ночи и надеетесь, что я должна быть совсем одетой?

— Ты не спала. Но это не имеет значения, сейчас ты должна спать здесь, пока я не прикажу утром принести твои башмаки.

— Я не простужусь, честное слово, нет.

— Ты собираешься стоять здесь и спорить со мной, женщина? — задал он вопрос.

Она опустила голову.

— Нет, — сказала она так тихо, что он едва услышал.

— Тогда забирайся сейчас же в постель.

Он больше ничего не сказал, пока она медленно приближалась к кровати, испытывая его нетерпение, его нрав, его благие намерения. Но к тому моменту, когда она, наконец, подошла, он уже испытывал раздражение и не удержался, чтобы не сказать:

— Сначала сними эту рубашку. Мне не хочется тереться об нее, если я вдруг во сне коснусь тебя.

Она вздернула голову, чтобы показать ему, что она вовсе не испугалась, как он предполагал. Раньше она старалась скрыть от него свою ярость. Теперь она перестала притворяться и, сдернув через голову рубашку, бросила ее на пол. Такая демонстрация раздражения была просто смешной, но, увидев на ее коже красные пятна от грубой шерсти, он продолжал испытывать чувство досады.

Проклятая нежная кожа. Он только что сделал исключение, разрешив ей остаться в его постели, чтобы она не простудилась, а теперь он чувствовал, что придется делать для нее и другое исключение.

Ему не хотелось, чтобы его план возмездия нарушался какими-то случайностями, но тем не менее про себя он отметил, что надо будет сказать Инид, когда та принесет утром башмаки, чтобы нашли какие-нибудь сорочки и платья Рове ны. Но пусть это будет последней уступкой, которую он делает из-за того, что она такая маленькая, нежная, легкая. Иначе эта женщина возомнит, что он на самом деле вовсе не испыты- вает чувства неприязни к ней.

Чтобы сейчас ей эта мысль не пришла в голову, он позволил себе оглядеть ее обнаженное тело и сказал:

— Действительно, очень приятно учить тебя, чтоб ты зна- ла свое место.

— Которое у вас под ногами? — огрызнулась она.

Он начал сам раздеваться, но прежде чем ответить, одарил ее легкой улыбкой.

— Если я так пожелаю. А теперь забирайся под одеяло. У меня нет больше желания слушать тебя сегодня.

Или дальше смотреть на это ласкающее взор тело, которое она и не пыталась уже прикрыть от него.

Она быстренько сделала так, как ей было приказано, но когда он через несколько секунд, загасив свечи, повернулся к ней, чтобы найти удобную позу, она воскликнула:

— Я не вынесу, если вы опять ко мне прикоснетесь. Я сойду с ума!

У него был большой соблазн опровергнуть ее слова. Но вместо этого он сказал:

— Успокойся. Я слишком устал, чтобы принуждать себя — сколько бы ты ни умоляла меня.

Но при этом он упрямо обнял и притянул ее к себе так, что она вписалась в изгиб его тела.

— Я не смогу так заснуть, — пробурчала она.

— Лучше пожелай, чтоб я смог заснуть, женщина, а то и усталость меня не остановит.

Она притихла, даже дышать перестала. Он рассмеялся и прижал ее покрепче.

— Если я возжелаю тебя, никакие твои глупые ужимки не помогут, так что спи, пока я не передумал.

Она вздохнула и больше ничего не сказала. Уоррик дей- ствительно устал, но не настолько, чтобы не ощущать теплоты ее тела. Ее тепло и мягкость были очень приятные, и он понял, что может и привыкнуть к этому, если не будет осмотритель- ным.

Глава 24

На следующее утро Бог был так милостив, что, когда Ровена проснулась, в покоях уже никого не было. Она не представляла, как она теперь среди бела дня сможет посмотреть в глаза Уоррику после предыдущей ночи, но, по крайней мере, у нее была временная передышка — вот только память не дала ей никакой передышки.

Вспомнив события минувшей ночи, Ровена застонала и зарылась лицом в подушку. Она так была уверена, что может устоять против Уоррика, но из-за этих мучителей — его пальцев, губ и ее прямо-таки вскипающей крови — ей это не удалось. Те слова, которые он хотел услышать от нее, слетели с губ, и сразу же все остальное стало ей безразличным. Ее волновало лишь то необычайное удовольствие, которое он доставлял ей.

А сейчас ее переполняли чувства стыда и отвращения к себе. И даже мысль о том, что ей снова придется столкнуться с ним лицом к лицу и увидеть его злорадную усмешку, была для нее невыносимой.

Она может умереть, сгореть от стыда, а он будет смеяться. Ее слабость совсем ничего не значила для него, для него имел значение лишь его собственный триумф. Да, он будет смеяться, и она возненавидит его еще больше.

— Перестань зарываться в подушку, женщина, и надень вот это.

Ровена чуть не лишилась чувств от неожиданности, повернулась на другой бок и увидела Уоррика, стоящего рядом. В руках у него были сорочка, рубашка, туника и башмаки. Это было ее собственное белье, белье из дорогой ткани. Уоррик нахмурился, глядя на нее, — у него были причины для недовольства.

— Думаешь, ты можешь нежиться в постели просто потому, что доставила мне вчера некоторое удовольствие? Нет, твое положение не изменилось, и обязанности остались прежними, а ты еще не собираешься приступать к их выполнению. Однако так как я уже поел, тебе не нужно прислуживать за столом до вечера, так что иди поешь и приступай к своим делам.

Не успела она найти никакого подходящего ответа, как он

повернулся и вышел. Можно подумать, ей было приятно лежать в его постели.

И вдруг ей пришло в голову, что она встретилась с ним лицом к лицу и не умерла. Ведь он даже не собирался злорадствовать над ее чувством стыда? Поистине она совершенно не понимала его. Он упустил прекрасную возможность еще больше унизить ее.

Она бросила взгляд на одежду, которую он оставил на кровати, и замешательство ее еще больше усилилось. Она знала, почему ей выдали одежду, предназначенную для слуг, — для того, чтобы эта грубая одежда постоянно напоминала ей о ее новом положении. И вот здесь перед ней лежало ее собственное нижнее белье из тончайшего полотна. Оно могло защитить ее кожу от грубой верхней одежды, которую она должна будет все еще носить, но эта грубая одежда для слуг больше не будет оставлять ссадин на ее нежной коже.

Озадаченная, она смотрела на дверь, за которой только что скрылся Уоррик. Этот жестокий человек не дал ей умереть с голоду, не дал ей замерзнуть, хотя эта забота и была проявлена ради дитя, которое она носила под сердцем. Но теперь он не хочет, чтобы ее кожу натирала та самая одежда, которую она носила по его приказу, и это уже было не ради дитя. Это было только ради нее. Жестокий? Да, конечно, он был жестокий, но, может быть, в нем все-таки осталось хоть что-то человеческое?

Но нет, что это она вообразила? Никакой доброты в Уоррике не было ни капли. Безусловно, у него были какие-то скрытые мотивы, чтобы вернуть ей ее нижнее белье. Этот его шаг, похоже, должен был вызвать некое смятение в ней. Отвратительный человек. Неужели ему больше нечем заняться, как только изобретать все новые способы ее мучить?

Она быстро оделась, с удовольствием ощутив знакомое приятное прикосновение ее тонкой белой сорочки и удобной, как раз по размеру, красной верхней рубашки, которая была достаточно длинной, ниже лодыжек, как это и должно быть у дамы. Грубая, страшного мышиного цвета туника совсем больше не касалась ее кожи, но возникла другая проблема: туника не держалась на плечах, соскальзывая с гладкой ткани рубашки.

Тем не менее Ровена чувствовала себя настолько лучше из-за того, что надела хоть что-то из своей собственной одежды, что она едва сдерживала улыбку, когда вошла в зал. Увидев, что Уоррика в зале не было и некому лишать ее спокойствия своими холодными глазами, она поискала Милдред за столом у очага, но увидела там лишь дочерей Уоррика с наставницей, обучавшей их шитью. Ровена больше на них не взглянула и поэтому не заметила, как они следили за ней, пока она шла к лестнице, ведущей на кухню, и взгляд у них был почти таким же злым, как у их отца.

— Не обращайте на нее внимания, мои дорогие, — предостерегла их леди Роберта. — Даме не подобает замечать женщин, подобных ей.

— Но она провела эту ночь в его покоях, — отметила тринадцатилетняя Мелисанта. — Силия никогда не проводила с ним целую ночь.

— Силия с ее заносчивостью — едва ли приятная компания, — произнесла Беатрис, презрительно хмыкнув.

Беатрис была старшей дочерью, ей было четырнадцать, если не считать внебрачной дочери, Эммы, про которую их отец никогда не спрашивал и которую его законные дочери не признавали за сестру. Из двух сестер Мелисанта была симпатичнее. У нее были светлые волосы и серые с голубым оттенком глаза. Этот голубой оттенок делал ее глаза не такими холодными, как у отца. У Беатрис были каштановые волосы, карие глаза и слишком узкие скулы. Ее можно было бы считать привлекательной, если бы не постоянно недовольное и измученное выражение лица. Но ведь было хорошо известно, что Уоррик был еще в юном возрасте помолвлен с ее матерью, а та была некрасивой женщиной. А вот мать Мелисанты Уоррик выбрал сам за ее миловидность.

Беатрис не держала из-за этого зла на свою младшую сестру. В конце концов, она была старшей наследницей своего отца. Мелисанта получит приданое своей матери, а Беатрис получит все остальное — если, конечно, не будет наследника-сына. Именно поэтому Беатрис пребывала в страхе из-за того, что появилась леди Изабелла, и тайно радовалась, когда услышала, что девушка пропала и ее, может быть, уже нет в живых. Девочка надеялась, что у отца, занятого войнами и увеличением своей собственности, которая станет ее собственностью, не будет времени подыскивать другую невесту.

Но Беатрис не нравилось появление новой служанки. Уже дважды ей потихоньку сообщили, что эта женщина была беременна и похоже, ребенок был от Уоррика. Сам по себе этот факт не был угрожающим, ибо Уоррик никогда не женится на простолюдинке, и ребенок простолюдинки никогда не унаследует Фалкхерст, даже если это будет и мальчик. Но до нее доходили и другие слухи: на самом деле эта женщина не была простолюдинкой, а была дамой по рождению, которая просто навлекла на себя гнев Уоррика, — а это представляло всю ситуацию в другом свете.

Беатрис не верила этим слухам. Даже ее отец, который был совершенно безжалостен к своим врагам, не стал бы так обращаться с дамой. Но если это было правдой, и молодая женщина родит Уоррику сына, он, может быть, будет вынужден на ней жениться.

Было известно, что лорд Уоррик хотел иметь наследника. Но Беатрис не могла этого вынести. Она привыкла считать, что все будет принадлежать ей. Она хотела владеть всем, ей это было нужно. Она не обладала привлекательной внешностью Мелисанты. И только права на титул и поместья давали ей возможность получить такого мужа, какого ей хотелось.

— Опять она здесь, — сказала Мелисанта, когда Ровена появилась в зале, на этот раз вместе с Инид.

— Интересно, откуда у нее эта красивая красная рубашка?

— Без сомнения, что это отец дал ей из зоенной добычи, — ответила Беатрис, прищуря глаза. — Думаю, я ее позову и...

— Вы этого не сделаете, милая девушка, — строго произнесла наставница, прекрасно осознавая, какой злобной может быть ее воспитанница. — Если вы доставите неприятности возлюбленной вашего отца, то они, скорее всего, вернутся к вам. Помните этот совет. Он особенно пригодится вам, когда у вас будет муж.

Беатрис зло посмотрела на старую женщину, но не стала спорить. Она давно поняла, что проще не обращать внимания на мудрые советы леди Роберты и делать, как ей заблагорассудится, когда нет поблизости этой благочестивой старой дуры.

Глава 25

После тщательной уборки спальни накануне Ровене с Инид удалось рано освободиться, и Ровена направилась в ткацкую мастерскую. Одна из дверей, мимо которых она проходила, резко открылась, и ее затащили внутрь.

— Давно пора тебе заглянуть сюда, — произнес похититель ворчливым голосом, хотя она мгновенно поняла, что голос принадлежал человеку, который не желал ей зла.

— Милдред!

— Да. Я все утро прождала, когда ты выйдешь из мастерской. Как я не заметила, когда ты вышла? А почему ты поднимаешься снизу?

Ровена изо всех сил старалась освободиться из объятий старой женщины и не могла ничего ответить. Затем она разразилась тирадой.

— Как ты оказалась в Фалкхерсте? Уоррик тоже хочет тебе отомстить? Я так рада, что ты здесь, Милдред, но только, если это чудовище не обидело тебя. Я думала, что больше тебя не увижу и...

— Говори тише, моя сладкая, — успокоила ее Милдред, усаживая Ровену на стул, стоявший между корзин с шитьем. — Как я могу тебе ответить, когда ты не переводя дыхания задаешь мне вопросы? И почему ты не ответила на мои вопросы? Мне сказали, что ты будешь спать в ткацкой мастерской.

Милдред поставила свой стул рядом с ней, но Ровена, глядя на нее, произнесла:

— Я спала внизу.

Заметив яркий румянец, покрывший ее щеки, Милдред сообразила, что не следует спрашивать, где именно. Она только произнесла:

— Меня это не удивляет.

Ровена резко обернулась к ней.

— Не удивляет? Почему не удивляет? Меня потрясло, что ему захотелось, захо... Он уже отомстил мне этим способом.

— Неужели он сделал это?

— Да, все, что сделали с ним, он проделал со мной. Точно по принципу «око за око». А сейчас он сделал даже больше.

— Значит, это было так ужасно?

— Больше, чем ужасно.

— Все?

От этого вопроса Ровена нахмурилась.

— К чему ты клонишь?

Милдред пожала плечами.

— «Око за око», мой ягненочек, означает, что ты должна была испытать такое же удовольствие, как и он, когда находился в твоих руках. Было так? — Щеки Ровены еще больше покраснели. — Вижу, что было. Но другого и не следует ожидать, когда имеешь дело с таким красивым...

— Жестоким...

— Мужчиной, который знает свое дело.

— Единственное, что знает Уоррик де Шавилль, — это как заставить меня расплачиваться за алчность Гилберта. А что ты здесь делаешь? Я боялась, что тебя оставят на руинах Киркборо и лишат возможности вернуться даже в Турез.

— На руинах никого не осталось. Лорд Уоррик не сжег в городе ничего, кроме постоялого двора, где его пленили. Он предложил всем обитателям замка новое жилье на территории своих владений. А что касается меня, то он чувствовал себя обязанным мне за свое освобождение, хотя я ему сказала, что только выполнила твое приказание.

— Я знаю, как он не любит слушать оправданий, — он их просто не желает слушать.

— Да, мне показалось, что он убьет меня, если я произнесу еще хоть одно слово. Он ужасно рассвирепел при одном только упоминании о твоей невиновности, но предложил мне переехать в Фалкхерст, если я соглашусь с этого момента преданно служить ему, отказавшись от тебя. Это был единственный способ последовать за тобой, поэтому я с радостью согласилась. Он только запретил мне общаться с тобой.

Ровена вздохнула:

— Я так и думала. Он не хочет, чтобы мне было хорошо в твоем присутствии. А одна мысль о том, что ты рядом, успокаивает меня.

Милдред сжала ее руку.

— Не отчаивайся, мой ягненочек. Я не думаю, что он такой подлый, как хочет, чтобы мы о нем думали. Я очень много слышала об обстоятельствах, которые превратили его в того, кем он сейчас является, и не решаюсь тебе признаться в этом, но я обнаружила, что испытываю к нему чувство жалости.

— Жалости к нему? — не поверив услышанному, переспросила Ровена. — Он что, тебя по голове ударил, перед тем как привезти сюда?

Милдред хихикнула.

— Нет, меня таскали с его воинами по всем окрестностям в поисках его исчезнувшей нареченной, но клянусь, что он почти совсем не думал о леди Изабелле, когда искал ее. И казалось, что он совсем не расстраивался, когда в тех местах, где мы были, ему ничего не могли о ней сообщить. Но видела бы ты его, когда приезжавший каждый день из Фалкхерста гонец задерживался хотя бы на немного. Лорд Уоррик отправлял на его поиски десятки людей, и, когда тот накорец прибывал, горе ему было, если у него не было хотя бы какой-то информации от Джона Гиффорда.

Ровена замерла, услышав это имя.

— Джон? Но я думала, что он здесь служит только тюремщиком. Какие новости хотел от него услышать Уоррик?

Взгляд, который бросила на нее Милдред, говорил ясно: не будь глупой. Какие же еще?

— Но Уоррик не знал, что Джон приглядывал за мной в темнице.

— Как же не знал. Он сам приказал это Джону.

— Он сам? Но я думала, что сэр Роберт...

Ровена замолчала, так как до нее дошел смысл того, о чем говорила Милдред. Уоррик поместил ее в темницу не для страданий, как она себе представляла, а совсем по другой причине? Несомненно, то, что она себе представляла, было ужасным, но ее камера выглядела как дворец, по сравнению с тем, чем она могла бы оказаться, если бы присматривать за ней поручили не Джону, а кому-нибудь другому. Могло ли быть так, чтобы Уоррик не знал о том, насколько добрым был Джон? Нет, с первого взгляда можно было почувствовать, насколько он был добрым.

Неожиданно, почти с болью, она воскликнула:

— Я не понимаю! Почему он приказал хорошо ко мне относиться до того, как узнал, что я вынашиваю его ребенка?

Карие глаза Милдред широко открылись.

— Значит, это случилось! И всего за несколько дней? Тебя ничего не беспокоит? А то у меня есть средства...

Ровена нетерпеливо отвергла предложение Милдред.

— Никаких симптомов, кроме того, что месячных у меня нет.

— Точно так же было и у твоей матери. Она беззаботно занималась своими делами, как будто не была...

— Милдред, я не хочу обсуждать никаких других детей, в то время как Уоррик собирается отнять у меня моего ребенка.

Милдред задумчиво наморщила лоб.

— Он сказал, что так поступит?

— Стала бы я говорить об этом, если бы он не обещал. Он заявил, что возьмет у меня ребенка, как только он родится, — так... так же как и я взяла его у него. «Око за око».

— А ты хочешь ребенка?

— Конечно, хочу. Это мой ребенок!

— И его, — спокойно добавила Милдред.

— Но он не хотел, чтобы его зачали.

— И ты тоже.

— Но он хочет так поступить, чтобы сделать мне больно. А это не причина, по которой можно отобрать ребенка.

— Да, и, может быть, он сам это скоро поймет. Сейчас несколько преждевременно волноваться о том, что он планирует сделать через восемь месяцев. Как будто ты собираешься все это время провести здесь. Или ты еще не думала о побеге?

— Конечно, думала, — фыркнула Ровена. — Как только ты скажешь мне, как это сделать, я сбегу в тот же день.

Милдред усмехнулась.

— Это будет не так легко. Но может так случиться, что лорд Гилберт поможет, когда узнает, где ты находишься. Несомненно, он уже знает, что замок Киркборо был разрушен лордом Фалкхерстом. Меня удивляет, что он до сих пор не прислал сюда свою армию.

Ровене стало трудно дышать.

— Даже и не думай об этом! Я лучше останусь здесь и буду страдать от жестокостей Уоррика, чем вернусь под покровительство Гилберта.

— Теперь мне становится интересно. Твой сводный брат просто снова выдаст тебя замуж, в то время как...

— Одного дряхлого старика мужа с меня достаточно, Милдред. А Гилберт... Перед своим отъездом из Киркборо он поцеловал меня, но поцелуй был совсем не братским.

— Ага, значит, наконец, он показал свои истинные намерения, не так ли? Он еще не то сделает, если вернет тебя. Сейчас ему ничего не помешает затащить тебя к себе в постель, особенно когда ты вынашиваешь наследника на владение Киркборо. Хотя он очень симпатичный мужчина и, может быть, ты не станешь против этого возражать.

— Милдред!

— Значит, ты возражаешь! Ну, тогда считай, что тебе повезло и какое-то время тебе не следует покидать этот замок. Это сейчас для тебя единственное место, откуда лорд Гилберт не сможет тебя достать.

Вероятно, это было правдой, но Ровене не хотелось бы, чтоб Милдред все это говорила, поскольку по ее словам получалось так, что она должна быть благодарной Уоррику за то, что он сделал ее своей узницей и любовницей. Милдред смотрела на все это не так серьезно, как следовало бы.

— Милдред, мне кажется, что тебя совсем не беспокоит мое положение. Ты думаешь, Уоррик перестал мстить мне? Уверяю тебя, это не так. Для него я воровка и, хотя за это он не отрубил мне руки, он будет делать мне свои маленькие подлости каждый день, пока я нахожусь под его крышей.

— А интересно, как долго продлится его враждебное к тебе отношение, если у тебя появится чувство привязанности к нему и ты дашь ему это понять. Я гарантирую, что недолго.

— Теперь я точно знаю, что он ударил тебя по голове и так сильно, что ты даже не помнишь этого.

Милдред рассмеялась.

— Нет, мой ягненочек. У меня было больше возможностей незаметно наблюдать за ним, чем у тебя, и я не думаю, что он такой жестокий. Жестокий человек замучил бы тебя до смерти и не пропустил бы ни одного мгновения твоих мучений. Вместо этого лорд Уоррик сделал с тобой только то, что ты сделала с ним, — «око за око», как он сказал.

— Он лишил меня званий и объявил крепостной.

— В Киркборо с ним обращались, как с рабом, и он так же поступил с тобой, — напомнила Милдред. — Но еще я хочу тебе сказать, что этот человек интересуется тобою не только из-за мести. Конечно, он хочет отомстить. Это в его характере. Но, может быть, это сейчас не самое для него главное. В конце концов, ты же женщина, а до сих пор его врагами были только мужчины, и он знает, как бороться именно с ними. А как это должно быть с тобой, он не знает.

— Эти предположения, Милдред, мне не помогут, — раздраженно произнесла Ровена.

148

— А ты не думала, как использовать против него женское оружие?

— Какое оружие?

— Твою красоту и его страсть к тебе. Тогда даже женитьба на тебе ему покажется хорошим выходом из создавшегося положения, да еще ребенок, как дополнительная приманка.

— Он никогда...!

— Если он так сильно желает тебя, то его можно довести до этого. А ты можешь заставить его безумно желать тебя. И если ты попробуешь, то сможешь заставить его даже полюбить тебя.

Полюбить? Интересно, как будет выглядеть Уоррик, если у него в сердце возникнет такое нежное чувство? Будет ли он таким же неистовым в любви, каким он был в своей ненависти? Ну нет, даже сама мысль об этом была абсурдной.

Но Милдред закончила свою мысль.

— Большинство благородных дам ненавидят свое брачное ложе. И это неудивительно, если их выдают замуж за неотесанных самцов, которые используют их только в целях размножения, а свои собственные удовольствия справляют где-нибудь на стороне. Но ты уже знаешь, как будет выглядеть твое брачное ложе с этим лордом. А тебе будет очень тяжело найти себе мужа, который подходил бы тебе по положению, имел бы власть, с которой приходится считаться, был бы мужественным, да при этом еще молодым и красивым.

— Да, он не безобразен, — внезапно сказала Ровена. — Он даже бывает симпатичен, когда... он... улыбается. — Она покраснела, когда поняла, что только что сказала что-то хорошее об этом человеке. — Милдред, ты с ума сошла, и все, что ты говоришь, является чистейшим вымыслом. Уоррику от меня ничего не нужно, кроме ребенка, которого я у него похитила, и моего вечного покаяния за это. Один мой вид вызывает у этого человека отвращение.

— Более вероятно, что твой вид вызывает у него желание, и именно это ему сейчас не нравится. Но ты не поняла, к чему я клоню. Я не говорила, что мысль о женитьбе может легко у него возникнуть. Но можно подтолкнуть его к этой мысли. Сначала тебе нужно добиться того, чтобы он перестал относиться к тебе враждебно, а это потребует определенных усилий с твоей стороны.

— Для этого потребуется чудо.

— Нет, ты просто попытайся, чтобы он начал думать о

других вещах, а не только о том, что ты с ним сделала. Сбивай его с толку и не делай того, чего он от тебя ожидает. Нарочно соблазняй его, и если можно сделать так, чтобы он поверил, что ты хочешь его, несмотря на его к тебе отношение, то это еще лучше. Это полностью озадачит его, и у него уйдет больше времени, чтобы размышлять над этим, а не над тем, какие гадости, как ты говоришь, ему еще тебе сделать. У тебя есть желание попробовать это?

— Могу предвидеть, что, сделай я так, я только поставлю себя в глупое положение. Думаю, ты, Милдред, выдаешь желаемое за действительное.

— А если нет? Тебе нравится, как он с тобой сейчас обращается?

Ровена, вздрогнув, вспомнила прошлую ночь и тот стыд, когда ее заставили вымаливать удовольствие, которого она всеми силами старалась избежать.

— Нет, — прошептала она.

— Тогда используй свое оружие, чтобы изменить его. Покажи ему, какой ты была до того, как появились д'Амбрейи. Перед твоими обаятельными манерами невозможно было устоять. Это может засвидетельствовать любой мужчина знавший тебя в те времена.

— Я не думаю, что мне удастся снова стать беззаботной и счастливой девушкой.

Милдред наклонилась и на какое-то мгновение нежно прижала ее к себе.

— Я знаю, моя сладкая. Единственное, что тебе нужно — это притворство. Ты сможешь это сделать?

— Вероятно.

— Когда ты попробуешь?

— Мне нужно подумать. Я не уверена, что хочу проявления большего внимания с его стороны.

Ровена упрямо подняла подбородок.

— И я не уверена, что мне хочется перестать его ненавидеть.

Милдред хихикнула.

— Это и не обязательно. Ты просто сделай так, чтобы он не догадывался о твоих истинных чувствах. Он из тех людей, о настроении которых можно судить по выражению лица. А ты не такая, и для тебя это притворство не составит трудности. Но знай, что, как только он переменится и начнет добиваться твоей благосклонности, ты можешь быть вовлечена в ту же игру, что и он, и обнаружить, что у тебя появились по отношению к нему другие, не похожие на ненависть, чувства.

То, что Уоррик де Шавилль станет ухаживать за ней или что она сможет испытывать к нему какие-то иные чувства, казалось настолько неправдоподобным, что она не стала спорить. Кроме того, ей была чрезвычайно неприятна тема их разговора, и поэтому она изменила ее.

— Милдред, а как нам удалось остаться одним в этой комнате? Это же швейная мастерская, не так ли?

— Да, но я отослала всех женщин поработать с новым красителем.

Ровена рассмеялась, увидев озорной огонек в ее глазах.

— Не тот ли, жутко зеленого цвета, который мы с тобой сделали в прошлом году?

— Абсолютно точно, но я не сказала им, что цвет ужасный. Я сказала, что можно получить красивейший оттенок. У них уйдет много времени, чтобы получить его. Потом я скажу им, что забыла упомянуть о добавке желтой краски, которая просветляет оттенок до цвета зеленой листвы, которого добились мы.

— Ты разве руководишь швеями и можешь приказывать им?

— Нет, но обитатели замка побаиваются меня из-за моей должности — служанки дочерей лорда. Они не знают того, какими полномочиями я обладаю, и не задают вопросов, выполняя мои распоряжения.

— И как тебе нравится служба у его дочерей?

Милдред хмыкнула:

— Никогда в жизни не встречала ничего более надменного и самовлюбленного. Конечно, это был не подарок со стороны лорда Уоррика, когда он поставил меня на эту должность, но, по справедливости, я сомневаюсь, что он знает, насколько на самом деле испорчены его дочери. Они открыто хвастаются тем, что его никогда не бывает дома, чтобы воспитывать их, а ты и я знаем, почему это так.

— Да, эта проклятая война с Гилбертом и Бог знает еще с кем. Он не говорил, когда снова покинет замок?

— Зря ты так надеешься на это, мой ягненочек. Для тебя было бы лучше, чтобы он был здесь, чтобы ты смогла испытать на нем свою хитрость и тем самым облегчить свою судьбу. Если он в ближайшее время покинет замок, то за время его отсутствия твое положение не улучшится.

— Нет, мои обязанности сократятся наполовину, а это я легко смогу пережить.

— А что, если он снова поместит тебя в темницу, чтобы быть уверенным, что ты не сбежишь?

Перспектива была достаточно реальной и к тому же без всякой гарантии того, что ее стражником снова будет Джон Гиффорд. Но ей пока не хотелось думать о попытке соблазнить этого человека. Она еще не была готова к этому.

От волнения она встала и произнесла:

— Лучше я уйду, а то, если нас обнаружат, обеих накажут Милдред запротестовала:

— На этом этаже живут только женщины, и он вряд ли поднимется сюда...

— Вчера вечером он это сделал, — прервала ее Ровена, направляясь к двери. Постояв немного у двери, она обернулась и с задумчивым видом спросила: — А что ты имела в виду, сказав, что теперь в его характере появилась мстительность?

— Разве ты ничего не слышала о том, что произошло здесь шестнадцать лет назад?

— Уоррик упоминал о том, что Фалкхерстом владел кто-то другой. Но это было очень давно. Ты это имеешь в виду?

— Да. В то время лорда Уоррика здесь не было, он был отдан на воспитание другому лорду, а то бы, без всякого сомнения, он был бы мертв, как и вся его семья.

— А что, была осада замка?

— Нет, предательство. Как мне говорили, некий барон Эдвард Байнарт, называвший себя другом семьи, мечтал получить права на владение Фалкхерстом и жениться на матери Уоррика — леди Элизабет. И вот во время одного из своих визитов он предпринял действия для воплощения своей мечты в реальность. Дождавшись, когда все уснут, он отправил небольшую группу своих людей разделаться с охраной замка и теми слугами, которые, как он думал, могли оказать сопротивление и вмешаться в его планы. Затем он тайно проник в спальню и убил отца Уоррика в его собственной постели, причем леди Элизабет была всему этому свидетельницей. Этот глупец думал, что после этого она от страха не сможет помешать его делам, но он не учел, как сильно она любила своего мужа. И когда она публично обвинила его в убийстве, он пришел в ярость и отдал ее слугам. Не выдержав надругательств, она покончила с собой. Обе сестры Уоррика — одна старше его, другая младше, — решив, что их ожидает участь матери, вместе бросились вниз со стены замка. Одна умерла на месте, вторая сломала спину и, промучившись неделю, тоже умерла.

Теперь Ровена знала причину жалости, которую Милдред испытывала к Уоррику.

— Жаль, что ты мне это рассказала.

— Самое умное — это знать своего врага, и один простой вопрос может дать массу информации, когда ты находишься в комнате, набитой сплетничающими женщинами. Лорду Уоррику было всего шестнадцать лет, когда ему сообщили новость о том, что Фалкхерст попал в руки другого владельца и вся его семья погибла. И прошло еще шесть месяцев, прежде чем он узнал о случившемся во всех подробностях. И за это время были совершены две попытки покушения на его жизнь. В конце концов, он все еще был наследником Фалкхерста, хотя у него не было ни поддержки со стороны короля, ни собственной армии, чтобы отбить свой замок. Байнарт не знал, что у Уоррика оставалось еще одно средство, — в детстве он был обручен, и это обручение оставалось в силе. В тот же день, когда его посвятили в рыцари, Уоррик отправился за своей невестой и с помощью людей, полученных в качестве приданого, и которых ему выделил его тесть...

— Он вернул себе Фалкхерст?

— Да.

— И убил Байнарта?

— Своими собственными руками. Но этого было недостаточно. Его неспособность предпринять в течение двух лет какие-либо действия для того, чтобы отомстить за свою семью, накопила в нем огромную ярость. Фалкхерст пришел в упадок, потому что многие из его слуг были покалечены или убиты во время правления Байнарта. То, что отвоевал Уоррик, трудно было назвать владением и представляло собой жалкое зрелище.

— И поэтому другие владения Байнарта стали целью Уоррика, — догадалась Ровена.

— Именно так. У него ушло на это три года, но в конечном итоге все владения Байнарта были присоединены к Фалкхерсту, и собственность лорда де Шавилля удвоилась. За это время он потерял свою первую жену и женился на другой. Основной целью этого брака было увеличить свои богатства.

— У него в то время были новые враги, поэтому он нуждался в еще большей армии?

— Нет, но он поклялся, что никто и никогда не сможет больше причинить ему вред, не заплатив за это в десять раз больше. С тех пор он держит свое слово и прославился умением незамедлительного возмездия. Год за годом эта клятва бросала его в бесконечные войны, так как он не оставлял без отмщения ни малейшего оскорбления.

— Вот что в конце концов превратило его в жестокое чудовище, каким он сейчас является, — с горечью в голосе заметила Ровена.

— Нет, таким, как сегодня, он стал в тот день, когда узнал об уничтожении всей семьи. Это горе и отчаяние превратили его из мальчика, которым он был, в мужчину, которым он стал. Говорят, что между ними двумя нет никакого сравнения. Мальчик был добрый, любящий, очень озорной и подвижный.

— А мужчина стал холодным, бессердечным...

— Но ты же теперь знаешь почему, и я не сомневаюсь, что, изменившись однажды, он сможет сделать это снова.

— О, нет.

— А где оптимизм твоей собственной юности?

— Уничтожен руками д'Амбрейев.

— В таком случае, мой ягненочек, у тебя есть возможность обеспечить свое собственное будущее и излечить человека, который слишком долго жил в окружении демонов из его прошлого. Я убеждена, что это благородная цель.

— Я так не думаю, — произнесла Ровена с нарастающим раздражением. — Можешь жалеть его, но не тебе приходится сталкиваться с его враждебностью. Я считаю, что он и его дьяволы заслуживают друг друга.

— Неужели ты позволишь своим собственным несчастьям сделать тебя такой же жестокой и ничего, как и он, не прощающей?

— Теперь ты противоречишь себе, признавая, что он жесток и ничего не прощает. Я сказала, что мне нужно подумать обо всем.

— Очень хорошо, — вздохнула Милдред, но с невинным видом добавила: — Тебе сейчас его хоть немножечко жалко?

— Ни капельки, — упрямо произнесла Ровена, и ей очень хотелось, чтобы это было правдой.

Глава 26

— Добро пожаловать, Шелдон! — воскликнул Уоррик и сжал своего старого друга в медвежьих объятиях. — Давненько ты не заезжал к нам.

— Это, вероятно, потому, что каждый раз, когда я приезжаю к тебе, ты ломаешь мне ребра, — усмехнулся Шелдон.

— Лжец, — со смехом отпарировал Уоррик, так как Шелдон, хотя и не настолько широкий в плечах, как Уоррик, был такого же высокого роста и к тому же в полном боевом снаряжении.

Шелдон де Вер являлся старшим сыном владельца поместья, где воспитывался Уоррик. Разница в их возрасте, составлявшая пять лет, не помешала возникновению дружбы. Сейчас Шелдону было всего тридцать семь лет, но его борода и непокорные, длинные каштановые волосы были покрыты преждевременным серебристым налетом — черта, присущая всем мужчинам его рода. Это не умаляло его привлекательности, но вызывало странные взгляды у людей, видевших его в первый раз.

— Пошли, — продолжил Уоррик, направляясь к очагу, — присаживайся, и пусть твой оруженосец снимет с тебя часть этой тяжелой скорлупы. — Затем он окликнул проходившую мимо служанку: — Эмма, закажи что-нибудь перекусить для моего гостя. — Девушка повернулась, чтобы выполнить приказание, но Уоррик ее снова окликнул: — И попроси новенькую, чтобы она принесла это.

Шелдон наблюдал, как проворная девушка быстро направилась в сторону лестницы, ведущей в женскую половину.

— Ты все еще обращаешься с ней, как со служанкой? — заметил он, когда Эмма исчезла из вида.

— Она и есть служанка.

— Но она к тому же и твоя дочь.

От такого прямолинейного заявления Уоррик нахмурился.

— Это нельзя доказать. Клянусь Богом, я переспал с ее

155

матерью один только раз, когда мне исполнилось пятнадцать лет и ты отпустил меня домой на короткую побывку. Это маловероятно...

— Почему ты пытаешься найти себе оправдание, — перебил его Шелдон. — Достаточно взглянуть на нее и понять, что она — твое произведение. Она единственная из твоих девчонок, которая действительно похожа на тебя.

Уоррик плюхнулся в свое кресло, стоявшее у очага, и еще сильнее нахмурился.

— Я не знал об этой девушке до тех пор, пока она почти полностью не созрела. Ее мать так боялась меня, что скрывала ее в деревне во время моих редких приездов сюда. Ни один из моих слуг никогда не упомянул мне о ее существовании. Даже ты до сегодняшнего дня никогда не говорил мне о ней.

Шелдон вспыхнул, поскольку это было не совсем так.

— Ты признал ее за свою дочь, когда, наконец, увидел ее?

Уоррик фыркнул:

— Мой друг, когда я впервые заметил ее, то все, что я увидел, так это хорошенькую женщину, с которой мне, вероятно, через пару лет захотелось бы переспать. Я ей об этом и сказал. Но она с оскорбленным видом быстренько объяснила мне, что это невозможно, так как она является мне дочерью. Можешь представить, каким дураком я себя почувствовал. Я же не видел ее и ничего о ней не знал.

Шелдон рассмеялся:

— Подобное смущение трудно забыть.

— А я и не забыл. Я бы вскоре забыл об этом, если бы она продолжала прятаться от меня, но сейчас она этого не делает.

— Но ты признал ее?

— Нет. Я же сказал тебе, что этого нельзя доказать. Или ты забыл, что мой отец еще был жив, когда ее зачали? Она запросто может быть его произведением.

— Ты веришь в это так же мало, как и я. Твой отец был слишком привязан к твоей матери, чтобы проявлять какой-то интерес к женщинам, живущим в замке.

Уоррик не мог этого отрицать и разозлился.

— Может быть, я поспешил поприветствовать тебя, мой старый друг. Чего ты прицепился ко мне с этой девушкой?!

Шелдон вздохнул:

— Мне следовало бы сразу сказать тебе об этом. Мой второй сын, Ричард, хочет взять ее в жены.

Уоррик уставился на него, долго смотрел и затем разразился хохотом.

— В жены? А это что за шутки?

— Никакой шутки нет. Я сомневаюсь, что ты обратил на это внимание, но ты превратился в силу, с которой приходится считаться. И союз с тобой желателен даже более могущественным лордам, чем я. Или к тебе не обращаются с постоянными просьбами о руке твоих дочерей?

— Да, предложений столько, что у меня нет времени их рассматривать. Но у меня только две законные дочери, и любую из них я с радостью выдам за Ричарда.

Шелдон сделал гримасу:

— Не обижайся, Уоррик, но Ричард пригрозил мне, что уедет во Францию, если я вернусь и привезу в качестве его нареченной любую из них. Он никого, кроме Эммы, не хочет, да и я сам тоже буду рад этому союзу.

— Но она всего-навсего крепостная, — выпалил Уоррик.

— Она не будет ею, если ты признаешь ее своей дочерью.

Уоррик снова разозлился:

— Это будет плохой услугой твоей семье. Она не умеет себя вести, и у нее отсутствуют манеры, присущие настоящей даме. Она опозорит...

— Ее можно будет научить всему, что ей необходимо знать.

— Но кто это будет делать? — фыркнул Уоррик. — Если я попрошу леди Роберту заняться обучением моей незаконной дочери, она рассмеется мне в лицо и, скорее всего, уйдет оскорбленной. Нет. Ничего не получится, Шелдон.

Его друг снова вздохнул:

— Ее давным-давно нужно было научить всему этому, но, как ты сказал, ты не знал о ее существовании, а у меня нет жены, которая могла бы взять ее под свою опеку. И что я скажу своему Ричарду, который отдал ей свое сердце? Она что, действительно такая неуклюжая?

Уоррик не слышал этого вопроса. В зал вернулась Эмма, и за ее спиной стояла Ровена. При виде золотоволосой женщины он забыл обо всех проблемах, волновавших Шелдона. Она не смотрела в его сторону, и он следил за ней взглядом, пока та не исчезла, спустившись по лестнице, ведущей на кухню.

Воспоминания о последнем вечере нахлынули на него, и он

неуклюже заерзал в кресле и вдруг сообразил, что Шелдон все еще смотрит на него.

— Что?

От его грубого тона у Шелдона поднялись брови.

— Я спрашивал, не будешь ли ты возражать, если я найду какую-нибудь даму, чтобы обучать Эмму. Мне необходимо твое разрешение прежде, чем предпринимать какие-либо усилия в этом деле.

Но Уоррик не смотрел на него и только произнес:

— Что? — Хотя на этот раз менее грубо.

— Уоррик, какого черта? Что тебя беспокоит? Почему ты такой рассеянный?

В зале вновь появилась Ровена, держа в руках поднос, на котором были разложены закуски. Это она беспокоила его, эта проклятая женщина. Он не мог смотреть на нее, не вспоминая того, что она с ним сделала, а от этих воспоминаний у него начинался жар в области паха. Ярость и желание переплелись в нем снова, и ярости становилось все труднее одерживать верх над желанием.

— Вам еще что-нибудь нужно, милорд?

Она поместила поднос на стоявший между двумя креслами стол и, сложив руки на груди, стояла, устремив взгляд на ноги Уоррика. Он одел ее в одежду служанки, и все же она никоим образом не была на нее похожа. Даже стоя так и ожидая момента, чтобы прислужить ему, она держала себя с такой грацией, которая была присуща только королеве. А этот благородный вид более чем раздражал его. Неожиданно он улыбнулся от появившейся у него мысли, что перед ним стояла как раз та, которая сможет обучить Эмму всему, чему было необходимо. И ему не нужно было просить ее об этом. Ему достаточно было только приказать.

И сразу же он приказал:

— Иди и скажи госпоже Блауэт, чтобы она приготовила комнату для моего гостя.

— Мне кажется, что нет необходимости даже задавать такой вопрос, — произнес Шелдон, как только она ушла. — Это та самая леди, которую ты упрятал в свою темницу?

Уоррик был удивлен.

— А как ты об этом узнал?

— Две недели назад я был в Фалкхерсте, чтобы встретить твою невесту. Тебе об этом никто не сказал?

— Нет, никто даже не упомянул. Но как ты услышал о Ровене?

— Тот большой эскорт, с которым ее сюда доставили, дал тему для разговора всем твоим людям. И предположения, как я припоминаю, вертелись только около одного вопроса — была ли она настоящей леди или нет. Она леди?

— Этот вопрос лучше задать иначе — была ли она ею? Была, а сейчас нет.

— А почему?

— Потому что она моя пленница без всяких прав и привилегий. Я не повесил ее, не содрал с ее спины кожу или не покалечил ее еще каким-либо образом. Вместо этого я лишил ее статуса, которым она обладала, и сделал ее своей крепостной.

— Что она совершила?

— Мне не хочется говорить об этом. Но ей очень повезло, что я не убил ее.

Несколько мгновений Шелдон молчал, затем пожал плечами и произнес:

— Должно быть, это на самом деле тяжкое преступление. — Однако его собственная проблема все еще требовала решения. — А как насчет Эммы?

— Пожалуйста, предоставь решение этого вопроса мне. Я думаю, что моя крепостная в состоянии обучить эту девушку, если ее вообще можно чему-нибудь научить. Давай посмотрим, можно ли железо сделать серебром.

Глава 27

Не успела Ровена дойти до ткацкой мастерской, как в ней появилась Силия. Всем своим видом она показывала свое превосходство над остальными, а по еле заметной усмешке на ее плотно сжатых губах Ровена догадалась, что ей придется услышать кое-что неприятное.

— Иди в Восточную башню, женщина. Туда для сэра Шелдона отправили кадку с водой. Ты будешь помогать ему мыться.

Ровена отметила, что дикция Силии была гораздо лучше, когда та была в хорошем расположении духа. А сейчас она вся светилась и была довольна тем, что сейчас делала, в то время как Ровена почувствовала, что у нее из-под ног уходит пол.

— Тебя с этим приказом прислала Мэри?

— Нет, Уоррик, — Силия глупо улыбнулась. — И ты лучше поторопись. Сэра Шелдона уже проводили в его комнату. И имей в виду, женщина, что он не просто гость, а очень хороший друг твоего господина. Уоррику не понравится, если его друг останется недоволен твоей работой.

Несколько присутствовавших в комнате женщин хихикнули, услышав это.

Ровена спокойно встала и вышла из комнаты. Она рассердилась на Уоррика за это новое унижение, которому он собирался ее подвергнуть. Но еще больше она разозлилась на себя за то, что начала серьезно подумывать о предложении, которое сделала Милдред. Любой мужчина, который мог отправить ее в постель к другому, а она безошибочно поняла язвительное предупреждение Силии, не стоил того, чтобы его соблазнять. Даже если это могло бы облегчить ее участь.

По правде говоря, это можно было бы рассматривать как еще одно наказание, но она не могла вспомнить, что она такое сделала, чтобы заслужить его. Она без колебания назвала его своим господином, пришла сразу же, как только ее позвали. Неужели Уоррик дошел до такой точки, когда ему уже не нужно было искать причину для наказания и ее примерное поведение ничего ей уже не даст? Если это так, то к чему ей выполнять все, что ей прикажут? А просто потому, что существуют наказания еще похуже, чем прислуживать незнакомцу во время мытья.

Однако о том, чтобы уделить гостю внимание в постели, не могло быть и речи, хотя Уоррику, видимо, хотелось, чтобы она это сделала. Незнакомцу для этого придется изнасиловать ее, а было не похоже, что он способен на это. Рыцарь без раздумья может воспользоваться услугами любой женщины из своего обоза, но он не станет плохо обращаться со служанкой человека, гостем которого он является. По крайней мере без разрешения хозяина. Но не сказал ли Уоррик этому сэру Шелдону, что тот может воспользоваться ею?

Вместе с гневом она чувствовала боль, которой не должно было быть, но чем ближе она подходила к комнате, расположенной в Восточной башне, оба эти чувства сменил страх, от которого ей чуть не стало плохо.

Дверь в комнату была открыта, и из нее выходил молодой оруженосец с тяжелым оружием сэра Шелдона. Над деревянной кадкой, установленной в центре комнаты, клубился пар. Рядом стояли ведра с холодной водой. И здесь же стоял сэр Шелдон и массировал затылок, — было похоже, что он у него побаливал. Ровена остановилась в дверях, и он не сразу заметил ее присутствие, а когда заметил, то сразу же стало понятно, что он удивлен.

— Мне собираетесь помочь вы, мадам?

Мадам? Значит, он все знает? Уоррик сказал ему о ней, а затем прислал ее сюда, не придумав ничего более худшего. Будь проклято это чудовище и его дьявольские способы мести.

Она опустила голову и твердо произнесла:

— Мне приказал прийти сюда лорд Уоррик.

— Я даже не мог подумать, — начал он, но, слегка покраснев, произнес: — Благодарю.

Это единственное слово представило в новом свете то, что ей предстояло делать, и она перестала испытывать чувство стыда. Будь она хозяйкой этого замка и замужем, она бы без раздумья помогла бы почетному гостю. Ее мать часто так делала. И если бы гостю захотелось бы еще чего-нибудь, кроме мытья, ему бы прислали готовую на все вертихвостку, которых достаточно в каждом замке. Правда, помогать гостям мыться разрешалось дамам в том случае, если они были не девственны, но и Ровена не была уже девственницей. Лучше отнестись к этому как к любой другой работе и, прежде чем осуждать, нужно сначала посмотреть, как поведет себя сэр Шелдон.

Ровена подошла к нему, чтобы помочь ему снять тунику, которая уже наполовину была расшнурована. Но так как от сильного волнения у нее все еще дрожали руки, чтобы дать себе немного успокоиться, она спросила:

— Вы приехали издалека, сэр Шелдон?

— Нет, не очень.

— Мне сказали, что вы хороший друг лорда Уоррика. Вы его давно знаете?

— Да, он был моим оруженосцем.

— Вашим?

Он улыбнулся:

— А почему вас это удивляет? Думаете, что его посвятили в рыцари без соответствующего обучения?

Она улыбнулась в ответ на его мягкую усмешку. Она почти

не разглядела его там в зале, так как все ее внимание было сосредоточено на Уоррике. Но теперь, при близком рассмотрении, Шелдон не показался ей таким старым, как сначала. Он был не намного старше Уоррика.

— Значит, вы знали его до того, как он стал таким... — Назвать друга этого человека так, как ей бы хотелось, было бы не совсем умно с ее стороны, и поэтому она остановилась на слове: — Жестоким?

Но, услышав это слово, Шелдон расхохотался.

— Девушка, вы очень плохо его знаете, раз можете называть его жестоким. Большинство женщин называют его ужасным.

Ровена покраснела.

— Я вообще не претендую на то, что знаю его, но все же не настолько сильно боюсь его...

Он снова рассмеялся. Его смех был раскатистым и богатым по тембру. Она резко потянула за щитки, закрывавшие его ноги, чтобы показать ему, что ей это не понравилось.

— Ты что здесь делаешь, женщина? — У Ровены перехватило дыхание при звуке этого голоса, и она обернулась. В дверях, которые она забыла закрыть, полностью заполнив весь проем, с устрашающим видом стоял разъяренный Уоррик. А она только что солгала, что не боится его. О причине, вызвавшей его гнев, она не могла догадаться.

— Вы приказали мне прийти сюда, милорд, — осмелилась она напомнить ему, но от этого он еще больше разозлился.

— Нет, я не приказывал и никогда бы этого не сделал. Тебе четко разъяснили твои обязанности, женщина. Если нужно будет еще что-нибудь сделать, я сам тебе об этом скажу. А сейчас отправляйся в мою спальню и жди меня там.

От негодования у нее пылали щеки, но она не осмелилась перечить ему в присутствии его друга. Не пытаясь заговорить ни с кем из мужчин, она вышла из комнаты, но не успела она спуститься до половины лестницы, как ее догнал Уоррик, грубо схватил ее и прижал к каменной стене. Узкая щель, через которую свет проникал на лестничный пролет, была закрыта его широкой спиной, и поэтому она не могла видеть, насколько он был все еще зол. Однако она поняла это по его голосу.

— Объясни мне, почему я не должен тебя наказать за то, что ты находишься там, где тебе не положено!

— Я думала, что, когда меня прислали сюда, это было еще

одним наказанием. А теперь вы говорите, что меня нужно наказать за то, что я поступила так, как мне было приказано. И если вы осмеливаетесь...

Он хорошенько тряхнул ее.

— Тебе не приказывали приходить сюда. И если ты снова повторишь эту ложь, то я, клянусь Богом, не стану приказывать, чтобы тебя побили, — я сам это сделаю!

Ровена проглотила слова, которые она хотела произнести. Этот человек был слишком зол, и ее это начало серьезно пугать.

Она понизила голос и заговорила умиротворяюще:

— Я не знаю, что сказать вам, кроме правды. Мне сказали, что я должна помочь сэру Шелдону во время мытья и то, что это по вашему приказу.

— Кто тебе это сказал?

— Силия.

— Она бы не осмелилась.

— Госпожа Блауэт может рассказать вам, если вы ее спросите, на что способна осмелиться Силия. Все ткачихи слышали, как она отправила меня сюда не только помочь вашему другу, но и ублажить его во всем, что ему захочется. — Она вздрогнула, так как он еще сильнее сжал ее руки. — Если вы не верите моим словам, милорд, спросите других женщин, и они подтвердят мои слова... — Она замолчала, так как у нее в голове мелькнула мысль, от которой заныло в желудке. — Если Силия не приказала им солгать. Госпожа Блауэт говорит, что они все ей подчиняются и...

— Он к тебе прикасался?

Она заморгала глазами, когда он сменил тему разговора, которая невольно вызвала заполнившее всю ее чувство горечи.

— Нет. Но если и да, то разве это имеет какое-нибудь значение? Слуга не может возражать в таких делах. Вы сами мне так сказали.

— Ты не можешь возражать против того, что я с тобою делаю, женщина, но больше никто не может тебя трогать.

И как доказательство этому он взял в руку ее толстую косу, чтобы она не смогла пошевелить головой, и прижался губами к ее губам. Поцелуй был сердитым, наказывающим и требовательным одновременно. Ей это не понравилось, и еще меньше ей понравилось, что у нее появилось жжение внизу живота, свидетельствовавшее о том, что она готова к дальнейшему.

Но у него не было намерения обладать ею здесь на лестнице. Он оторвал от нее свои губы, но продолжал крепко прижимать ее к себе. Затем еще крепче ухватил ее за косу и требовательным голосом спросил:

— А если бы он попросил, ты бы удовлетворила его просьбу?

У нее даже не было мысли привести его в ярость своей ложью.

— Нет, я бы отказала ему, а если бы это не помогло, то стала бы отбиваться от него. — Она почувствовала, что его тело стало менее напряженным, а пальцы, сжимавшие ее волосы, ослабли. Но следующими словами она опять разозлила его. — Но без средств защиты, которые мне не разрешено иметь, это вряд ли поможет.

— И не будет разрешено, — прорычал он, снова распаляясь.

В этот раз она не обратила внимания на его гнев, так как очень сильно разозлилась сама.

— Тогда, что может удержать любого мужчину от того, чтобы не изнасиловать меня? Вы же меня одели как служанку, а на служанок всегда смотрят как на законную добычу. Даже ваши воины без колебаний... — Она замолчала, когда увидела, что он усмехнулся.

— То, что я проявляю к тебе интерес, было замечено и понято. Здесь ни один человек не осмелится дотронуться до тебя. Нет, женщина, никто, кроме меня, не сможет взять тебя к себе в постель.

Она стукнула по руке, которой он хотел потрепать ее по щеке.

— Я это ненавижу так же, как ненавижу вас!

Ее заявление вызвало у него только смех, который разъярил ее так, что она отпрыгнула в сторону и опрометью бросилась вниз по лестнице. Он не стал задерживать ее, но мысль о том, что он мог бы это сделать, если бы захотел, только усилила ее ярость.

Он был властен над ее телом, ее чувствами и контролировал все, что она делала. Она даже не могла рассердиться без его позволения, ибо он очень хорошо знал, как подавит ее ярость при помощи страха. Она не могла больше терпеть такое безоговорочное подчинение ему.

Она смирялась с ним, так как считала, что это было ее

платой за то, что с ним было сделано, но за это ее уже наказали более чем достаточно, и ее ожидало еще более худшее наказание — у нее должны были отнять ребенка. Она сама заслужила такое к себе отношение, смиренно согласившись со своей участью. Если предложение Милдред хоть немного изменит ее положение и даст ей хотя бы небольшую возможность воздействовать на этого невыносимого человека, то стоит попробовать.

Глава 28

Раньше Уоррик и не замечал, как много из его вассалов смотрели на Ровену так же, как и он. Едва она вошла в зал, почти все взоры устремились на нее. Ему это совсем не понравилось. Не понравилось настолько, что он потребовал полного внимания к своей особе, желая показать всем, что он недоволен.

Вассалы хорошо его знали. Они сразу поняли, что вызвало недовольство хозяина. Но как ни смешно, он был теперь еще более раздосадован тем, что они перестали смотреть на девушку. В его поведении угадывалась ревность, а это было по меньшей мере глупо. Бог свидетель, она была всего лишь его пленницей. Однако то, что он сейчас почувствовал, не отличалось от того, что он ощутил, когда застал ее с Шелдоном, — нет, тогда это чувство было еще сильнее. Когда он увидел ее, стоящей на коленях у его ног, Уоррика охватила неописуемая ярость.

— Тебе не нравится форма твоей пивной кружки? — спросил Шелдон, садясь рядом с Уорриком за стол.

— Как это? — Уоррик посмотрел на сосуд, который держал в руке, и увидел, как смялся металл под его пальцами. Он со злостью отбросил кружку и потребовал другую. Паж быстро принес ее, а заодно и кувшин эля. Это следовало сделать Ровене, и она должна уже была бы быть здесь. Какого дьявола она задерживается на кухне? И в этот момент она появилась с большим блюдом еды, и он сделал над собой огромное усилие, чтобы выражение его лица не выдало чувств, бушевавших в нем.

— Тебе надо как-то отвлечься, если ты не хочешь, чтобы она заметила, какое производит на тебя впечатление, — предупредил Шелдон своего друга, безуспешно стараясь скрыть, что все это его развлекает. — Ты очень сильно взвинчен.

— Иди ты к черту, Шелдон.

Шелдон засмеялся, но больше ничего не сказал и повернулся к Беатрис, сидящей рядом. Уоррик попробовал расслабиться, но это оказалось невозможным. Чем ближе Ровена подходила к столу, тем напряженнее он становился, как бы ожидая удара. И то, что он увидел, действительно ошарашило его — она ему улыбалась.

— Что вы пожелаете, мой господин, — любезно спросила она, ставя перед ним блюдо.

— Всего понемногу.

Он даже не взглянул на еду, которую она предлагала.

— Я что, сделал твою жизнь слишком легкой, женщина?

— Нет, мой господин.

— Тогда почему ты мне улыбаешься?

Улыбка тотчас исчезла.

— Я забылась. Что бы вы хотели? Мне нахмуриться, изобразить безразличие или, может быть, страх? Стоит вам сказать...

— Замолчи, — проворчал он и взмахом руки приказал ей уйти.

Ровена чувствовала, как его глаза буравили ей спину, когда она поспешно выходила из зала, и ей стоило немалого труда не рассмеяться прежде, чем она вышла за дверь.

Лорда Возмездие будет совсем нетрудно смутить, даже легче, чем думала Милдред. Всего лишь своей улыбкой она испортила ему настроение и не была за это наказана. Ей хотелось узнать, что будет, если в следующий раз она заставит себя прикоснуться к нему, не получив на то приказа. Она не хотела этого делать, но она приняла решение и должна была использовать различные средства.

— Значит, ты слышала, да?

Ровена вздрогнула и оглянулась. Она увидела Мэри Блауэт. Она не знала, что Мэри имела в виду, но с ее стороны было неразумно выглядеть такой довольной, когда другие могли это заметить.

— Слышала — что?

— Что эту заносчивую воображалу Силию отправили в замок Дервуд. Я не знаю, как ты это сделала, но готова сказать тебе большое спасибо.

Какое-то мгновение Ровена даже не могла говорить: она ушам своим не верила.

— Он действительно отправил ее?

— Да, и это весьма счастливое избавление Но почему ты выглядишь такой удивленной?

— Но я ничего не делала, чтобы... я имею в виду... я только сказала ему, что она передала мне приказ от его имени. Я не знала, что она говорила неправду, но я... он действительно отослал ее?

Мэри хмыкнула:

— Разве я не это сказала? А то, что ты сделала, никто другой бы сделать не осмелился. Мне нужно было бы самой предупредить его, что она слишком уж пользовалась своим положением, но мужчины такие странные в этих делах. Чаще всего свое недовольство они срывают на тех, кто им это сообщает.

Ровена подавила в себе чувство удовлетворения и решила, что возмутительная выходка Силии заслуживала хоть какого-то наказания. Конечно, Уоррик сделал это не ради нее. Просто понял, что Силия перешла границу дозволенного, и немедленно отреагировал. В конце концов, Уоррик волен определять меру наказания. И почему его возлюбленная не должна тоже получить свое?

Ровена поспешила опять в зал с другим блюдом, на какое-то время забыв о своем плане одурачить и соблазнить своего мучителя. Однако она заметила, что его настроение изменилось в худшую сторону. Конечно, имелся какой-то риск, что она его еще больше рассердит своими действиями. Тот хмурый взгляд, который он бросил на нее, подсказал ей, что он определенно был на что-то сердит.

Она не решалась подходить к нему, когда его взгляд был таким угрожающим, но в ее обязанности входило подать ему еду, а не просто поставить перед ним блюдо.

— Что-нибудь здесь кажется вам соблазнительным, мой господин?

До Ровены сразу и не дошла двусмысленность ее невинного вопроса. Она поняла скрытый смысл своих слов только тогда, когда увидела, как в глазах Уоррика вспыхнул огонь. Она покраснела. Она совсем не намеревалась, чтобы ее слова прозвучали так дерзко, но именно так были поняты. К ее удивлению, он перестал хмуриться и даже широко улыбнулся, но не ее грубому юмору, который ей был противен, а какой-то своей чисто мужской забавной мысли.

— Подойди-ка сюда, женщина, и мы посмотрим, может ли что-нибудь меня соблазнить?

Сэр Шелдон, сидевший рядом с ним, грубо захохотал, так же как и другие рыцари, которые все это слышали. Лицо Ровены пылало. Но на этот раз она, не раздумывая, быстро обошла стол, подошла к его стулу и встала рядом, и тотчас же оказалась у него на коленях.

Появилась прекрасная возможность продолжать осуществлять свой план обольщения Уоррика — если б только она могла забыть, что они оказались в центре внимания. Но в зале присутствовали другие дворяне, в том числе и дамы, и юные дочери Уоррика. Единственное, чего Ровене хотелось в этот момент, — это уползти в какую-нибудь нору, спрятаться там и просидеть в ней ближайшие дней десять. Поистине, если бы она внушала хотя бы малую толику того уважения, которое соответствовало ее положению, Уоррик никогда бы не обошелся с ней подобным образом на глазах у всех. Но ее поставили в положение простолюдинки, на которую дамы считали зазорным вообще обращать внимание, ее сделали совершенно беззащитной против гнусных похотливых намеков и таких же похотливых посягательств — по крайней мере со стороны лорда Фалкхерста.

— Что, по твоему мнению, женщина, может быть соблазнительным для моего тонкого вкуса? — продолжал он подтрунивать над ней. — Ну-ка, выбери сама, и мы посмотрим.

Он даст ей шанс? Она может наполнить его тарелку и уйти?

Она, не теряя времени, приподнялась и, потянувшись за ближайшим блюдом, почувствовала руку Уоррика на своей ноге, затем рука его оказалась у нее между ног. Она так быстро села, что стукнулась головой о его подбородок. Оба поморщились от боли, но он произнес, посмеиваясь:

— Значит, ты думаешь, что ни одно из яств меня не соблазнит?

Ровена подавила в себе стон. Итак, не было никакого способа выиграть эту игру, начатую им, и нет надежды, что он просто так отпустит ее, если она попытается встать с его колен. Может быть, следует потерпеть и ему надоест эта игра, и он догадается, что за столом не место для похотливых развлечений?

Она опять наклонилась вперед, чтобы положить ему что-нибудь на тарелку. Но другой рукой он начал гладить под юбкой ее бедро, и она почувствовала, как ее обдало жаром. Ровена пришла в ужас, представив, что он может здесь, на глазах у десятков людей довести ее до состояния безумного желания.

Бог с ней, с гордостью. Она наклонилась к нему и прошептала ему в шею «пожалуйста».

— Мне очень нравится это слово, которое у тебя на устах, — ответил он, и в голосе у него прозвучало огромное удовлетворение.

Вот он и открыто напомнил ей о ее мольбе, которой она так стыдилась, но в этот момент ее просьба ее не смутила.

Он добавил:

— Может быть, ты теперь мне скажешь, что заставило тебя улыбаться?

Ровена широко раскрыла глаза. Неужели все это было из-за того, что она смутила его своей проклятой улыбкой? Неужели он станет сводить с ней счеты даже за то, что она его смутила? Эта мысль рассердила ее, и гнев заставил забыть о своем чувстве неловкости, о том, что не только его уши услышат ее ответ.

И она ответила ему, улыбнувшись опять и дождавшись, пока он отхлебнет глоток эля:

— Я просто подумала о том, что вы проявили ревность сегодня в полдень, мой господин.

Он чуть не захлебнулся и прохрипел в ответ:

— Ревность!

Она откинулась назад так, чтобы он видел, что она раздумывает над его ответом.

— Может быть, чувство собственности более точно соответствует этому. Как я понимаю, только вы можете меня использовать и оскорблять, и никто другой такой привилегией не обладает.

Уоррик бросил сердитый взгляд на Шелдона, который трясся от смеха: было ясно, что он слышал ее слова. Уоррик перевел взгляд на Ровену, и по его глазам она поняла, что лучше бы она не говорила это здесь, где было так много людей.

— Я хочу удостовериться, что тебя держат для того, чтобы ты всегда была под рукой и выполняла все мои прихоти. А ты считаешь это чувством собственности? — тихо прорычал он. — Мне бы ничего не стоило бросить тебя моим рыцарям и посмотреть, как они попользуются тобой, — если у меня самого не будет настроения сделать это. Мне нужно доказать тебе это?

Это была одна из тех угроз, которую он вынужден будет привести в исполнение, если только она немедленно не загладит свою вину. Гнев ее еще более усилился, но это не помешало ей крепко обнять его за шею.

— Не надо, я умоляю вас, — прошептала она ему на ухо, потом ее губы нежно коснулись мочки его уха. — Я хочу разделять постель лишь с вами, и я знаю лишь ваши прикосновения.

Ровена почувствовала, как по его телу пробежала дрожь. Он столкнул ее с колен и покраснел. Их глаза встретились, и она ощутила, как ее обожгли лучи, исходящие из его глаз.

— Спускайся вниз и принимайся за свою еду, затем приходи в мои покои.

— Вы хотите принять ванну, мой господин?

— Я хочу, чтобы ты была в моей постели, женщина, где мы и выясним, окажется ли то, что ты сказала, правдой.

Глава 29

Ровена была уверена, что слухи и пересуды о том, что произошло в зале, будут преследовать ее до конца дней, станут сопровождать ее, даже если она покинет Фалкхерст и отправится в другие графства. Но какое до этого было дело лорду Возмездие? О нем никто судачить не будет. Для человека благородного происхождения ничего не стоило высмеять кого-либо из своих крепостных. Кто, в конце концов, осмелится возразить ему?

Ровене очень не хотелось еще раз в этот день появиться на глаза очевидцам той унизительной для нее сцены, но другого пути из кухни в покои Уоррика не было. Однако оказавшись после затянувшейся трапезы в зале, она не услышала никакого шепота в свой адрес. Мужчины вообще не смотрели на нее, а женщины, мимо которых она проходила, быстро отводили свой взгляд в сторону. Никто не обращал на нее никакого внимания, никто, кроме Уоррика. Он следил за ней, но безразличным взглядом, так как был поглощен беседой со своим другом Шелдоном.

Значит, она напрасно огорчалась, в замешательстве подумала она. Или никто не заметил, что Уоррик держал ее у себя на коленях?

Она была сбита с толку, ей все это не нравилось. Ведь это его нужно было заставить смутиться, а не ее. Но можно было очень легко узнать, действительно ли произошло что-то за то короткое время, пока она ела в помещении для прислуги.

Она увидела молодую девушку Эмму, которая приходила за ней, когда прибыл сэр Шелдон, и остановилась у ее стола. Ровена не обратила внимание на то, что девушка сидела одна.

— Эмма, могу ли я, полагаясь на вашу доброту, спросить, что здесь такое произошло, чего я не видела, так как была внизу?

— С тех пор как вы разыграли здесь прекрасное представление, ничего не произошло...

— Понятно, — коротко ответила Ровена и повернулась, чтобы уйти. Она была огорчена: раньше девушка казалась более дружелюбной.

Но Эмма быстро схватила ее за руку и сказала, чтобы успокоить ее:

— Послушайте, госпожа, я не хотела вас обидеть. Просто непривычно, когда грозный дракон ведет себя как нормальный человек.

Грозный дракон? Как точно сказано. Но Ровену больше поразило то, как к ней обратилась девушка. Выходит, обитатели замка знают, что она не простолюдинка.

— Почему ты называешь меня госпожой?

Эмма пожала плечами:

— Вы не можете скрыть под одеждой прислуги, кто вы на самом деле. Ваши манеры, госпожа, говорят больше, чем слова, хотя и ваши слова свидетельствуют о вашем благородном происхождении.

— Ты говоришь ничуть не хуже, — заметила Ровена, поняв, что это было всего лишь предположением Эммы.

Эмма усмехнулась:

— Да, это так, но я лишь подражаю, хотя и уверена, что делаю лучше, чем Силия.

Ровена не смогла сдержать улыбки.

— Да, и значительно лучше, чем она. Но скажи мне, если ничего не случилось, почему женщины выглядят, как бы это сказать, почти напуганными?

— Когда они смотрят на вас?

Ровена кивнула, а Эмма еще шире заулыбалась.

— Они слышали, что случилось с Силией, и считают, что это произошло по вашему приказу.

— Но я никогда...

— Лично я так не думаю, а они думают. Они еще потому в страхе перед вами, что вы не боитесь этого дракона, даже когда он в самом мрачном настроении.

— Конечно, я боюсь его. Моя жизнь в его руках.

— Нет, женщин он не убивает. Но даже Силия пряталась от него, когда он был в гневе, и все здесь видели, как вы заставили его рассмеяться. А это большая редкость — слышать его смех.

Выслушав это, Ровена вдруг ощутила грусть, но быстро постаралась избавиться от этого чувства. Ей-то что от того, что этот человек не испытал радости в жизни? У нее у самой в эти последние годы радостей было немного.

Ровена очень хотела еще поговорить с Эммой, чувствуя, что могла приобрести в ней друга, но вынуждена была отправиться в покои Уоррика. И теперь, когда ее смятение улеглось, ей предстояло выполнить этот приказ и справиться с уже появляющейся нервозностью.

Итак, он с готовностью поддался ее обольщению, или, скорее, он сам попался в ее сети из-за этих своих непристойных подшучиваний над ней. Ей теперь даже не надо придумывать никаких хитростей. Правда, Ровена опасалась, как бы Уоррик не решил, что ею руководил лишь страх, а не действительное желание близости с ним. Ей придется показать, что она совсем не испытывала страха. Но мысль о соблазнении и сам акт соблазнения были далеко не одним и тем же, и ее нервозность была больше похожа на страх. Сама она не могла определить, что же это было на самом деле.

А что, если все это было напрасно, если все ее попытки к примирению не оказали никакого действия и его отношение к ней не изменилось? Милдред была уверена, что случится как раз наоборот, Ровена же не очень была в этом уверена. И все-таки... всего лишь несколько слов вызвали в нем страстное желание, что коренным образом изменило его настроение. Ей просто надо подождать и посмотреть, что еще следует предпринять. Едва Ровена вошла в комнату господина, как Уоррик закрыл за ней дверь. Он, наверное, сразу же последовал за ней, хотя и казалось, что он был поглощен беседой. И тотчас она заметила тот особый огонь в его глазах и все поняла.

Этот человек хотел ее прямо сейчас и хотел нестерпимо. Он не желал больше ждать. Эта мысль вызвала в ней пьянящее чувство власти. Оно поможет ей сделать все, что она захочет.

Но, к ее досаде, и в ней самой пробудились ответные чувства.

Вот он стоял у дверей, не сводя с нее глаз. На нем была роскошная коричневая туника, вышитая золотом по горловине и подолу. Цвет туники хорошо гармонировал с его золотистыми волосами, которые он не подрезал со времени пленения в Киркборо. Волосы теперь доходили ему до плеч. Он не хмурился, и она могла видеть привлекательные черты его лица, и это возбуждало ее чувства.

Оказалось, что Ровене было трудно смотреть на него, когда он был таким, как сейчас, вполне нормальным, а не жестоким чудовищем. А он, как она знала, мог им быть. После ее признания в зале застенчивость с ее стороны была вполне уместной. Она воспользовалась этим и опустила глаза.

— Пойди сюда, Ровена.

Она сразу же подошла к нему, но опять не могла заставить себя посмотреть на него и встретиться с его глазами. Под его магическим взглядом она потеряла контроль над собой.

— Значит, ты хочешь разделить со мной мое ложе?

— Да.

— Почему?

Боже милосердный, неужели он не мог поверить ей на слово? Почему? Она не предполагала, что ее будут расспрашивать, а думать, когда он был рядом, она не могла.

— Почему вообще женщина хочет разделить ложе с мужчиной?— задала она, запинаясь, встречный вопрос.

— Потому что моя постель мягче твоей.

Она бросила на него взгляд, и их глаза встретились.

Негодяй. Он подвергал сомнению ее слова, он заставлял ее убеждать его. Сперва она не хотела его соблазнять. Да она проклянет себя, если будет унижаться, чтобы это сделать.

— Это, конечно, так, — сказала она решительно. — Однако в вашей постели мне не очень-то хорошо спится. И может быть, в конце концов, моя собственная постель лучше.

Она сердито отвернулась, и он схватил ее за руку и крепко прижал к груди. И тогда его губы рассказали ей о том, какие чувства она в нем вызвала: они были горячими, жадными, страстно ловящими ее губы. Она прижалась к нему, чувствуя, как слабеет ее тело, прижалась потому, что ничего другого сделать не могла. А он не прекращал страстно целовать ее, полный решимости заставить ее чувствовать то же самое, что чувствовал он сам, и в ней пробудилась ответная страсть.

Она чуть не упала, когда он разжал свои объятия. Он отодвинулся от нее, сел на постели и рванул себя обеими руками за волосы, да так сильно, что Ровена поморщилась, понимая, как больно ему было. Но когда он поднял на нее глаза, она беззвучно простонала: его лицо опять приобрело то самое выражение страшной жестокости, которого она так боялась.

— Ты все еще настаиваешь на том, что ты хочешь меня, женщина?

Если она ответит утвердительно, он заставит ее страдать. Она знала это, прочитала в его глазах. Если она скажет «нет», скорее всего, он попытается доказать ей, что она лгунья, а сейчас, все еще ощущая вкус его губ на своих губах, она не была уверена, что ее «нет» будет правдивым. Но за победу ей придется платить своей гордостью, ибо план ее был похож на игру с огнем. И она знала, что и ей теперь придется пострадать от этого огня.

Он терпеливо ждал, давая ей достаточно времени, чтобы она, испугавшись, могла отступить. Она не отступила от своего решения. Она пройдет через все, чего бы ей это ни стоило.

— Я все еще хочу вас, мой господин.

Он ответил не сразу. Как будто принимая важное решение. Затем глухо прохрипел:

— Мне нужны доказательства. Докажи мне.

Ничего другого она и не ожидала. Она медленно направилась к нему, по пути расшнуровывая свою тунику. Затем сняла ее через голову и остановилась в двух шагах от него. И еще медленнее стала развязывать сорочку. При этом она, как гипнотизер, впилась взглядом в его лицо и видела все, что он чувствовал. Ощущение власти над ним вернулось к ней, и оно придало ей смелости.

Сорочка соскользнула с плеч и упала на пол, на ней осталась лишь нижняя сорочка, чулки и башмаки. Чтобы развязать башмак, она стала наклоняться и поставила ногу на кровать прямо рядом с Уорриком. Ровена нарочно поступила так бесстыдно, и это его доконало. Он застонал, обхватил ее за бедра и притянул к себе. Она обвила его торс ногами, спина ее неудобно прогнулась, когда он уткнулся лицом в ее мягкую грудь. Это объятие затронуло в ней какие-то нежные сладостные струны. Она обхватила его голову руками, совершенно забыв о том, что играет роль, которую сама выбрала. Сейчас Ровена делала все, исходя из собственного желания, ибо то, что она держала так его голову, казалось ей единственно возможным.

И тогда Уоррик поднял голову и сказал:

— Поцелуй меня.

Она поцеловала его, взяв лицо в свои ладони. Это был поцелуй, лишенный страсти, совершенно невинный, и длился всего несколько секунд. И тогда он, прильнув к ней губами, стал водить языком по их внутренней поверхности, прежде чем протолкнуть свой язык еще глубже в рот. Сначала она попробовала вытолкнуть его язык своим, но неожиданно ощутила прилив какого-то растекающегося по всему телу томления и больше не сопротивлялась.

Он повалился спиной на кровать и потянул ее за собой, не переставая страстно целовать. Затем быстро перевернулся и прижался своим напрягшимся корнем мужской силы в нижнюю часть ее живота. Волна возбуждения охватила все ее существо, сердце бешено заколотилось. Она ухватилась за его волосы, зажав их в горстях. Ей нужен был якорь, ибо ее бушующие чувства выходили из-под контроля.

Он отодвинулся от нее, чтобы раздвинуть ее бедра и сорвать с нее нижнюю сорочку, и теперь она лежала под ним совершенно обнаженной. Его взгляд обжигал ее, а потом она чуть не задохнулась оттого, что его руки, медленно двигавшиеся по ее животу, достигли грудей, и он взял ее грудь в свои ладони. Он наклонился, коснулся языком нежной юной груди, а потом попытался захватить ее губами.

Едва дыша и выгнувшись дугой навстречу ему, она держала его голову, как в тисках, и бессознательно требовала еще и еще.

Она действительно что-то выкрикнула, протестуя, когда он остановился и откинулся назад. Однако на этот раз, когда

он услышал ее протесты, на его лице не возникло торжеству-
ющей улыбки. Его желание немедленно найти в ней утоление
страсти было искренним и не оставляло места для мести.

Уоррик, тяжело дыша, сбросил с себя одежду, не спуская с
нее глаз. Роскошная туника порвалась. Ровена поднялась, желая помочь ему раздеться, но у нее так дрожали руки, что она
лишь затянула узлы на шнурках его штанов. Уоррик разорвал
штаны, и показался корень его мужской силы, возбужденный,
казавшийся нежным, как бархат, но на самом деле твердый,
как сталь. Она взяла его в руки, и ей казалось, это было самым
естественным, что она могла сделать.

Он втянул в себя воздух, потом простонал «нет», взял ее
руку в свою и прижал ее к постели. Она что-то пролепетала в
знак протеста, но он заглушил ее слова поцелуем. Затем он
опять движением своего тела раскинул ее ноги и погрузился в
нее. Она растворилась в нем и уже больше ни о чем не думала,
только о том жаре, который охватил ее. Свободной рукой она
старалась дотянуться до самого низа его спины, чтобы заставить его не останавливаться.

— Сейчас, пожалуйста, Уоррик, сейчас! — умоляла она,
на этот раз без его приказа, и на этот раз ее мольбе вняли
немедленно.

Он делал быстрые и сильные движения, как бы вонзаясь в
нее. Она вскрикнула, достигнув высшей степени блаженства
раньше его. Чувство это было таким сильным, что Ровена чуть
не потеряла сознание.

Она все еще пребывала в состоянии полузабытья, когда
немного позже услышала его слова:

— Интересно, ты всегда будешь доводить меня до подобного безумства?

Ровена только улыбнулась.

Глава 30

На следующее утро, когда Ровена проснулась, Уоррик все
еще лежал рядом с ней на широкой кровати, но уже не спал. У
нее было чувство, что он наблюдал за ней, когда она спала. Это
обеспокоило ее, так как вид у него был слишком серьезным для
такого раннего часа.

— Вам нужно было разбудить меня, милорд, и отослать к моим обязанностям.

— Неужели? А для чего, если ты сама решила, что с сегодняшнего дня одна из твоих обязанностей заключается в том, чтобы находиться там, где ты сейчас находишься?

Она мгновенно покрылась румянцем.

— Означает ли это, что я могу принебречь своими другими обязанностями?

— А, — произнес он, как будто что-то внезапно понимая, — теперь я знаю, почему ты стремишься попасть ко мне в постель.

— Это не так. Просто занятия, которыми заполнен мой день, для меня не утомительны. Пока.

— Пока? — Он нахмурился, затем его взгляд упал на ее живот, и его глаза цвета серебра стали похожими на две льдинки. Но он продолжал говорить мягким голосом, хотя это было очень обманчиво: — Понимаю. Ты снова доказала, что невероятно глупа, раз напоминаешь мне о ребенке, которого ты у меня украла. Но тогда это еще одна причина, которой можно объяснить твою внезапную страсть ко мне, не так ли? Или ты хочешь сказать, что у тебя и в мыслях не было пойти со мной на сделку из-за ребенка?

— Не могу отрицать, я хочу этого.

— И думаешь, для этого достаточно раздвинуть ноги?

Как она могла забыть о его грубости? Или, вернее, как она ее ненавидела, ведь именно с нею она пыталась бороться. Очевидно, то, что произошло между ними прошлой ночью, ни капельки не изменило его. Это ее обескуражило, но он не верил, что она действительно хочет его, и именно поэтому так язвительно подшучивал над ней сейчас. Она не знала, как его еще убедить — ложью или правдой.

Внезапно поняв, что потерпела полное фиаско, она рассердилась. Почему этот человек не мог просто принять то, что она ему предлагала? Почему он должен был искать скрытые мотивы ее поступков?

И этот его проклятый вопрос. Ну хорошо же, — она была до того зла, что широко раздвинула под покрывалом ноги, причем так широко, чтобы он смог это заметить, и насмешливо произнесла:

— Тогда идите сюда, господин Дракон, и опалите меня вашим огнем.

Он стал мрачнее тучи.

— Женщина, я хочу знать причину, и сейчас же.

Свирепо глядя на него, она возбужденно начала говорить:

— Все ваши требования грубы, все ваши поступки вызваны местью, но все же, когда вы дотрагиваетесь до меня, вы становитесь нежным. — Ее изумило, что после всего произошедшего она могла говорить, поэтому она быстро сменила тон, добавила в голос некоторую неуверенность. — Я не хотела признаваться в этом самой себе, а тем более и вам, но обнаружила, что я... я жажду ваших прикосновений.

Боже милостивый, она начала осваивать искусство лжи. Выражение его лица изменилось. Она могла утверждать, что он хотел ей поверить. В этот момент у нее в горле возникло неприятное чувство напряженности.

— Если бы тебе так сильно хотелось моего тела, то ты не стала бы столько ждать, чтобы соблазнить его и снова доставить себе удовольствие. Мне что, нужно научить тебя всем проделкам, на которые способны потаскухи? — В этот раз ее это не оскорбило, так как она поняла, что с его стороны это было попыткой подавить в себе соблазн поверить ей. Он думал, что ни одна женщина не может хотеть близости с ним просто так, без каких-то тайных намерений. Ровена вспомнила слова Эммы о том, что все женщины благоговели перед нею за то, что она не боялась Уоррика. И Милдред говорила, что половину своей жизни он был таким, как сейчас — жестоким и мстительным. Какая же женщина захочет искренней близости с ним, если она его боится?

Какое-то мгновение Ровена размышляла о том, почему она перестала его бояться, затем, положив руку на грудь полусидящего Уоррика, толкнула его обратно на кровать.

— Может быть, милорд Уоррик, вы научите меня, — тихо произнесла она, склоняясь над ним. — Мне кое-что говорили об этом, но я не стану возражать, если узнаю об этом больше.

Ее рука скользнула под покрывало, и, к своему изумлению, она обнаружила, что у него не было иммунитета от близости их тел, как, впрочем, и у нее. Ее прикосновения к нему не прошли бесследно. Для нее это должно было бы быть трудно. Она должна была бы заставлять себя делать это. Но все оказалось легко, слишком легко, — ей это нравилось. Кстати, так же, как и ему. Его дыхание участилось, и он закрыл глаза. Через какое-то мгновение она оказалась на спине, его губы плотно прижались к ее губам, и руками он проделывал то, что делала она, как бы мстя за ту сладкую пытку, которой она его только что подвергла.

Но перед тем как он успел дать Ровене то, чего ей отчаянно хотелось, в спальню, по своему обыкновению, без предупреждения вошел Бернард. От смущения бедный юноша покрылся красными пятнами, когда понял, что Уоррику может не понравиться то, что его побеспокоили, но нужно было воздать ему должное, ибо он попытался покинуть помещение, пока его не заметили увлеченные своим делом обитатели постели. Но Уоррик слишком поднаторел в войнах, чтобы мгновенно не среагировать на нарушителя спокойствия.

Он приподнял голову и прорычал:

— Что?

Но Бернард, заикаясь, смог только произнести:

— Отец... здесь... с невестой.

Ровена со смущением восприняла это известие. Так как отца Уоррика не было в живых, то оруженосец мог иметь в виду или своего собственного отца, или кого-то из двух тестей Уоррика. Но слово «невеста» почти сбило с толку ее обострившееся восприятие. Однако Уоррик совсем не удивился этому малоприятному сообщению.

— Они приближаются к Фалкхерсту или уже здесь?

От спокойствия, с которым был задан этот вопрос, к юноше вернулось самообладание.

— Они уже в Парадном зале, милорд, и им очень хотелось бы вас видеть. Должен ли я сказать им что?..

— Ничего не говори им. Я буду там через минуту, чтобы поприветствовать их. — Из его ответа Ровена поняла, что Уоррик не собирался заканчивать то, что они собирались сделать. Протестуя, все ее тело заныло. Ее лицо было абсолютно бесстрастным, когда он снова обратил на нее свое внимание. В отличие от нее, он выглядел потерянным и расстроенным.

— Лорд Рейнард никогда не может появиться вовремя. — Он вздохнул и встал.

Она поняла, что ей хочется удержать его. Она похолодела, услышав слово «невеста». Но она не сделала ничего, чтобы он понял, как это внезапно очень взволновало ее.

Однако она сочла, что ей ничего не будет, если она задаст вопрос.

— А что, лорд Рейнард один из ваших тестей?

— Скоро им будет.

Так вот в чем дело, — ее худшие предположения подтвердились. Теперь придется расстаться с надеждой приручить этого человека. С прибытием своей нареченной он больше не обратит внимания на такие пустяки, как Ровена, так как теперь его ложе будет делить с ним его жена. А что он тогда сделает со своей пленницей? Отправит ее обратно в темницу? Или заставит прислуживать ему и его новой жене?

— Значит, нашли вашу нареченную? — спросила она бесцветным голосом, наблюдая, как он рылся в сундуке с одеждой, стараясь, несомненно, найти что-нибудь великолепное по случаю прибытия его бесценной леди Изабеллы. — По крайней мере, за мной больше не будут числить хотя бы это преступление.

Он бросил на нее пронзительный взгляд.

— Ты рано так думаешь, женщина. Сначала я должен узнать, почему она пропадала так долго.

На это Ровена ничего не ответила. Ей было все равно, как будет оправдываться эта леди. Единственное, что ей хотелось, и она была в этом уверена, чтобы леди Изабеллу вообще не нашли. Это желание ее озадачило, так как ей бы не следовало вообще реагировать на все случившееся.

Уоррик не обращал на нее внимания, сосредоточив все свои мысли на ожидавших его гостях. Но Ровене было не так легко не обращать внимания на Уоррика, хотя она тоже думала о прибывших гостях. Но даже несмотря на беспокойство о судьбе, она не могла не любоваться наготой Уоррика, его мускулистыми бедрами, крутым изгибом ягодиц и выпирающими мышцами спины, игравшими при каждом его движении. Сила и мощь всех линий тела и... красота, да, красота ярко выраженной мужественности. Бессмысленно было отрицать все это, так же как и то, что она все еще жаждала, чтобы это прекрасное тело плотно прижалось к ней.

Он чуть обернулся к ней прежде, чем одеться, и она увидела, что им все еще владело то же самое желание, хотя он и старался подавить его и пытался не обращать на нее внимания. Но так она думала лишь до того момента, когда он понял, что она беззастенчиво разглядывает его.

Он подошел к постели и, не говоря ни слова, взял ее за шею и притянул к себе, пока его губы не впились в нее. Ей снова стало легко на сердце, но прежде чем она успела обнять его и увлечь обратно в постель, он отпустил ее. В этот момент на его лице отражалась ужасная смесь желания и гнева. А разгневался он, несомненно, из-за того, что она попыталась не допустить его до этой бесценной Изабеллы. Очевидно, соблазн на него не очень действовал.

Но в этом она была не совсем права.

— Оставайся здесь, женщина — резко приказал он. — Я вернусь еще до того, как огонь погаснет в твоих глазах, и мы посмотрим, сможешь ли ты выполнить то, что они обещают.

Он не видел, как заалели ее щеки. Отвернувшись, он принялся поспешно одеваться. Она считала, что по ее внешнему виду трудно догадаться об ее истинных намерениях, но, очевидно, в этот раз она не смогла ничего от него скрыть. И от этого она почувствовала себя более беззащитной, чем когда бы то ни было. И ей оставалось только отметить, что она могла желать его и действительно желала, по крайней мере в этот момент. И то, что ей не нужно было лгать, чтобы убедить его в этом, так как сам все видел, было ей в новинку. Лгать? Может быть, раньше, когда она могла контролировать свои действия, некоторые из ее слов и поступков были неправдой, но теперь это было не так. Он вышел из комнаты, больше не оглянувшись на нее. Где-то в подсознании она отметила, что он надел на себя минимальное количество одежды, причем такой, которая не способна была произвести впечатление на долгожданную невесту. Втайне про себя она отметила, что вид у него был очень неряшливый, он очень торопился, и из-за того, что он все еще злился, с его лица не исчезли жесткие линии. Ему повезет, если его невеста, взглянув на него, не расплачется. От этой мысли Ровена улыбнулась. Затем ее с большей силой вновь охватило чувство обеспокоенности. Не имеет значения, как Изабелла прореагирует на Уоррика, — она находилась все еще здесь и собиралась выйти за него замуж. С испугом невесты никто не будет считаться, и из-за этого бракосочетание не отменят. Значит, оно состоится, а это будет означать, что положение Ровены изменится, и вряд ли оно изменится в лучшую сторону.

Может быть, она все еще и будет вызывать желание у Уоррика, но у него уже будет жена, чтобы удовлетворять их. А для Ровены останется изощренная жестокость и мелкие пакости. Без интимных контактов, которые по его воле зашли так далеко, у нее не останется никаких надежд изменить его отношение к ней. И, безусловно, он станет относиться к ней еще хуже.

Ей приказали оставаться в постели, но она не смогла это сделать. Ровена поднялась, быстро оделась и в ожидании его возвращения стала ходить по комнате. Но он все не появлялся. И все желания, которые он возбудил в ней, давно остыли.

Наконец, она свернулась калачиком на жесткой скамье, стоявшей в нише окна, и предалась размышлениям. Вскоре она пришла к решению, что ей следует вновь рассмотреть возможность побега и попытаться совершить его во время свадебной неразберихи.

В эту минуту в комнату вошел Уоррик, но он был не один. За ним шла высокого роста богато одетая женщина. На бледном, точно новая пергаментная бумага, лице сияли темно-зеленые глаза. Эту бледность, которая делала ее необычайно миловидной, подчеркивали черные, как смоль, волосы.

Ровена смотрела на них широко открытыми глазами. Она не могла понять, почему Уоррик привел эту даму сюда. Ведь если бы она выполнила его приказ, то все еще лежала бы обнаженной в постели. Не мог же он это забыть? Хотя нет, он сначала посмотрел на постель, и когда обнаружил ее пустой, стал искать Ровену глазами, пока не нашел в нише окна.

Она сразу поняла, что ему было что-то нужно от нее. То же самое она почувствовала тогда, в Киркборо, когда стояла перед ним, закованным в цепи, и чувствовала, что могла читать его мысли. Но что он хотел в этот раз, она не могла понять до тех пор, пока не услышала слов леди Изабеллы.

Женщина была напугана. Она признавалась стоявшему к ней спиной Уоррику, почему она его не любит. Теперь Ровена четко поняла, чего он хотел от нее. Он хотел показать Изабелле, что все, о чем она говорила, ему было совсем безразлично. Но просто сказать было недостаточно. Ровена была не уверена, хотел ли он таким образом защитить только свою гордость или еще и успокоить Изабеллу. В любом случае он, очевидно, надеялся найти Ровену там, где оставил ее, что было бы красноречивей слов.

Она была не уверена, хочет ли помочь ему и сможет ли это сделать, но встала, чтобы другая женщина смогла ее увидеть. Но этого, к сожалению, было недостаточно. Изабелла была слишком увлечена своим объяснением, чтобы заметить присутствие служанки. Она изо всех сил старалась заставить Уоррика слушать ее, хотя тот даже не обернулся в ее сторону и продолжал смотреть на Ровену.

Ровена подошла к ним, но безмолвно остановилась перед Уорриком, как бы давая ему понять, что он может использовать ее присутствие так, как ему заблагорассудится. Он предпочел обернуться к Изабелле лицом, оставив Ровену за спиной. Но он вытянул назад руки и, когда Ровена взяла их, подтянул ее к себе, пока она не уперлась в его спину. Как эта живописная картина понравится Изабелле, если она снизойдет до того, чтобы заметить ее, было неизвестно, и поэтому Ровена робко спряталась за спиною Уоррика, а тот старался ободрить ее, но не привлекая к ней внимания.

Может быть, это было все слишком сложно для Изабеллы, так как она ни на секунду не прерывала своих пространных объяснений о том, как она и кто-то по имени Майлз Фергант любили друг друга с самого детства. В данной ситуации Ровена могла оставаться невидимой. Может быть, прямо сейчас храбро вернуться в постель Уоррика и, может быть, даже скинуть с себя всю одежду. От такой смелой мысли она внутренне улыбнулась, но затем чуть не рассмеялась вслух, сообразив, что Изабелла вряд ли заметит и это. Но уж Уоррик непременно заметит. Ее фантазия привела ее в игривое расположение духа, чего с ней давно не случалось. Ей захотелось обнять Уоррика за талию со спины. Нет, слишком дерзко. Она выдернула свои руки из его и заметила, как у него напряглась спина. Но он снова успокоился, когда почувствовал, как она дотронулась до него руками чуть выше бедер. Ровену больше не беспокоило, заметит ее Изабелла или нет. Сейчас ей хотелось подразнить Уоррика, и это удалось. Она почувствовала, как он начал напрягаться, когда она медленно провела руками по его бокам, затем прижала его руки к телу, и вновь ее пальцы стали двигаться в направлении его бедер.

Она чуть не рассмеялась, когда услышала, как стало меняться его дыхание. Но когда она одной рукой хотела погладить его по ягодицам, он напугал ее, резко повернувшись к ней и пробуравив взглядом, который она сразу поняла. В ответ она невинно посмотрела на него широко, как у совы, открытыми глазами. Уголки его губ чуть приподнялись, но он пришел в себя и взглядом предупредил ее дальнейшие действия. Предполагалось, что она должна была помочь ему при этих признаниях Изабеллы, а не отвлекать его от этого.

И затем они оба заметили, что наступила неожиданная тишина. Изабелла нетерпеливо произнесла:

— Уоррик, кто эта женщина?

Он обернулся к ней, а Ровена просто высунула голову из-за его широкого плеча.

— Она моя пленница, — только и сказал ей в ответ Уоррик.

— Леди Ровена Киркборская, — тут же добавила Ровена, хорошо зная, что он этого не сделает, и также зная, что ему не понравится то, что она это сделала. Ровена была права. То, что он сказал в ответ на ее слова, заставило Ровену вздрогнуть.

— Она была леди до того, как стала моей пленницей. А теперь она та женщина, которая родит еще одного моего незаконнорожденного ребенка.

Ровена глубоко погрузила свои зубы в его руку, чтобы поблагодарить за это совсем необязательное откровение, но он не пошевелил ни одним мускулом.

— Я понимаю, — холодно произнесла она.

— Наконец-то вы поняли? Хорошо. Может быть, теперь вы объясните мне, почему вы сочли необходимым последовать за мной сюда с этой сказкой о детской любви, тогда как я вам дал ясно понять там, внизу, что мне неинтересно слушать эту историю. Вы думаете, что ваша любовь ко мне является необходимой предпосылкой для нашей женитьбы?

От такой холодной жестокости его тона Изабелла оторопела. Ровена, стоявшая за его спиной, вздрогнула, и ей на какое-то мгновение стало жалко эту женщину.

— Я... я надеялась, что вы поймете меня, — в отчаянии произнесла Изабелла.

— А я все понимаю. Вы меня не любите. Мне это все равно. Любовь не то, что мне от вас требуется.

— Нет, Уоррик, вы совсем не понимаете меня. Я не могу сейчас выйти за вас замуж. Я... я уже обвенчана с Майлзом.

Последовала длительная пауза. Ровена была потрясена, она даже не могла себе представить, что сейчас чувствовал Уоррик. Однако когда он заговорил, его голос был на удивление спокойным.

— Ну а что вы с вашим отцом здесь делаете в таком случае? Мне кажется, он привез вас сюда, чтобы выдать замуж?

Ровена встала сбоку от Уоррика, — теперь ее любопытство не позволяло ей пропустить ни одного слова. Стоявшая перед ними дама заламывала руки, но Ровену удивило то, что Уоррика это известие взволновало не так сильно, как можно было бы ожидать.

— Когда мой отец нашел меня в Лондоне, Майлз в это время находился по делам в Йорке. А я, я не смогла сказать отцу правду. Он запретил мне встречаться с ним после того, как отказал ему в моей руке. Он хотел, чтобы вы были его зятем. И больше никто.

— Мадам, мне не нужно было одобрение вашего отца на свадьбу с вами. Я просил вашего согласия, и вы его дали.

— Меня вынудили согласиться. По этой же причине я не могла сообщить отцу о том, что нас обвенчали с благословения короля. Майлз — человек Стефана. Я многим пожертвовала, чтобы заполучить его, и, кроме него, мне никого не нужно. Но мой отец! Он может убить меня, если узнает, что я совершила.

— Думаете, что меня вам можно меньше бояться?

Ровена была уверена, что женщина сейчас потеряет сознание, так ужаснул ее этот вопрос. Ровне самой хотелось ударить Уоррика за то, что он нарочно пугал Изабеллу. А в том, что он сделал это нарочно, у нее не было никаких сомнений. Теперь она его знала слишком хорошо и была очень хорошо знакома с тем, как быстро он наносил ответный удар. И видеть, как кто-то еще становится объектом его враждебности, было странно. Ею овладело желание оградить эту женщину от его жестокости.

— Вам понравится его темница, леди Изабелла, — произнесла она в напряженной тишине. — Она действительно очень удобная.

Уоррик посмотрел на нее так, как будто она сошла с ума. Но Изабелла смотрела на нее отсутствующим взглядом, не понимая, что та имела в виду.

— Ну, так что, милорд, вы собираетесь бросить ее в вашу темницу, не так ли? — продолжила она. — Не туда ли вы заточаете всех женщин, чтобы посмотреть, не станут ли они...

— Ровена, — произнес он предупреждающе.

Она одарила его приятной улыбкой.

— Да, милорд?

Что бы он там ни собирался сказать, он не скажет, пока она улыбается ему подобным образом. Уоррик издал злобный рык и снова посмотрел на Изабеллу. Выражение его лица было уже не столь мрачным.

— Значит, вы скрылись в Лондоне, чтобы обвенчаться с

вашим возлюбленным? — спросил он, обращаясь к Изабелле. — Скажите мне, миледи, этот план возник, когда вы направлялись в мой замок или позже, когда я опоздал на встречу с вами?

Ровена затаила дыхание, моля Бога, чтобы ответ этой женщины не добавил еще чего-нибудь к списку ее прегрешений. Но ей не повезло.

— Майлз присоединился к моей свите в тот же день. Мы не виделись с ним много месяцев. У меня не осталось никаких надежд, но когда здесь не оказалось ни вас, ни ваших людей, случай показался благоприятным. Я имею в виду, что мы с Майлзом подумали о том, что это был наш единственный... — Сильно покраснев, Изабелла, наконец, замолчала, но через мгновение добавила: — Я искренне извиняюсь, Уоррик. Я не собиралась обманывать вас, но мой отец очень хотел, чтобы я вышла за вас замуж.

Это было ужасно с ее стороны, и Ровена не смогла не вмешаться.

— Очень плохо, что ему не удалось обвенчать Уоррика с вами.

И немедленно пожалела о своем импульсивном замечании. Нельзя было так легкомысленно вторгаться в такой серьезный разговор. Уоррику это не понравится и вновь разозлит его. Изабелла должна была счесть ее ненормальной. Но вдруг Уоррик разразился смехом. Заметив удивленный взгляд Ровены, он рассмеялся еще громче. Изабелле все это не понравилось.

— Как вы смеете вмешиваться в подобные дела? — обратилась она к Ровене. — Мой отец может убить меня, если он...

— Он этого не сделает, если Уоррик расторгнет ваш брачный контракт, — заметила Ровена.

Услышав подобное предложение, Уоррик перестал смеяться.

— Клянусь Богом, это может послужить причиной войны. Пусть лучше она подвергнется порке, которую справедливо заслуживает, а я уверю лорда Рейнарда в том, что не опечален ее потерей.

— Но это не облегчит того бедственного положения, в которое она попала, — напомнила ему Ровена.

— Ты, женщина, думаешь, что ее трудности меня сейчас волнуют?

Ровена не обратила внимания на этот вопрос.

— Для вас, милорд, это был бы очень хороший союз. А не может ли одна из ваших дочерей, о которых столько говорят, вместо вас составить этот союз, если в той семье есть неженатые молодые сыновья?

Уоррик от удивления покачал головой.

— Иди и займись своими делами, Ровена, пока ты не надумала еще и пообещать кому-нибудь мой замок. Все это дело тебя не касается, за исключением твоего личного косвенного участия в нем, о чем я не собираюсь забывать.

— Да? — Она вздохнула. Его предостережение не произвело на нее впечатления. — Как я понимаю, в мои обязанности входит получение еще одной порции драконова огня...

— Иди! — прервал он ее, но выражение его лица не было устрашающим. В действительности он с трудом сдерживался, чтобы не расплыться в улыбке.

Она одарила его еще одной улыбкой и, прежде чем закрыла за собой дверь, услышала, как Изабелла произнесла:

— Уоррик, а она сделала отличное предложение.

— Я не удивлен, что вы так считаете, мадам, ибо это прекрасно разрешит вашу проблему, но не принесет мне желаемого сына.

Ровена не стала дожидаться, пока эта леди снова начнет извиняться. Но сейчас ее заинтересовал пол младенца, которого она вынашивает. Для первенца будет прекрасно, если это окажется мальчик.

Сына хотел и Уоррик. Вопрос заключался в том, что она получит взамен — предложение выйти замуж или гарантию того, что потеряет своего первенца?

Глава 31

Уоррик не знал, какие еще сложности принесет эта женщина, но уже приготовился к любым. Он не мог догадаться, что Ровена надеялась получить своим необычным поведением. Да это и не имело значения. Ведь то, что он задумал относительно нее, оставалось без изменений, может быть, возникли лишь незначительные изменения, ибо у него пропало желание заставлять ее страдать. Приятной неожиданностью явилось и то, что она обладала резвым умом, умела быть и ироничной, и шаловливой. Этого он действительно от нее не ожидал, так как в Киркборо она была слишком серьезной и непреклонной.

Киркборо — теперь это был его город, и уже никогда он не будет принадлежать ей. Впервые Уоррик задумался о происхождении Ровены.

— Ты уже поговорил с этой леди об Эмме?

Уоррик прервал свое наблюдение за тем, как все рыцари соревновались в своем мастерстве с рыцарями Шелдона на тренировочном поле. Какое-то время он не мог сообразить, кого имеет в виду его друг, пока не увидел, на кого смотрел Шелдон. По внутреннему двору замка в направлении прачечной шла Ровена, в руках она несла груду белья. Не заметить ее было невозможно: ее длинная коса отливала на солнце золотом, ее красная рубашка, видная лишь у ворота, на руках и у ног, резко контрастировала с мрачного цвета туникой, которую она носила. И никоим образом Ровена не была похожа на других служанок, смешно было даже называть ее так, однако Уоррик будет это делать, независимо от того, за кого другие ее принимали.

Однако он был раздосадован тем, что совершенно забыл о задании, которое согласился ей дать. Совершенно очевидно, что, когда она находится с ним рядом, мысли его работают лишь в одном направлении.

— Из-за приезда и отъезда Изабеллы не было возможности...

— Не говори больше ничего, — прервал его Шелдон, не желая слышать это неуклюжее объяснение. — Эта семья обошлась с тобой ужасно, и молодой Майлз, этот юнец, должно быть, сумасшедший, если он думает, что может вот так похитить твою невесту, не поплатившись за это жизнью. Позор. Я знаю его отца и...

— Ради Бога, Шелдон, не решай за меня, что мне надо делать.

Шелдон скептически посмотрел на него, и Уоррик густо покраснел.

— Не хочешь ли ты сказать, что собираешься сохранить жизнь этому мальчишке после того, как он причинил тебе такое горе? Послушай! Ты себя хорошо чувствуешь, Уоррик?

Уоррик нахмурился.

— Со мной все в порядке, черт побери. Просто я не очень сильно переживаю потерю леди Изабеллы. Союз остается в силе, так как я уже пообещал Беатрис вместо себя. И лорд Рейнард так же доволен, как и я, тем, что в конце концов все так получилось. Поистине я должен поблагодарить Майлза Ферганта за его смелость.

И опять Шелдон внимательно посмотрел на Уоррика, а тот грозно спросил:

— Как твоя рука, друг мой, ржавеет, как и моя?

Шелдон рассмеялся:

— Могу ли я позволить себе отказаться от предложения, выраженного таким приятным образом?

— Я бы не советовал.

— Тогда защищайся, — сказал Шелдон, вынимая меч. — Только не забудь вдруг, что ты прощаешь этого щенка Ферганта. В прошлый раз, когда ты представил меня в качестве одного из твоих врагов, я целых две недели после этого не вставал с постели.

Уоррик подмигнул и вытащил свой меч.

— Каждый раз, когда ты вспоминаешь об этом случае, время твоего пребывания в постели увеличивается. Ты ищешь сочувствия или небольшой практики?

— Сегодня с тобой можно лишь слегка попрактиковаться...

Не успел Шелдон закончить фразу, как Уоррик сделал первый выпад. Вскоре все остальные рыцари перестали упражняться и наблюдали за борьбой Шелдона и Уоррика. Ровена смотрела на них из двери прачечной, забыв про белье, которое она принесла сюда для стирки. У внутренних ворот стоял только что прибывший гонец; он не знал, кому передать депешу, и его направили прямо к двум облаченным в доспехи рыцарям, которые размахивали друг перед другом мечами, сражаясь, как казалось, не на жизнь, а на смерть.

Беатрис, находясь наверху, на крепостном валу, следила за схваткой, надеясь, что ее отец либо споткнется, либо ошибется, защищаясь, то есть каким-либо образом выставит себя дураком. Она была так зла на отца, что уже отлупила двух служанок и даже заставила плакать свою любимую Мелисанту.

Приезд его невесты вызывал у нее горькое разочарование, ибо Беатрис уже начала думать, что Изабелла никогда не объявится. Когда Изабелла прибыла, Беатрис ожидала самого худшего, а именно, что через несколько дней состоится бракосочетание, и тут всего несколькими часами позже ей сообщают, что ее отец не будет жениться, а вместо этого ее выдают замуж — и именно в семью его бывшей невесты. Может быть, семья Малдуитов и казалась ее отцу вполне подходящей, но сама она могла рассчитывать и на более высокий титул, с большей властью и большим состоянием и уж никак не меньше чем на графский титул. Так нет же, ей придется довольствоваться этим мальчишкой, только что посвященным в рыцари, а значит, надежда получить наследство откладывается на много лет. У нее не будет даже собственного замка, ей придется жить со своим свекром. Это было невыносимо, и все только потому, что отец так распорядился. Она заставит, она должна заставить его пожалеть об этом. То, что он посмел так поступить с ней...

Уоррик медленно приподнялся, его гордость пострадала больше, чем его зад. Шелдон стоял над ним и смеялся, и не без оснований. Никогда в жизни Уоррика не заставали так врасплох, как будто он был оруженосец и впервые держал в руках свой деревянный меч. Будь она неладна, эта светловолосая женщина. Он всего лишь краем глаза заметил красное пятно, и этого было достаточно, чтобы ему захотелось посмотреть как следует, — а Шелдону этого оказалось достаточно, чтобы свалить Уоррика с ног. И вот теперь она была здесь, остановилась, пересекая двор, и смотрит, в какой он постыдной позе на земле, смотрит, как будто озабочена тем, что с ним произошло: хотя, скорее всего, старается не рассмеяться, как рассмеялся Шелдон.

— Надеюсь, ты понимаешь, — произнес Шелдон, — что мое искусство укрощать дракона этим не ограничивается...

— Иди к черту, — проворчал Уоррик, вставая на ноги, но тут же добавил с натянутой улыбкой:

— Или еще лучше, не хочешь ли еще попробовать?

Шелдон сделал шаг назад, все еще усмехаясь:

— Ты не дурака видишь перед собой, приятель. Я забираю свои лавры и удаляюсь, пока...

— Прибыл гонец, мой господин, — услышал Уоррик.

Он нетерпеливо повернулся к гонцу и сразу увидел, что гонец прибыл не издалека: одежда его была не слишком пыльной. Уоррик взял протянутый ему свернутый в трубочку пергамент. Выражение его лица совершенно не изменилось, когда он увидел печать на свитке.

Гонец ждал момента, чтобы повторить по памяти текст

послания. Но лорду Фалкхерсту ничего не надо было повторять, так как он сам читал послание — или делал вид, что читал, подумал гонец, ухмыляясь про себя. Он подумал об этом потому, что Фалкхерст не отреагировал должным образом на слова его господина, содержащие вызов. Гонец даже перестал нервничать после того, как своими глазами увидел, насколько неуклюж Фалкхерст на поле боя. Было ясно, что наводящий страх дракон с севера одерживал победы только при помощи своих рыцарей.

Гонец несколько усомнился в своем последнем выводе, когда Уоррик посмотрел на него и глаза гонца встретились с такими холодящими душу серыми глазами, каких ему никогда раньше не приходилось видеть. Да и сам этот прославленный дракон имел свирепый вид.

— Если твоему господину так хочется умереть, я ему окажу эту честь, но когда у меня будет свободное время. Ты получишь мой ответ.

И взмахом он отпустил гонца.

Шелдон, с трудом сдерживая любопытство, спросил:

— Это кто-нибудь из тех, кого я знаю, и с кем ты собираешься разделаться?

— Ты его не знаешь, но, конечно, слышал о нем. Это д'Амбрей. Он просит, чтобы мы встретились через два дня в Джилли Филд и решили исход неизбежной войны, померившись силами друг с другом.

Шелдон присвистнул.

— Должно быть, у него не все в порядке с головой, раз он думает, что ты не знаешь, что это за место — Джилли Филд. Это же готовая ловушка. Я слышал, такой же вызов был сделан Вальтеру Белмсу, лорду Туреза. Но когда Белмс, приняв вызов, отправился туда, он попал в засаду и был убит. Таким образом д'Амбрейи получили Турез и все, что там находилось.

— Я знаю это, — ответил Уоррик. — И я захватил эту главную ценность его коллекции. А теперь, когда он потерял и замок Амбрей, я даже подумывал о том, чтобы подарить ему мир.

— Значит, ты принимаешь вызов?

— Да, но, очевидно, я слишком долго с этим тянул, раз он решил, что я оставил его в покое, и сам бросает мне вызов.

— Может быть, хотя ты должен признать, Уоррик, что ты один из тех противников, которых не так просто остановить, коль скоро они решились уничтожить своего врага. Хорошо известно, что никому не удается раздразнить дракона и не сгореть. Из-за этого не один человек предпочел попытку убийства честному способу победить тебя, особенно зная, что сейчас Стефан не поднимет руки против тебя.

— А зачем ему это? Половина моих врагов — это его враги, и он доволен, что я избавляю его от них.

— Действительно так, — согласился Шелдон, затем с любопытством спросил: — Это ты серьезно говорил, что так и не стал разбивать д'Амбрейя окончательно?

Уоррик пожал плечами и опять посмотрел туда, где до этого стояла Ровена.

— Может, я уже устал от постоянных войн. Из-за них слишком много всего оказалось без внимания. Моим дочерям не хватало должного воспитания, я плохо знаю все свои земли. Клянусь Богом, добираясь со всеми предосторожностями через Сексдейл к Турезу, я не догадывался, что это мои собственные владения. И у меня все еще нет сына...

— О, да, и ты уже так стар, что твое желание становится практически невыполнимым.

— Иди к черту, Шелдон.

Шелдон хмыкнул, прежде чем лицо его опять приняло серьезное выражение.

— Я очень сожалею о том, что случилось с Изабеллой. Я знаю, что ты был доволен своим выбором.

Уоррик отмахнулся от его слов.

— Конечно, мне следовало бы рассердиться и на даму, и на ее отца за то, что он вынудил ее на ложь. Ведь он знал, что ее сердце принадлежит другому. Но вместо этого я чувствую почти радость оттого, что все это закончилось. Особенно теперь, когда стало совершенно ясно, что она не подходит мне.

— А может быть, у тебя на уме уже кто-то другой, вместо нее?

Уоррик быстро понял, кого имел в виду Шелдон, но проворчал:

— Нет, ты ошибаешься. Никогда я не окажу чести этой маленькой колдунье быть...

— Да нет, окажешь — если она родит тебе сына, которого ты так хочешь.

Уоррик представил себе Ровену с младенцем на руках, и эта картина, возникшая перед его мысленным взором, наполнила его таким нежным чувством, что он сам был потрясен. Но те заповеди, по которым он прожил половину своей жизни, не позволяли ему оставить безнаказанным того, кто причинил ему страдания.

Он упрямо покачал головой:

— Невероятно, чтобы...

Но Шелдон поднял руку, опять прерывая его:

— Не давай обещаний, которые впоследствии ты будешь вынужден нарушить.

И не дав Уоррику сказать хоть слово, Шелдон добавил:

— Мы скоро увидимся; мой друг.

Уоррик мрачно посмотрел вслед Шелдону. Были такие моменты, когда Уоррик сожалел, что его характер мешал ему иметь друзей. У него и не было друзей — кроме Шелдона, который знал его еще с юности и хорошо понимал. Но были и другие ситуации, когда Уоррик был совершенно уверен, что лучше быть совсем без друзей. Сейчас был именно такой момент.

Глава 32

Уоррик пребывал не в самом лучшем расположении духа, когда вечером этого же дня вошел в Трапезный зал. Там оказалась Эмма, и это напомнило ему о том, что он все еще не занялся вопросом о ее воспитании. Он подозвал ее к себе. Среди прочей мебели там были установлены два кресла, которые предназначались только для него, его гостей и дочерей. На ее лице появилось удивленное выражение, когда он пригласил ее занять одно из кресел, и Уоррик понял, что она так же, как и он, не считала себя членом его семьи. Незаконнорожденные дети являлись реальностью этой жизни. Очень мало кому из них удавалось скрыть, что их матери были крепостными. Исключение составляли случаи, когда их родители принадлежали к королевскому роду или у них не было законных братьев и сестер.

Эмма, насколько он знал, была его единственным незаконнорожденным ребенком, если не считать того, который сейчас рос в чреве Ровены. Хотя ей было около шестнадцати лет, о ее существовании он узнал только несколько лет назад. Ему бы следовало уделить ей какое-то внимание, но он редко бывал дома, и до сих пор, кроме войны, его мало что заботило.

Он внимательно смотрел на нее, замечая то, что так легко разглядел Шелдон. Она действительно была больше похожа на него, чем любая из его дочерей. Ее лицо дышало силой, а присущие ей особенности поведения отсутствовали у двух других. Даже ее глаза и волосы были того же оттенка, что и у него, за исключением того, что его глаза могли стать ледяными и были таковыми большую часть времени, а в ее глазах была теплота, которая придавала ее лицу дополнительную привлекательность.

Он отметил также, что она не робеет под его пристальным взглядом. Если бы он так долго, не произнося ни слова, смотрел на Мелисанту, она бы разрыдалась. Беатрис стала бы по своей собственной инициативе извиняться за все, что она сделала плохого за последнее время, даже не выслушав обвинений. А Эмма просто спокойно сидела и смотрела на него, хотя чувствовалось, что это ей давалось нелегко. У нее было то, чего он не ожидал — храбрость. Может быть, в конце концов, она составит хорошую пару для молодого Ричарда.

Уоррик не собирался как-то смягчить тему разговора. Первыми словами, с которыми он к ней обратился, было:

— Шелдон де Вер имеет сына, который хочет тебя.

— Вы говорите о Ричарде?

Он кивнул.

— Ты знала о его намерениях?

— Нет.

— Но я полагаю, что ты с ним когда-то беседовала, иначе почему бы ему просить именно о тебе?

— Он каждый раз ищет меня, когда приезжает сюда со своим отцом.

— Не сомневаюсь, чтобы тайно поцеловаться с тобой, — усмехнулся Уоррик. — А ты еще девственница?

Щеки ее порозовели, хотя она продолжала неотрывно смотреть на него. Уголки ее губ опустились вниз.

— Ни один человек здесь не осмелится даже посмотреть на меня из-за страха перед вами.

Услышав такое заявление, Уоррик улыбнулся.

— Рад это слышать. А Ричард, без сомнения, этому будет еще больше рад. Но прежде чем я отдам тебя ему, тебе придется многому научиться, чтобы не опозорить его семью.

Она недоверчиво уставилась на него.

— Вы хотите, чтобы меня обучили всему, что нужно знать шлюхе?

Он нахмурился.

— Что такого я сказал, чтобы ты могла подумать такое?

— Вы говорите, что он хочет меня и вы намереваетесь отдать меня ему. Если не любовницей, то кем же тогда?

От досады на себя губы Уоррика искривились.

— Я полагаю, что не дал тебе повода так думать. Ты будешь его женой, если тебя смогут обучить всему, что должна знать настоящая леди.

— Женой? — Она беззвучно произнесла это слово губами, так велико было ее изумление. Но, когда смысл этого слова полностью дошел до нее, ее лицо просветлело, и она вся засветилась ослепительной улыбкой. — Сэра Ричарда?

— Если, — хотел он повторить, но она не стала его слушать.

— Никаких если, милорд. Всему, чему нужно научиться, я научусь. Не сомневайтесь в этом.

Впервые в жизни Уоррик испытывал чувство гордости за одного из своих детей. Он не думал, что сможет испытать подобное, прежде чем у него родится сын. В ее решимости он не сомневался, однако что касалось ее способностей, то это нужно было еще посмотреть.

Уоррик желал ей успеха и даже засомневался в том, следовало ли поручать Ровене ее обучение. Он причинял ей столько боли, что она вряд ли сможет это забыть. Существовала возможность того, что она будет неправильно обучать Эмму, чтобы поквитаться с ним.

— Вероятно, я не остановлю свой выбор на леди Роберте, — задумчиво заметил он. Но прежде чем он успел обосновать, почему она не подойдет, это сделала Эмма.

— Она не станет со мной заниматься, — сказала Эмма, и сияющее выражение ее лица несколько погасло. — Она ненавидит меня, и я... я не уверена, что она знает еще что-нибудь, кроме того, как делать швы на одежде. Это все, что она считает важным.

Фыркнув от смеха, Уоррик прервал ее:

— О красивом шве можно много чего сказать, но я упомянул эту даму как возможного кандидата. Думаю, что она может отказаться. Как другой вариант, Ровена сможет помочь тебе, если ты попросишь ее об этом.

— Но у нее сейчас так много обязанностей...

Она не закончила свою речь, так как он снова нахмурился. А хмурился он оттого, что до него не дошло, что он перегрузил эту женщину работой. Правда, Ровена отрицала это, заявив ему, что еще не сильно обременена своими обязанностями. Она что, лгала ему? Что он знал о слугах и что считалось нормальной рабочей нагрузкой? Он никогда никем, кроме своих воинов, не руководил. Он вспомнил, как странно смотрела на него госпожа Блауэт, когда Уоррик перечислял все, что должна делать Ровена. Единственное, о чем он в то время думал — это дать ей как можно больше заданий, чтобы она захотела отказаться от них. Потому что занятия, которые он придумал для нее, очень сильно напоминали обязанности жены. А отправить ее в ткацкую мастерскую он придумал потом, чтобы ей не казалось, что она обслуживает только его.

— Ей облегчат работу, чтобы у нее было достаточно времени для занятий с тобой.

— Я буду ей очень признательна за ее помощь, но, может быть, лучше вам, а не мне попросить ее об этом.

Уоррик хмыкнул:

— Она для меня ничего не сделает, Эмма. А если я буду настаивать, то уверяю тебя, сделаю только хуже. Ты добьешься большего, если сама попросишь о помощи. Ты знаешь, что она была леди?

Теперь настала очередь Эммы нахмуриться, и она поправила:

— Но она все еще ею и является. Это не та вещь, которую можно просто отбросить, потому что вы... — Она покраснела, осмеливших на это замечание. — Извините меня, милорд. Но разве кто-нибудь мог об этом не догадаться? Мы все удивлялись, почему вы с ней так обращаетесь. Но это ваше дело.

От осуждения, которое звучало в ее голосе, он чуть не зарычал.

— Именно это мое дело, и ни у кого не должно возникать вопросов. Поэтому постарайтесь больше этому не удивляться.

Но прежде чем он закончил говорить, он понял, что ее слова задели какую-то слабую струнку в его душе, и у него появилось чувство вины. Ей Богу, Ровена заставила его чувствовать вину, хотя он, по правде говоря, относился к ней более терпимо, чем она того заслуживала. Нет, он не должен чувствовать вины за свое обращение с ней.

В этот момент, легка на помине, из кухни появилась Ровена, и сразу же его внимание привлекла эта чертова красная рубашка, которую он собирался на днях сжечь. Она почти сразу увидела его, но повернулась, намереваясь уйти назад. Она что, начала от него бегать? Да, она, вероятно, стыдится той глупости, которую сотворила сегодня утром в присутствии Изабеллы.

Уоррик отпустил Эмму, наказав подождать до утра, и только после его отъезда обратиться к Ровене. А Бог даст, когда он вернется, расправившись с д'Амбрейем, у Ровены и Эммы сложится определенный порядок занятий, против которого он не станет возражать.

Как только Эмма ушла, снова появилась Ровена, держа кувшин с элем в одной руке и кружку для него в другой. Ей удалось снова удивить его своей готовностью обслужить его, когда ее никто не звал. Или она чувствовала, что ей каким-нибудь образом нужно было исправить ситуацию? Да, было похоже на это, и она правильно поступает. Ей Богу, эта женщина укусила его, даже не подумав, как он на это прореагирует. И здорово укусила: мышца, в которую она запустила зубы, все еще болела. Его восхитил ее поступок, и черт бы ее побрал, если бы она на это не осмелилась. Но Ровена не должна была знать об этом. Она...

...Она замерла на полдороге, устремив свой взгляд куда-то в сторону. Уоррик обернулся, чтобы посмотреть, что отвлекло ее. В зал в сопровождении слуги входила Беатрис. Когда он снова посмотрел на Ровену, то увидел, что ее что-то потрясло. Затем она пришла в себя, и выражение лица вновь стало спокойным. Нахмурившись, он опять посмотрел на Беатрис, желая понять, что заставило Ровену реагировать таким образом. Его дочь была в тунике небесно-голубого цвета, одеяние слишком роскошное для такого юного существа.

Спереди туники был глубокий вырез, который, вероятнее всего, предназначался для того, чтобы через него можно было видеть специально подобранное нижнее платье, хотя рубашка Беатрис ничем особенным не отличалась, очевидно, она не входила в комплект. Уоррик тут же вспомнил — туника принадлежала Ровене и была подрезана, чтобы ее могла надеть его дочь. Но куда исчезло то удовольствие, которое он надеялся испытать, раздав одежду Ровены и унизив тем самым ее гордость. То, чего ему хотелось, получилось. Ей действительно стало больно оттого, что она увидела свою одежду на другой. Но у него появилось непреодолимое желание сорвать этот наряд с Беатрис и вернуть его Ровене, чего, конечно, он сделать не мог.

Черт бы побрал, но ему не нравилось то, что она заставила его почувствовать все это. И более того, сейчас у него появилось чувство вины и его стало раздражать, что такое незнакомое ему чувство встало на пути так хорошо задуманной мести. Поэтому он рявкнул на Ровену, когда та, наконец, приблизилась к нему:

— Я ужасно недоволен тобой, женщина.

В ее глазах появился легкий блеск, и она проворно ответила:

— Я это вижу, милорд. Как обычно, ваши эмоции очень красноречивы.

Он еще больше помрачнел и произнес:

— И все же ты не трясешься передо мной.

Она пожала плечами и поставила эль на стоявший рядом с ним столик. Хотя сначала намеревалась налить его в кружку.

— Вы часто отмечаете, насколько я глупа.

— Или очень умна, — кисло произнес он.

Она рассмеялась, услышав это.

— Как вам будет угодно, милорд. Я на все согласна.

— Посмотрим, какая ты согласная после того, как обсудим твои утренние прегрешения. Может быть, ты думала, что я забуду о том, как ты вела себя в присутствии леди Изабеллы? И ты укусила меня, женщина.

Ровена сделала отчаянное усилие, чтобы скрыть свою усмешку, но ей это не удалось.

— Неужели?

— Ты очень хорошо знаешь, что ты это сделала. И также нарушила мое приказание.

Это звучало более серьезно, и поэтому она решила уколоть его:

— И очень хорошо сделала. Вы, может быть, хотели, чтобы эта леди обнаружила меня в вашей постели, но меня бы очень смутило это обстоятельство.

— А это не имеет значения...

— Я понимаю, — напряженно произнесла она, так как ее

игривое настроение полностью улетучилось. — Но думаю, что в скором времени вы уже не сможете воспользоваться унижением в качестве наказания, так как я постоянно буду находиться в униженном состоянии.

— Не приписывай мне слов...

Она снова прервала его:

— Нет, я все абсолютно понимаю.

Ровена резко повернулась, чтобы уйти, но он поймал ее за длинную косу, которая чуть не задела его лицо. Он медленно потянул ее на себя, и Ровена была вынуждена наклониться так, что их головы почти соприкоснулись.

— Крепостной не может возмущаться, — тихо предупредил он ее. — Ты что, забыла о том, что ты моя крепостная?

Она вздохнула и прошептала в ответ:

— Милорд, я никогда в жизни не забуду, что я ваша.

Когда глаза их встретились, он увидел в них обещание такой страсти, что корень его мужской силы напрягся и увеличился в размере. Ему было интересно, делала ли она это неосознанно или знала, как на него это подействует. Были бы они одни, она бы быстро поняла, что к чему.

Он захотел, чтобы она отодвинулась от него, и отпустил косу. Уоррик не хотел выставлять себя дураком и тащить ее сразу к себе в постель. Но она не отодвинулась, как он ожидал. Ее пальцы слегка дотронулись до тыльной стороны его ладони, и ему стало ясно, что она ласкается к нему.

— Могу ли я попросить вас о благодеянии, милорд?

Он замер, вспомнив, как Силия всегда дожидалась, когда желание обладать ею заглушало в нем все, и он ни в чем не мог уже ей отказать. И все-таки произнес:

— Спрашивай.

Она еще ближе наклонилась к нему и прошептала в ухо:

— Вы сделали это моей обязанностью, но мне хотелось бы рассмотреть ваше тело получше — как я делала это раньше — для своего собственного удовольствия. Не могли бы вы лечь и, не будучи закованным в цепи, разрешить мне дотрагиваться до вас так, как хотелось бы мне?

Уоррик онемел. Он мог ожидать всего чего угодно, включая просьбу об освобождении, но он никогда не думал, что она может попросить у него разрешение доставить ему удовольствие. Услышав это, Уоррик привстал, но она положила ему руку на плечо и добавила:

— Успокойтесь, я не имела в виду сейчас. Позже, когда вы решите, что я вам снова желанна.

— Женщина, ты думаешь, тебе можно говорить мне такое, а я стану дожидаться...

— Я не старалась заманить вас в постель, — быстро заверила его Ровена.

— Ты не старалась?

На ее щеках появился легкий румянец.

— Я думала, что это можно сделать сегодня ночью, когда будет темно и...

Она не закончила.

Уоррик, который с огромным трудом сдерживался, чтобы не погрузиться в нее целиком, без остатка, против своей воли понял стоявшую перед ней дилемму.

— Временами я забываю, что ты была девственницей. Теперь я поступлю по-другому... Иди, женщина, и чтобы я тебя больше до захода солнца не видел, а лучше жди меня в своей комнате. Только не ожидай благодеяния, до тех пор пока ты не станешь моей хотя бы раз, а лучше два. И, вполне возможно, я до утра не оставлю тебя в покое.

Прежде чем он замолчал, легкий румянец на ее щеках приобрел светло-багровый оттенок. Вместо ответа она чуть кивнула и поспешно удалилась. Ее отсутствие, однако, не охладило его пыла, и то, что он чувствовал себя неуютно, сильно разозлило его.

Черт бы побрал эту женщину. Что в ней было такого, что заставляло его испытывать к ней такие прямо противоположные чувства? Сначала всепоглощающая ярость, а теперь безумная страсть. И еще ему вдруг расхотелось разделаться с молодым Фреганом и даже с лордом д'Амбрейем, который был его врагом уже больше двух лет и заслуживал возмездия. Шел ли он к этому постепенно или это тоже было результатом сильного воздействия на него со стороны Ровены?

Казалось, что она завладела всеми его помыслами, он все реже вспоминал о возмездии, когда думал о ней. Даже вызов д'Амбрейя сейчас мало интересовал его, тогда как еще месяц тому назад, он бы подпрыгнул от радости, заполучив возможность встретиться лицом к лицу со своим врагом. Завтра он отправится на встречу с ним, но теперь, кроме раздражения, она у него ничего не вызывала.

Внезапно до него дошло, что он действительно завтра покинет замок, его не будет здесь в течение многих дней и он не сможет видеть ее.

Он вышел из зала через ту же дверь, что и Ровена. Он облагодетельствует ее позже. Он даже будет настаивать на этом. Но он не видел никаких веских причин, по которым ему нужно было дожидаться захода солнца, чтобы получить то, чего ему хотелось сейчас. Может быть, Ровене и нужна была темнота, чтобы чувствовать себя с ним раскованно, но он предпочитал свет для того, чтобы видеть каждый нюанс в выражении ее лица в тот момент, когда она достигнет вершины блаженства с ним.

Глава 33

Он уехал, и страхи Ровены, что ее опять бросят в темницу, не сбылись. Ее даже не разбудили утром на работу. И она проснулась сама в пустой комнате. Однако на рассвете Уоррик попрощался с ней. Она вспомнила, правда очень смутно, как он поднял ее на руки, прижал к своей груди, закрытой доспехами, и нежно поцеловал. Нежно? Да, в этом у нее не было сомнения, потому что у нее болели губы, они и сейчас все еще болели, а от этого поцелуя боли она не почувствовала. После того как он опустил ее на кровать, она мгновенно заснула. Ровена была слишком изнурена проведенной с ним ночью, и поэтому его отъезд не произвел на нее впечатления.

А сейчас, проснувшись, она стала думать об этом поцелуе, таком отличном от тех, которыми одарили ее и которыми одарила она за эту длинную ночь. И ее распухшие губы могли свидетельствовать, что в тех, других поцелуях, подобной нежности не было. Против них она, правда, тоже ничего не имела. Удовольствие, которое она получила, значительно перевесило маленькие неудобства, выпавшие на ее долю. И теперь, когда она думала об этом, ей также хотелось понять, почему Уоррик был таким ненасытным. Несомненно не потому, что она храбро объяснила ему, что бы ей хотелось сделать с его телом. И все же, все же он нашел ее вскоре после того, как она ушла от него вчера днем, и затащил к себе в комнату, где показал ей все последствия ее попытки подразнить его подобным образом.

Желание овладеть ею было так велико, что все произошло почти мгновенно, едва они добрались до постели. Первое его проникновение в нее было не совсем приятным, но его необузданная страсть так возбудила ее, что перед тем, как он вошел в нее, у нее все там повлажнело, а после третьего проникновения Ровена, как и Уоррик, перестала воспринимать окружающее. После этого он занимался любовной игрой более спокойно, но с не меньшим пылом. Он отдавал ей самого себя больше, чем получал от нее, и ни разу не упомянул о том, что стояло между ними.

В какой-то момент они оба почувствовали, что испытывают голод не только друг к другу, — им просто захотелось есть. Он сам отправился будить повара. Но это оказалось лишним, потому что в прихожей перед дверью кто-то оставил поднос с едой и полную лохань воды. Они воспользовались и тем и другим, хотя к этому моменту еда давно остыла. Как быстро пролетело время...

Но ночь еще не кончилась, и Ровена, так же как и Уоррик, не забыла, что явилось поводом для этой одиссеи чувственных страстей. Но только после того, как он решил, что лишь чудо сможет вернуть его мужское достоинство к жизни, Уоррик разрешил ей выполнить ее первоначальную просьбу. Но он недооценил своих возможностей, ибо не смог долго лежать рядом с ней спокойно.

Он сделал две попытки овладеть ею, и каждый раз, когда он в конце концов терял контроль над собой, он вел себя как дикарь, обуреваемый страстью. Сначала она дотронулась губами до его шеи, затем медленно передвинулась к плечам и, дотронувшись до мускулистых рук, провела губами по груди. Ей хотелось бы коснуться языком всего его тела, но прежде чем она успела дотронуться до его живота, он толкнул ее обратно на постель и овладел ею. И только тогда, когда он совсем обессилел, ей удалось, наконец, совладать с ним. Даже сейчас она покраснела, вспомнив свою смелость и те звуки, которые он издавал от получаемого удовольствия.

Сейчас это все ей казалось сном, потому что в эту ночь он был совсем другим, не таким, как обычно. Он неоднократно бывал с ней жесток, и ее удивило, когда она вспомнила, как много она заставила его смеяться. Это была ночь, которую она вряд ли когда-нибудь забудет.

Но она не знала и не могла узнать, пока он отсутствовал, было ли его изменившееся к ней отношение ожидаемым результатом ее попыток соблазнить его или все это было только временным. Он сказал ей, что его не будет около недели, но ей казалось, что пройдет бесконечно много времени, прежде чем ей удастся выяснить, действительно ли ей удалось воплотить в жизнь план Милдред. Конечно, если этот план удался, то теперешняя разлука может все испортить и придется начинать все с начала.

Ровена поднялась и, вздохнув, оделась. На душе у нее было неспокойно. Она была далека от мысли, что ей удалось приручить это чудовище, да еще так быстро. За одну ночь мужчины не меняются. И одного незначительного намека на те обстоятельства, которые вынудили его мстить ей, будет достаточно, чтобы превратить его вновь в огнедышащего дракона. Но она добилась успеха, и отрицать это было нельзя, так же как и не могла она отрицать того, что соблазнение Уоррика де Шавилля оказалось не таким тяжким испытанием, как она считала сначала. Более того, это доставило ей определенное удовольствие.

Когда она вошла в Трапезный зал, на полу уже не было солнечных зайчиков, которые по утрам проникали сюда через высокие окна. Огромный зал, за исключением нескольких слуг, был уже почти пуст. Среди слуг она заметила Милдред, которая поспешила перехватить Ровену, направлявшуюся на кухню.

Ровена настолько удивилась, что задала вопрос:

— А это не опасно, что заметят, как мы разговариваем?

— Пошел он к черту со своим приказом, — ответила Милдред. То, что я узнала, не может ждать, пока мы останемся наедине. Но, кажется, тебя не расстроил его отъезд?

Ровена улыбнулась:

— Меня же не отправили обратно в темницу.

— Нет, я не это имела в виду. Я говорю о том, куда Уоррик отправился. Не может быть, чтобы ты этого не знала!

— Знала что, Милдред? Уоррик только сказал мне, что его несколько дней не будет, а почему, не объяснил. — Ровена начала хмуриться. — Не может быть, чтобы он отправился восвать. На это уйдет больше времени.

— Нет, не война, но все равно сражение. Гилберт вызвал его на поединок, и Уоррик сейчас находится в пути, чтобы встретиться с ним один на один.

Ровена побледнела.

— Боже милостивый, один из них умрет.

От удивления, что Ровену это волновало, Милдред заморгала глазами.

— Конечно, — нетерпеливо произнесла она. — Но сначала они узнают друг друга.

Ровена почти ничего не слышала, так как она мысленно представила себе, как силен Гилберт, как хорошо он владеет мечом и как Уоррик будет сражаться честно, а вот Гилберт вряд ли. Но когда она представила лежащего окровавленного Уоррика... Эта картина вызвала у нее приступ тошноты.

Она очнулась в кресле, стоявшем у очага, но как добралась до него, Ровена не помнила. Прохладная ладонь Милдред лежала на ее горячей щеке.

— Что случилось, мой ягненочек? — обеспокоенно спрашивала она. — Это не из-за ребеночка?

Ровена посмотрела на нее глазами, полными отчаяния.

— Я не хочу, чтобы он умер.

— А-а-а, — понимающе произнесла Милдред. Она присела на стул рядом с Ровеной и оживленно продолжила: — А почему он должен умереть? Когда он уезжал, он предполагал, что ему будет устроена какая-нибудь западня, и подготовился к этому. Вряд ли дело дойдет до драки. По крайней мере, между ними. Но я думаю, что ты будешь больше волноваться, когда Уоррик поймет, кем ты на самом деле являешься. Стоит ему только хорошенечко посмотреть на Гилберта, как он сразу признает в нем одного из тех, кто участвовал в его пленении в Киркборо, и свяжет все это воедино. Это тебя больше не беспокоит?

— Беспокоит, но по другой причине. Теперь я знаю, что он не убьет меня. По крайней мере, из-за тех владений, которые мне принадлежат, — добавила она с невеселой улыбкой. — Я боюсь его гнева, если он подумает, что я обманула его своим молчанием об этом. По правде говоря, это так. А за это я могу вновь оказаться в темнице.

Выражение лица Милдред было еще более грустным:

— Скорее, чем ты думаешь, моя сладкая.

Ровена нахмурилась.

— Как это?

Милдред обернулась, чтобы убедиться в том, что они были одни.

— Леди Беатрис психует с тех пор, как ей сообщили, что ее выдают замуж в семью Малдуитов. Она жутко разозлилась на Уоррика, а если этот человек чему-нибудь и обучил своих дочерей, так это искусству мщения. И она хочет сделать так, чтобы ее отец пожалел о том, что отдает ее обычному парню, который, как она считает, недостоин ее. Для этого она собирается использовать тебя.

У Ровены расширились глаза.

— Меня? Но ведь Уоррика нет, у нее есть какие-либо права?

— Не все — некоторые. Но она слишком умна, чтобы ими воспользоваться. Вчера вечером я подслушала, как она рассказывала о своем плане сестре, и, несомненно, она задумала очень умную вещь. Она не знает, какое преступление ты совершила в отношении Уоррика и за что тебя держат здесь в заточении. Этого никто не знает, но, как это ни смешно, она собирается сообщить всем, что Уоррик держит тебя здесь за воровство и что об этом он сам ей сказал.

Ровена все поняла и закрыла глаза.

— Она собирается заявить, что я ее обокрала.

— Да, что ты взяла у нее самую ее ценную безделушку — жемчужное ожерелье, подаренное Уорриком. А Мелисанта поддержит ее и скажет, что тебя видели у их комнаты, когда обнаружилась пропажа. После этого Беатрис потребует, чтобы произвели обыск в ткацкой мастерской и в спальне Уоррика, а там она вытащит ожерелье из якобы потайного места и этим подтвердит твою вину.

— И ей даже не придется настаивать на том, чтобы меня вернули в темницу.

— До возвращения Уоррика это будет сделано в любом случае, и он, вероятно, поверит ее сказке и будет вынужден жестоко наказать тебя. Может быть, прикажет выпороть плетьми. Это сделают с тобой до его возвращения. Таким способом Беатрис надеется досадить Уоррику.

Ровена нахмурилась.

— Но Джон Гиффорд...

— Его нет. Сейчас здесь другой тюремщик, не такой приятный человек, и ему доставляет удовольствие издеваться над теми, кто попадет под его опеку.

Ровена побледнела.

— Я, я встречалась с ним.

— Но это еще не все. Беатрис собирается предложить, чтобы тебя допросили и узнали, что еще ты могла украсть. Ты знаешь, как этот человек допрашивает арестантов?

— Пытает?

— Да. Эта маленькая сучка надеется, что тебя так запугают и так тобою попользуются, что Уоррик не захочет больше тебя видеть в своей постели, но более всего она надеется, что ты потеряешь вынашиваемого ребенка. Вот так она собирается досадить ему, поскольку знает, да и все знают, как сильно он хочет сына, даже незаконнорожденного.

— Мне сейчас будет плохо.

— Я не пугаю тебя, — сочувственно произнесла Милдред.

— Мне действительно плохо. — И Ровена направилась в туалет.

Когда она вернулась, Милдред ждала ее с куском материи, намоченной в холодной воде. Ровена приложила тряпку ко лбу и спросила:

— Сколько у меня времени до того, как западня захлопнется?

— До тех пор, пока Беатрис не начнет готовиться к ужину. По этому случаю ей захочется надеть ожерелье, и она обнаружит, что оно пропало. Но к этому моменту ты уже благополучно исчезнешь отсюда. Я уже приготовила для тебя мешочек. Там твоя одежда, одежда прислуги, которая тебе будет нужна для побега. Мешок я спрятала в пивоварне и как раз собиралась найти тебя...

— Я пропала.

— А-а. Значит, наш план действует?

— Кажется да... — безрадостно засмеялась Ровена. — Теперь это не имеет значения!

— Нет, это будет иметь значение, когда вернется Уоррик. Тебе не нужно уходить далеко. На расстоянии одного лье на восток отсюда есть лес и такой большой, что в нем можно спрятать целую армию. Спрячься на окраине, а я пошлю Уоррика разыскать тебя, как только объясню ему, почему тебе пришлось бежать.

— А не могла бы ты уйти со мной, Милдред?

— Мое отсутствие очень быстро обнаружат, а это может привлечь внимание к тому, что и тебя нет. А этого нельзя допустить до тех пор, пока не будет выдвинуто обвинение. А у тебя больше шансов на успех, если ты уйдешь одна. Мне нужно быть здесь, чтобы Уоррик узнал правду прежде, чем Беатрис сообщит ему свою ложь.

— Ты забываешь, что он не слушает оправданий и менее

всего он поверит нам, — тихо произнесла Ровена. — Если я должна уйти отсюда, то лучше мне не возвращаться. Отсюда недалеко до Туреза...

— Добрых три-четыре дня пешком! — воскликнула Милдред.

— Но там мне помогут мои люди или спрячут меня до тех пор, пока я не придумаю, как спасти мою мать из замка Амбрей.

— Ровена, не смей даже думать, что ты можешь проделать столь дальний путь в одиночку пешком. Поверь в Уоррика. Время придет, и он будет делать так, как захочешь ты. Я это чувствую.

Ровена покачала головой:

— Мне бы твою уверенность. Мне что-то не хочется, чтобы человек, который вырастил таких подлых дочерей, имел какое-либо отношение к воспитанию моего ребенка.

— Обвиняй его в том, что он мало уделял им внимания, но помни, что ни у одной из этих девочек не было матери, которая могла бы направить их на правильный путь, в то время как ты...

— Милдред, у нас нет времени обсуждать эти вопросы сейчас, — нетерпеливо прервала ее Ровена. — Объясни, как мне выбраться из ворот замка.

Милдред явно расстроилась, что ей не удалось закончить обсуждение этой темы.

— У ворот подземного хода стоит только один стражник. Ты проскользнешь через них, пока я буду отвлекать его внимание. Но если ты настроилась сюда не возвращаться, то тебе нужно побыть в лесу день, а лучше два, пока все не успокоится и я смогу тогда присоединиться к тебе.

В порыве благодарности Ровена обняла ее.

— Спасибо тебе.

— Поблагодаришь меня после того, как мы доберемся до Туреза. А по дороге я буду рассказывать тебе, какая ты, по-моему глупая, — проворчала Милдред.

Глава 34

Лес не казался Ровене гостеприимным раем. При каждом шорохе ей чудилось, что вот-вот появятся грабители или убийцы. Над головой висело хмурое небо, в любую минуту мог пойти дождь. Время тянулось медленно, все попытки Ровены заснуть окончились неудачей, и единственным утешением служило то, что дождь так и не пролился.

Она не испытывала чувства радости из-за своего удачного побега. Земля была слишком твердой, чтобы чувствовать себя уютно, хотя она сделала из шерстяной одежды служанок тонкую подстилку, и к тому же ей было холодно. В знак протеста она до утра переоделась в свою собственную одежду, но утром ей опять придется облачиться в платье служанки, так как этот наряд делал ее менее заметной и гарантировал некоторую безопасность. Ярко-желтая туника и пурпурная мантия, которую она на себя надела, вернули ей чувство уверенности в себе.

Фалкхерст... Она хотела набраться храбрости и подождать его возвращения, но ей не хватало решимости Милдред, когда дело касалось этого человека. Он, может, и не такой жестокий, как она сначала думала, но все же способен на жестокое возмездие и решительные действия. У нее не было сомнений в том, что, поверив в кражу, он расправится с ней, как с преступницей. И тот факт, что она делила с ним ложе и вынашивает его ребенка, не остановит его.

Был, конечно, шанс, что он поверит ей, если у нее появится возможность заявить о своей невиновности. Но риск быть выпоротой плетьми или подвергнуться еще более жестокому наказанию был очень велик. И все из-за того, что злая девчонка решила досадить своему отцу.

Ровена поймала себя на мысли, что ей захотелось отомстить этой негоднице за то, что по ее милости она очутилась в такой ситуации. Настоящие дамы никогда не покидали своих домов без сопровождения вооруженного эскорта. И очень часто даже крепостным служанкам, посланным куда-нибудь с поручением, выделяли одного или двух стражников. Но здесь она находилась в полном одиночестве, и для защиты у нее был только небольшой кинжал, который она обнаружила в мешке. Туда же Милдред положила еще одну из ее роскошных туник, которые Ровена могла бы продать, чтобы нанять себе охрану, если ей удастся добраться до города.

Когда она подумала о всех подстерегающих ее неприятностях, ей очень захотелось надеяться на то, что Беатрис де Шавилль получит справедливое возмездие. Если же Ровене суждено умереть по вине этой злодейки, то хорошо бы навещать ее в виде привидения... Да, это было бы справедливое возмездие — вечная месть. Уоррику эта идея понравилась бы. От этой мысли на губах Ровены появилась улыбка, и несколько мгновений спустя беглянка погрузилась в сон.

Когда на небе появилась бледно-синяя полоска рассвета, она проснулась и увидела стоявшего над ней человека. У нее застучало в висках, и она мгновенно приняла сидячее положение. Но это был не сон. Человек продолжал стоять рядом с ней, раздавалось тихое ржание лошадей, которое разбудило ее, другие воины спешивались неподалеку. Их было не меньше дюжины.

Ровена не стала дожидаться, чтобы выяснить, кто это был. Она выхватила спрятанный на поясе кинжал и яростно полоснула им по ногам мужчины. Тот взвыл, но сразу же затих, так как один из его товарищей прыжком бросился к нему и зажал ему рукою рот. Этого Ровена уже не видела. Она вскочила на ноги и бросилась в чащу леса, туда, где им было трудно преследовать ее на лошадях. Трое воинов бросились за ней в погоню, смеясь от охватившего их азарта, и это испугало ее больше всего. Она знала, чем оканчивались погони мужчин за женщинами — неважно где, в лесу или в поле. Преследователи требовали вознаграждения за затраченные усилия.

Всадники стали настигать ее. Сквозь звук бешено колотящегося сердца она услышала шум приближающейся погони и позвякивание металлических доспехов всадников. Ее длинные юбки затрудняли бег. Она все время пыталась придерживать их одной свободной рукой, но все-таки наступила на подол рубашки и потеряла равновесие.

Кинжал выпал у нее из руки, когда она пыталась удержаться от падения; спотыкаясь, она пробежала несколько шагов, но не упала. Однако она не вспомнила об оброненном оружии, руки у нее теперь были свободны, и она ухватилась ими за подол мешавшей ей юбки. Но было слишком поздно: один из преследовавших ее людей был уже совсем рядом и решил прыгнуть на нее с лошади. Если бы она видела его, она бы смогла увернуться, так как ей надо было отскочить в сторону всего на несколько дюймов, чтобы он промахнулся. Ему удалось схватить ее за край мантии, прежде чем он свалился на землю, но этого было достаточно. Ровена упала, больно ударившись спиной о ветку. Если бы мантия была застегнута на горле, а не на плечах, то ей бы сломало шею. В течение нескольких секунд ей казалось, что у нее сломана спина, — таким болезненным было падение. Тяжело дыша подоспели двое других воинов. Один из них остановился перед ней, другой сбоку, а третий, разъяренный от жгучей боли из-за собственного падения, снова дернул ее за мантию, которую все еще держал в руке.

Ровена смогла ударить склонившегося над ней человека и завизжала. Визг был таким пронзительным, что они чуть не столкнулись друг с другом, стараясь как можно скорее закрыть ей рот. Она укусила одного за руку, другой ее ударил и собирался ударить снова, когда третий воин схватил его за руку.

— Подожди, я ее знаю.

— Ты что, рехнулся? Откуда ты можешь ее знать?

— Видит Бог, это наша госпожа.

Это было произнесено с большим удивлением, но Ровена удивилась еще больше. Их госпожа? Она вспомнила о Турезе, но не узнала лиц, склонившихся над ней людей. Потом она все-таки припомнила одного из них и внутренне содрогнулась. Ужасная догадка подтвердилась, когда она увидела лицо четвертого склонившегося над ней человека и услышала его скептический голос, который надеялась больше никогда не слышать.

— Ровена?

Ответ ему был не нужен. Он появился здесь в тот момент, когда ее ударили, но, вспомнив об этой сцене, перестал удивляться. Гилберт без всякой необходимости нанес удар кулаком в лицо одному из стоявших вокруг Ровены людей, затем поднял ее на руки и так крепко прижал к груди, что она едва не задохнулась.

— Как ты оказалась здесь?

Ровена ощутила страх и раздражение. Если кому-то и было суждено найти ее, то почему это должен был быть Гилберт. Менее всего ей хотелось рассказывать ему о том, что с ней произошло за последний месяц.

Но одну правдивую деталь она вполне могла ему сообщить.

— Меня держали в заключении в замке Фалкхерст, но, в конце концов, мне удалось сбежать...

— Ты была у него? Я от горя сходил с ума, а ты все это время была у него? — Задавая эти вопросы, он слегка отодвинул ее от себя, затем вновь привлек к себе и с неподдельным сожалением произнес: — Я думал, тебя убили. В Киркборо мне никто не смог сказать, что Фалкхерст сделал с тобою.

То, что он был серьезно озабочен, вызвало у Ровены странное чувство.

— Я и не удивляюсь, — осторожно промолвила она. — Он отправил меня прямиком в свою темницу до того, как вся прислуга вышла из укрытия и могла это видеть.

— В темницу! — в изумлении прорычал Гилберт. Стоявшие рядом люди шикнули на него, чтобы он говорил потише, но он просто сверкнул на них глазами и затем обратил свой горящий взор на Ровену. — Он, должно быть, сошел с ума. Ты разве не сказала ему, кто ты?

Его глупость рассердила ее.

— Ты бы хотел, чтобы я во всем призналась, хотя знаешь, что он намерен уничтожить тебя и все, что тебе принадлежит? Он и мою-то собственность захватил потому, что ты владел ею. Думаешь, он оставил бы меня в живых, если можно таким легким способом захватить все, что у тебя осталось. Поэтому я ничего ему не сказала, кроме того, что я леди Киркборо, но это он и так предполагал. Затем, чтобы поддержать его убежденность в том, что Уоррик появился в Киркборо из-за него, она добавила:

— Он бросил меня в темницу, потому что рассвирепел, когда узнал, что тебя нет и он не сможет убить тебя.

Вид у Гилберта был действительно виноватым, и она убедилась в этом, когда он произнес:

— Извини, Ровена. Я не думал, что он причинит тебе зло, иначе я бы тебя там не оставил, но в тот день у меня все перепуталось в голове.

Ровене захотелось спросить его, путались ли когда-нибудь его мысли, когда он думал о своей выгоде.

— Что ты здесь делаешь, Гилберт? Уж не задумал ли ты осадить один из его самых укрепленных замков?

— Нет, осады не будет, но все же к вечеру я им овладею.

— Как?

— Я послал ему вызов, и если он не глуп, то заподозрит западню и возьмет с собой большую часть своих воинов. — Он на мгновение замолчал, а потом обратился к ней: — Ты не знаешь, сколько человек он взял с собой?

— Я не видела, когда он уехал, — сердито ответила она. — К тому же у меня не было времени пересчитывать, сколько людей осталось в замке к моменту моего побега.

Ответ явно огорчил Гилберта.

— Неважно, — наконец произнес он. — Он должен был взять с собой большую часть своих людей. Зачем ему нужно было оставлять их здесь, когда ты говоришь, что Фалкхерст является самым укрепленным из его замков и горсточка воинов может отразить нападение целой армии?

— И как же ты тогда собираешься захватить его?

Он повернулся к ней и усмехнулся:

— С горсточкой людей.

— О, конечно. Я сделала глупость, спросив тебя об этом.

Он дернул ее за руку, чтобы показать, что ему не понравился ее насмешливый тон.

— Когда начнет темнеть, я планирую попросить у них убежища на ночь.

— У них есть деревня, куда они тебя направят, — предположила она.

— Нет, только не тогда, когда я путешествую по делам Стефана и с посланием, на котором в доказательство этого стоит его печать.

— Неужели?

— Что?

— По делам короля?

— Конечно, нет, — нетерпеливо ответил он. — Но послание настоящее. Мне повезло, что я нашел его, так как оно уже никуда не могло бы попасть, ибо гонец, которого послали с ним, был мертв.

— Ты убил его?

Он снова зло проворчал:

— Почему ты вешаешь на меня всех собак?

— Нет, я говорю только о том, на что ты способен, — отпарировала она.

Он сердито посмотрел на нее.

— А какое это имеет значение, как я заполучил его? Оно откроет мне ворота Фалкхерста. Или, может, мне вместо этого вернуть им сбежавшую узницу? — добавил он мерзким голосом.

Ей очень захотелось, чтобы он так и сделал. Тогда она, чего бы это ей ни стоило, предупредила бы об опасности обитателей замка.

Должно быть, он подумал, что его слова ее напугали.

Пока они шли к воинам, оставшимся с лошадьми, она не произнесла ни слова. Некоторых из них она узнала. Они были из Кworld... Это были рыцари Лайонза, которые по справедливости должны были сейчас служить у брата Гудвина, а не у Гилберта.

Ровена замерла, когда до нее дошло это. Боже милостивый, неужели они этого даже не знают? Или они слепо последовали за Гилбертом, ошибочно полагая, что у него были какие-то права на Киркборо из-за своего родства с Ровеной, просто потому, что перед смертью Лайонз приказал им сражаться за дело Гилберта? Они, должно быть, знают, что Лайонз мертв, так как Гилберт сказал, что вернулся в Киркборо после того, как поместье было уничтожено. Тогда, значит, они выполняют условия ее брачного контракта? Но этот контракт потерял свою силу в тот момент, когда Лайонз не смог выполнить своих брачных обязанностей. А об этом, кроме ее самой, Гилберта, Милдред и Уоррика, никто не знал. Гилберт, без всякого сомнения, ничего не сказал. И вероятнее всего, он намекнул им, что ребенок был зачат...

Ровену удивляло, почему он до сих пор не спросил ее об этом, и вдруг она поняла. Гилберт уже имел то, что хотел получить в результате ее замужества — армию Лайонза. И он собирался нанести Уоррику жестокий удар и захватить его крепость и дочерей. Поэтому Киркборо для него больше не имел значения, так же как и ребенок, с помощью которого можно было его удержать в будущем.

Уоррик... он будет разорен. Он с ума сойдет от ярости, а Гилберт сможет выдвинуть любые условия за освобождение его дочерей, включая даже его жизнь.

Ей нужно было что-то делать. Ровене не следовало бы беспокоиться о том, какая судьба ожидает Уоррика, но она вспомнила его смех, его страсть и тот нежный поцелуй при прощании, и оказалось, что его судьба ее беспокоит. По крайней мере, она не хотела видеть, как его убьют, так же как и не желала видеть победы Гилберта. Ровену подмывало шепнуть людям Лайонза, что им не следует здесь находиться, так как контракт, по которому они подчинялись Гилберту, никогда не имел законной силы. Но, сделай она так, Гилберт изобьет ее до бесчувствия, — в этом у нее не было сомнения. В своем гневе он может даже убить ее. Но что же она могла бы сделать? Предупредить людей в замке или убедить людей Лайонза в том, что им не следует здесь находиться? Очевидно, нужно было сделать и то, и другое. Пока в замке находился малочисленный гарнизон, Гилберт попытается захватить Фалкхерст, даже если останется только со своими людьми.

Человек, которого она ранила кинжалом, и еще один, бывший с ним, ушли. Вероятно, они вернулись в лагерь. Гилберт стоял рядом и наблюдал, как Ровена разглядывала оставшихся воинов.

— Значит, это твоя армия? — спросила она невинным голосом. — Я думала, что мое замужество даст тебе гораздо больше.

Он действительно не мог сердиться на нее за это замечание, но оно ему не понравилось.

— Не будь глупой. Моя армия скрыта в глубине этого леса. Через два часа после наступления темноты они двинутся в направлении замка и будут ждать моего сигнала о том, что ворота открыты.

— Это в том случае, если тебе удастся проникнуть внутрь. Я все же думаю, что они не примут тебя. В связи с отсутствием хозяина в резиденции они будут осторожны. Вероятно, предупредил их, чтобы они не поддавались на разные уловки, потому что он тебе не верит. А Фалкхерст совсем не глуп.

— Ты стараешься досадить мне?

— Конечно, ты что думаешь, я забыла, что ты заставил меня делать?

— Замолчи, — прошипел он, потянув ее в сторону, чтобы другие не слышали их разговор. — Если у тебя такая хорошая память, то ты знаешь, что твоя мать все еще находится у меня.

Больше ничего не нужно было говорить. Ровена кивнула, почувствовав, как стало тяжело у нее на душе. С какой стати она решила, что может чем-то помочь обитателям Фалкхерста? В борьбе с нею он всегда оказывался победителем, так как знал, что сказать, чтобы она прекратила сопротивление.

Глава 35

Солнце показалось лишь на миг и сразу скрылось за тяжелыми серыми тучами. Дождь собирался со вчерашнего дня. Ровене хотелось, чтобы хлынул настоящий ливень. Почему бы и нет? Она казалась себе такой несчастной, и это ощущение было ей крайне неприятно. Почему рыцари, охранявшие ее, не испытывают хоть каких-то страданий, отчего они так бесчувственны?

Вокруг нее сидело ничем не озабоченных, спокойных шестеро мужчин. Гилберт вместе с двумя другими рыцарями ушел туда, где ему удобнее всего было наблюдать за всеми, входящими в замок и выходящими из него. Он не приказывал этим оставшимся людям охранять ее. Они теперь смотрели на нее как на свою госпожу, так что защищать ее было их долгом. Поэтому она могла встать и пойти куда захочется. Но она никуда не собиралась уходить, это не входило в ее планы. Ее целью было помешать Гилберту захватить Фалкхерст.

Пригрозив ей, он практически не оставил ей никакого выбора. Если только Гилберт сам не умрет, матери Ровены придется расплачиваться за все то, что Ровена сумеет сделать, чтобы сорвать планы Гилберта, — если только ей удастся что-нибудь совершить, не вызвав его подозрений. Но что можно сделать таким образом?

Конечно, она могла бы попытаться убить Гилберта. Но тогда один из его рыцарей наверняка разделается с ней за это, и она не могла представить себя жертвующей своей жизнью ради человека, который хотел лишь отомстить ей.

Ровена могла сказать Гилберту, что Уоррик был тем самым человеком, которого он захватил в Киркборо. Это может вызвать в нем такой гнев, что он совершит какую-нибудь глупость, может быть, даже отправится за ним в погоню. Нет, Гилберт никогда не подвергнет себя риску, не будучи уверенным, что его войско превосходит войско Уоррика. Ей хотелось самой знать, какое у него войско. В Киркборо было много рыцарей, но Гилберт рассчитывал нанять большое количество воинов на деньги Лайонза. Сумел ли он уже это сделать? Оставалась только одна надежда, что Гилберт начнет волноваться из-за ее прогноза относительно действий обитателей крепости. Если возникнут хоть какие-то сомнения, к концу дня они усилятся. И в конце концов он убедит сам себя, что первоначальный план плох. Потом он вспомнит, как он насмехался над ней, и всерьез подумает о том, как можно ее использовать, чтобы войти в крепость. Тогда у нее будет время предупредить подданных Фалкхерста о нависшей угрозе. Скорее всего, ее сразу посадят в темницу, но она только выиграет от этого, так как ее разъединят с Гилбертом и он не будет знать, что это она выдала его.

Да, он использует ее, если его уже начали мучить сомнения, и он это сделает, не подозревая, что она хочет помочь человеку, который в свое время сделал ее пленницей. Он знал, что она ненавидела его, но пусть он думает, что Уоррика она ненавидит еще больше.

Она почувствовала себя лучше — пока не вспомнила, что ее ожидает в темнице Фалкхерста. Привела ли в исполнение Беатрис свой злой замысел до того, как узнала, что Ровене удалось ускользнуть. Если нет, тогда, может, она и не высказала своих обвинений, вероятно решив, что это делать бесполезно, раз Ровена исчезла. Может быть, ее также остановит и тот факт, что злейший враг Уоррика захвачен в плен, особенно если учесть, что захвачен он был исключительно благодаря Ровене. Может, Ровену и не посадят в темницу? Они могут даже поблагодарить ее — нет, она опять размечталась. Но уж во всяком случае этому проклятому тюремщику придется хорошенько подумать, прежде чем он начнет с ней плохо обращаться. А потом и Уоррик вернется и вынесет приговор относительно побега. Но если ее встретят с обвинением в краже...

Ровена понимала, что ничего не может сделать с этим обвинением. Ей очень не хотелось, чтобы Гилберт использовал ее как лазутчика, но если он все-таки решит это сделать, ее ждут трудные испытания. Она опять посмотрела на рыцарей, окружавших ее, стараясь понять, не упустила ли она чего-то, что помогло бы ей перетянуть их на свою сторону, но так, чтобы они не выступали открыто против него и таким образом не навлекли бы на нее его гнев и его возмездие.

Из шести рыцарей, оставленных с ней, только двое скорее всего были из Киркборо, хотя она могла и ошибаться. Если бы только ей удалось поговорить с одним из рыцарей так, чтобы не слышали рыцари Гилберта...

Когда один из рыцарей упомянул о еде, Ровена вдруг поняла, что ужасно голодна. Но она не воспользовалась едой, которая была у нее в мешке, и поднялась, как бы невзначай, чтобы отойти от группы. Она подумала, что они поделятся с ней тем, что у них есть, и надеялась, что один из этих двоих, с кем она хотела поговорить, принесет ей поесть. Но, как обычно, судьба распорядилась иначе. Она не знала рыцаря, который предложил ей немного холодной оленины и кусок черствого хлеба. Было совершенно естественным с ее стороны спросить его имя, и таким образом она получила дополнительную информацию о том, что он был из Амбрейя.

Она поблагодарила его, но от еды отказалась, сказав, что она не голодна, хотя желудок ее восстал против этой лжи. Она подождала, когда они закончат есть и опять расслабятся, молясь, чтоб Гилберт не вернулся к трапезе. Он не вернулся. И в конце концов, она посмотрела прямо на одного рыцаря из Киркборо и призналась, что все-таки она голодна.

Он вскочил, чтобы дать ей еду из своих собственных запасов, после чего Ровена, поблагодарив его, быстро произнесла:

— Я удивлена, что вы позволили вовлечь себя в дело, которое не является вашим и обречено на неудачу.

Затем она рискнула высказать предположение:

— И вы делаете это бесплатно?

Он не стал отрицать и сказал:

— Я присягнул Киркборо, и лорд Гилберт...

— Лорд не имеет здесь никаких прав, так же как и я, — произнесла она, прежде чем сама испугалась своих слов. — Но вы, конечно, знали это. При отсутствии детей от моего брака с лордом Гудвином его брат является единственным наследником всех его владений. Именно он является теперь лордом Киркборо, и, безусловно, он находится сейчас там и хочет знать, что случилось с вассалами его брата, с рыцарями, которые, конечно, будут ему нужны для восстановления крепости. Поистине я не понимаю, почему мужчины предпочитают войну и смерть мирному строительству.

Какое-то время он молчал. Казалось, что он просто не в состоянии говорить. Затем он сердито, почти как сам Уоррик, посмотрел на нее и спросил:

— Почему вы мне все это говорите, госпожа?

Именно то, что сердитый взгляд напомнил ей Уоррика, подсказало ей ответ.

— Я не хочу умирать, но мой сводный брат не желает меня слушать. Он одержим желанием убить Фалкхерста, и не удивительно, что Фалкхерст поклялся его уничтожить. Но Гилберт не знает этого человека так хорошо, как я, поскольку я была его пленницей. Вы без труда захватите его замок, но вам не удастся выйти из него живыми, и я не выйду живой, так как Гилберт и меня потащит опять туда.

— В том, что вы говорите, нет смысла, госпожа. Мы захватим заложников, собственных дочерей Фалкхерста.

— Думаете, это будет иметь значение для такого безжалостного военачальника? Именно это я и не могу заставить Гилберта понять, и он не хочет меня слушать. Его план был хорош — против любого другого лорда. Но этого господина не волнует ни судьба его дочерей, ничего другое. Он без тени сожаления пожертвует ими, так же как и своими людьми. Он возьмет в осаду свою собственную крепость, но не предложит никаких условий, не примет никакой капитуляции. Единственное, что важно для этого человека, — это отомстить тому, кто осмелился совершить какой-либо проступок против него.

— А что, если вы ошибаетесь?

— А что, если я не ошибаюсь, сэр?

Ей было трудно сдерживать раздражение в голосе.

— Вам так много пообещали, что вы решили рисковать?

— Вы надеетесь, что я отговорю вашего брата от его цели? — спросил он в ужасе.

Ничего у нее не вышло. Другие уже начали посматривать в их сторону, удивляясь, о чем это они говорят. Почему так получилось, что именно этот рыцарь оказался таким отчаянно храбрым и глупым? Трус — вот кто ей нужен.

— Гилберт и вас не будет слушать. И скорее всего вы получите от него за услугу затрещину.

И она вздохнула, как бы смиряясь с судьбой.

— Извините, мне не надо было говорить вам о своих опасениях, но я подумала, может быть, вы сам сумеете спастись и спасете своих товарищей, находящихся в другом лагере, так как это не ваша война, и вообще вы не отсюда. Я думала попросить вас взять меня с собой, если у вас хватит смекалки уйти отсюда, но теперь я понимаю, что вы мне помочь не можете. Рыцари Гилберта вас остановят. Может, я еще сумею убедить его отправить меня в Амбрей до того, как он войдет в крепость. Да, я так и сделаю.

Она отвернулась от него, молясь про себя, чтобы он ничего не рассказал всем остальным, хотя бы рыцарям Гилберта. Когда она набралась смелости и оглянулась, то увидела, что он разговаривает только с другим рыцарем из Киркборо, и очень серьезно.

Неужели ей, наконец, немножечко повезло? Если эти двое найдут какой-нибудь предлог, чтобы вернуться в другой лагерь, предупредить там рыцарей Киркборо, тогда, может быть, армия фактически рассредоточится? Если же это произойдет достаточно быстро, Гилберт может отказаться от своего плана. Он будет рвать и метать, будет всех называть дезертирами и трусами, которые только и умеют, что грубить городским торговцам. Но он ничего не сможет поделать, кроме как потребовать у нее объяснений, почему войско его покинуло.

Тогда она признается, что безо всякого умысла упомянула, что Фалкхерста называют драконом с севера и что рыцарь, с которым она говорила, при упоминании этого имени стал белее савана. Потом она поинтересуется, предупредил ли Гилберт своих рыцарей об этом.

В любом случае он не погонится за этими двумя, если будет убежден, что они жалкие трусы и драться за него не будут. Ему придется придумать какой-нибудь план, чтобы заполучить другую армию, но, к сожалению, ему опять придется делать это с ее помощью. И как только он поймет это, он уймет свою ярость. Но и охранять ее он будет тщательнее, как только поймет это.

Но рыцарь, с которым она разговаривала, совсем не торопился уходить. Она начала уже думать, что он слишком храбр, чтоб что-то сделать себе во благо, когда вернулся один из рыцарей, которые уходили вместе с Гилбертом. Он предупредил, что из замка были посланы несколько дозоров, вероятнее всего на поиски Ровены. Ровена подумала, что скорее всего так оно и было. Неважно, кем она была: беглой крепостной или совершившей побег пленницей — ее обязаны были отыскать, в противном случае их ожидал гнев Уоррика. Но Гилберту не понравились эти поиски, ибо они могли сорвать его план.

Следовало срочно предупредить основную часть армии о дозорах. Гилберт не мог допустить, чтобы в замке узнали о скоплении войск в лесу. Оба рыцаря из Киркборо вызвались отправиться верхом в основной лагерь.

Ровена с трудом сдержала улыбку.

Глава 36

Время тянулось медленно, и это действовало на нервы. Ровена мысленно перебирала бесконечное количество вариантов того, что могло случиться. Те двое рыцарей, которые ушли отсюда, может быть, и не стали добираться до основного лагеря, чтобы спасти своих товарищей от верной смерти, а просто-напросто решили спастись сами. А может быть, она неправильно поняла их готовность уехать и приняла желаемое за действительное. Тот рыцарь, с которым она говорила, мог вообще ничего не сказать об их разговоре своему товарищу. Возможно, они беседовали о чем-то другом, ее слова могли вообще не браться во внимание, так как были сказаны напуганной женщиной.

Она, конечно, и не надеялась, что сумеет вызвать панику у большого войска. Она просто хотела разъяснить людям, что это не их война, что им не заплатят за участие в ней и что следует вернуться к своему законному господину.

Наступил вечер. Неожиданно перед Ровеной появился Гилберт. Не слезая с лошади, он возбужденно обратился к сестре:

— Я решил сказать, что встретил тебя на дороге без сопровождающих, и, так как ты отказалась сообщить мне, откуда ты шла, я был вынужден взять тебя с собой. И я надеюсь, они избавят меня от тебя, так как у меня неотложное дело к королю и я не могу задерживаться даже из-за такой прелестной дамы.

Он широко улыбнулся, оскалив зубы:

— Ты думаешь, они избавят меня от такого груза?

— Поскольку им грозит жестокое наказание за мой побег, они, без сомнения, опустят подъемный мост.

Она старалась говорить как можно увереннее, словно эта идея ей отвратительна. Должно быть, ей это удалось, ибо он рассмеялся.

— Не волнуйся, Ровена. Тебе придется побыть в темнице всего лишь несколько часов, и потом уже больше никогда. Разве это не стоит гибели Фалкхерста, после всего, что он сделал тебе?

Она не стала отвечать. То, что Уоррик сделал ей, было не совсем то же самое, что ей сделал Гилберт. Одного из них она не винила слишком строго. Он имел на то причины. Другому она не простит его вины никогда.

— Если тебе, Гилберт, удастся твой план, мы очень скоро увидим, чего стоит мое пленение.

Он ожидал именно такого ответа. Сейчас практически ничего не могло вызвать его неудовольствие, так как он уже предвкушал победу.

Но озабоченность Ровены была не только игрой. Она была рада, что сомнения, которые она поселила в нем, дали плоды. Она сможет расстроить план Гилберта и сделать так, что его схватят, а за это она готова была заплатить любую цену. Но она предпочла, чтобы сработал ее первый план. Тогда она избежала бы темницы и встречи с Уорриком. Правда, ей пришлось бы остаться с Гилбертом, но она бы придумала способ избавиться от него.

Но этому плану не суждено было осуществиться, так как никто не прибыл из основного лагеря с сообщением о том, что он потерял свое войско. Пока они ехали к замку, Ровена не раз оглядывалась в надежде увидеть нагоняющего посыльного.

И вот они перед воротами Фалкхерста. Гилберт назвался гонцом Стефана и рассказал придуманную историю о том, как обнаружил на дороге Ровену. Сидя на лошади позади Гилберта, Ровена не подняла лица, чтобы ее не узнала стража у ворот. Она была здесь. Она поступит так, как заставят обстоятельства. Но ей все меньше хотелось подчиняться обстоятельствам.

Она в последний раз оглянулась и увидела всадника, скакавшего к ним по дороге. Значило ли это, что рыцари Киркборо решили подождать темноты и потом передали другим ее слова? Ну что ж, разумно с их стороны. В темноте Гилберт не станет пускаться в погоню.

Увидев, что Гилберт уже под стенами замка, воин повернул назад. Наверное, он решил, что его предупреждение опоздало.

Ровена уже собиралась рассказать Гилберту о своих подозрениях, когда стражник выкрикнул:

— Ждите. Мой господин сам возьмет у вас девушку.

Ровена нахмурилась, оценивая ситуацию. Гилберт выругался. И тогда они услышали топот скачущих лошадей. Ровена была уверена, что возвращался дракон. Не сомневался в этом и Гилберт. Он все еще произносил ругательства, но так, чтоб его не слышала стража.

— Будь он проклят, не мог же он уже побывать в Джилли Филд и так скоро вернуться. Это невозможно!

— Значит, он передумал.

Звук ее голоса напомнил ему о необходимости действовать.

— Не волнуйся, — сказал он ей, стараясь казаться спокойным. — Просто это меняет мой план осады. Да, мое войско все еще больше, чем у него, и я вернусь сегодня же. К счастью, я

221

не попросился на ночлег, значит, теперь я могу сказать, что мне необходимо продолжить путь.

— Вы собираетесь остаться здесь и приветствовать его? — спросила она скептически.

— Почему бы и нет? Мы никогда не сталкивались с ним слишком близко, так что он не узнает меня.

Гилберт рассмеялся.

— Это неплохая шутка, и я обязательно напомню о ней, когда вернусь сюда.

Это было уж слишком, и Ровена не могла больше терпеть этой наглой самоуверенности.

— Мне очень неприятно об этом говорить именно сейчас, Гилберт, но он обязательно узнает вас. Вы ему хорошо известны как мой сводный брат, а не как д'Амбрей. И хочет убить вас он совсем по другой причине: вы для него тот самый человек, который приковал его к кровати в Кmy Киркборо. Так что шутка, брат мой, сыграна над вами обоими.

— Проклятье! Ты лжешь! — взорвался он. — Не может быть, чтобы он был в моих руках и я не знал этого. И как он мог оказаться здесь с войском, если он был прикован к кровати.

Чтобы спасти себя, Ровена кое-что приврала.

— Его войско пришло в Киркборо не за вами, Гилберт, а за ним. И как только они его вызволили, он отправил меня в свою темницу. Он намерен заставить меня страдать до конца дней своих за то, что я с ним сделала. Что касается вас — он просто хочет убить вас. Но не верьте мне на слово. Вы сами его узнаете, если останетесь здесь, чтобы поприветствовать его...

— Хватит! — прорычал он, схватил ее за руку и грубо ссадил с лошади.

— Что вы делаете? — спросила она возмущенно.

— Там, в крепости, они знают, что это ты. Если я возьму тебя с собой, они устроят погоню, что меня не устраивает. Так что скажи им, что у меня неотложные дела и я не мог ждать. И не бойся. Первое, что я потребую, когда вернусь, — это твоего освобождения.

Он не дал ей даже ответить и поскакал прочь, его рыцари последовали за ним, и так как было уже достаточно темно, они быстро скрылись из вида. Не было видно и приближающегося войска, хотя звук копыт становился громче.

Вдруг Ровене пришло в голову, что ей незачем стоять здесь и ждать. Она легко могла бы спуститься в крепостной ров, и никто бы не увидел, как она это сделала. Она может даже спрятаться под подъемным мостом: он ведь был спущен, а потом, позже, когда все успокоится, убежать. Однако все подумают, что ее взяли с собой семеро рыцарей, подъезжавших к стенам Фалкхерста. Уоррик с небольшим отрядом бросится в погоню и, преследуя Гилберта, окажется в лагере его армии. И Ровена осталась стоять у края рва.

С внешней стороны крепостной стены зажгли факелы. И они слабо осветили ров, так что ей вряд ли удалось бы спрятаться.

Из темноты показался первый всадник и остановился рядом с ней. Это был сам Уоррик. Он сердито смотрел на нее сверху вниз.

Глава 37

— Что произошло? Почему ты ждешь меня здесь, за стенами крепости, а не там, где тебе положено, женщина?

— Я убежала, — храбро ответила Ровена.

— Неужели?

Тот скептицизм, с которым он задал вопрос, и его улыбка подсказали ей, что Уоррик не поверил. Ну что ж. У нее найдется, что еще сказать, если он считает, что она выдумывает неправдоподобные истории, чтобы его поразвлечь. Она, конечно, не скажет главного, что наверняка приведет его в ярость.

Она пожала плечами и вздохнула:

— Господи, я не настолько легкомысленна, чтобы наговаривать на себя, если я не виновата. Я была вынуждена бежать, в противном случае мне пришлось бы снова поселиться в темнице.

— А-а, — сказал он, будто бы ее слова все объяснили. — Ты устрашилась того места, которое, по твоим словам, тебе показалось «действительно очень удобным».

И почему это он помнит, что она когда-то сказала леди Изабелле?

— На этот раз оно не было бы таким, — ответила она мрачно, а затем поспешно изменила тон на более небрежный: — Я говорю правду. И я не вернулась бы, если бы меня не обнаружил самый подлый из лордов, который намеревался использовать меня для того, чтобы захватить Фалкхерст. — Когда и это не вызвало никакой ответной реакции, она почувствовала раздражение от его нарочитого безразличия. — Мой господин, вам следовало бы войти в крепость и приготовиться к осаде. С другой стороны, может быть, сообщив несколько правдивых фактов вашим врагам, я, может быть, смогла помочь вам. Я объяснила одному из рыцарей, что господин, которому он и его товарищи служат, не по праву распоряжается ими, что им следует вернуться к своему законному хозяину. Поэтому, возможно, что часть армии, прибывшей для штурма крепости и разбившей лагерь в том лесу, уже ушла из ваших владений. Боюсь, что я обрисовала вас в слишком мрачных красках, на всякий случай, если вдруг там, где не поможет логика, вдруг сработает страх.

— Я с удовольствием принимаю любое приукрашивание моей репутации.

— Да уж, конечно, — проворчала Ровена.

Он широко ей улыбнулся и продолжал:

— А теперь скажи мне, как ты осуществила свой побег.

— Это было непросто, — поспешила она его заверить, но слишком поспешила, ибо он рассмеялся, все еще полагая, что его «развлекают».

— Если бы я подумал, что это было просто, — ответил он беспечно, — я бы лично поместил тебя обратно в темницу, чтобы ты не сбежала, хотя и пожелал бы довольно часто тебя навещать.

Правдоподобность того, что он не шутит, заставила Ровену прекратить свои попытки «позабавить» его.

— Вы вернулись как раз вовремя, чтобы спасти свою крепость и свою семью. Я бы попыталась это сделать, но у меня было мало шансов убедить ваших вассалов, что этот самый «королевский» вассал, который только что поспешно отбыл отсюда, замышлял открыть ворота крепости этой же ночью и впустить в нее свою армию. Вернись вы хоть немного позже, вы могли бы найти его уже в темнице, если бы мне поверили. Или, если бы не поверили, ваши дочери стали бы заложницами. А в обмен он бы потребовал вашу жизнь.

Не успела она договорить, как его беззаботность исчезла без следа, и он нахмурился:

— Что же ты перестала шутить? Или мне так только кажется?

— Я действительно не шучу и не шутила. Уоррик, это все правда. Завтра утром вы найдете в лесу армию, если они не начнут осаду вашей крепости сегодня же ночью. Кто этот подлый, трусливый лорд? Он... он мой сводный брат. Он явился сюда потому, что жаждет отомстить вам за уничтожение Киркборо. Вам же понятно, что такое жажда отмщения, не так ли?

Не ответив, Уоррик наклонился, подхватил Ровену и посадил ее на своего коня. Руки его, державшие ее перед собой, больно впились ей в тело, не меньшую боль он вызвал в ней и выводом, который ей сообщил.

— И ты бы помогла ему.

— Я бы предала его!

— И ты рассчитываешь, что я в это поверю? — резко спросил он. — Своего собственного брата?

— Он мне не кровный родственник, и я так ненавижу его, что убью его, если представится возможность.

— Тогда дай мне сделать это за тебя, — резонно предложил он, но тон его все еще был холодным. — Скажи мне, где его можно найти.

Настала ли пора сказать всю правду? Нет, сейчас он был слишком зол, чтобы еще и это услышать.

Она отрицательно покачала головой:

— Вы и так отняли у меня слишком много. А теперь еще хотите лишить меня возможности отмщения? Я не хочу этого.

Он сердито посмотрел на нее, услышав ее ответ. Он даже встряхнул ее, но, в конце концов, тихо проворчал что-то и отпустил ее. Ей пришлось ухватиться за него, чтобы удержаться на лошади. В этот момент опустился подъемный мост, и лошадь двинулась вперед. Ровена поняла, что время уходит и она не успеет сказать ему все остальное, о чем он вскоре услышит от других, — но это уже будет не в ее пользу.

— Вы не спросили меня, почему меня должны были бы заперть в вашей темнице, мой господин.

— Тебе еще есть в чем признаваться?

Она прямо-таки отшатнулась, услышав эти злобные слова.

— Это не признание, а правда, какой я ее знаю. Вчера меня должны были обвинить в краже очень ценной вещи у одной из дам замка. Эту вещь предстояло найти в ваших покоях, таким образом, моя вина была бы доказана. Появлялся повод допросить меня и о других предполагаемых кражах. Рассчитывали, что к вашему возвращению от меня слишком мало что останется, чтобы я могла вас чем-нибудь прельстить, и что от боли, которую я буду испытывать при допросе, я потеряю ребенка. Я не пожелала пройти через все эти страдания, ибо я невиновна. Поэтому я покинула замок до того, как обвинение могло быть вынесено.

— Но если ты виновна, тогда ты делаешь это признание, чтобы смягчить свою вину.

— Но я невиновна. Милдред случайно услышала, как замышлялся заговор, и предупредила меня. Вы можете ее спросить...

— Думаешь, я не знаю, что она солжет ради тебя. Лучше ты бы придумала что-нибудь другое, чтобы доказать свою невиновность.

— Теперь вы понимаете, почему мне пришлось покинуть замок, — с горечью произнесла Ровена. — Я никак больше не смогу оправдать себя, как только тем, что я только что вам рассказала. Именно вам надлежит сделать это, доказав, что тот, кто меня обвиняет, лжец. В противном случае вам придется наказать меня со всей строгостью, какой это преступление заслуживает.

Она почувствовала, как при этих словах он весь напрягся.

— Черт бы тебя побрал, женщина, что ты такое сделала, чтобы вызвать такую враждебность у этой женщины?

Ровена воспряла духом. Этот вопрос означал, что он ей поверил или хотел поверить.

— Я ничего не сделала, — просто сказала она. — Это даже не мне она хотела причинить боль, а вам. Если бы меня здесь больше не было, она, может быть, и не стала бы вообще обвинять меня и сообщать о пропаже. В мое отсутствие это было бы бессмысленно. Однако теперь, когда я вернулась, она может решить это сделать, чтобы вынудить вас наказать меня.

Они остановились во внутреннем дворе замка перед крепостной башней. Воины спешивались, лошадей уводили прочь, сновали туда-сюда оруженосцы и конюхи. Вдруг Ровене пришло в голову спросить:

— А почему вы, Уоррик, вернулись так скоро?

— Нет, женщина, тебе не удастся уйти от темы нашего разговора. Ты мне скажешь, кто эта дама, которая замышляет навредить мне через тебя, и ты мне скажешь ее имя сейчас же.

Она соскользнула с лошади прежде, чем он успел остановить ее.

— Не спрашивайте меня об этом. Если она передумала и решила ничего не делать, тогда она сама искупила свою вину и ее не следует наказывать за то, что она замыслила в порыве гнева. Если нет, вы узнаете имя сами, и очень скоро.

Его грозный взгляд стал еще грознее, и это хорошо было видно при свете многочисленных факелов, освещавших внутренний двор замка. Раздался удар грома, и небо осветилось яркой вспышкой молнии.

По спине Ровены побежали мурашки: он действительно был похож на дьявола, который является ее судьей и выносит приговор... да и голос его звучал именно так, когда он произнес, предостерегая ее:

— Я буду сам решать, кто заслуживает наказания. Так что не думай, что сможешь скрыть это от меня, как ты скрывала имя своего брата. Либо я получу ответ, либо...

— Я думаю, что сейчас, — прервала она его сердито, — вам лучше подготовиться к осаде. Хотя бы на всякий случай. Или вы считаете это менее важным, чем выяснять отношения с пленницей, которая никуда не денется?

Ровена повернулась и ушла, оставив его сидящим на коне. Она была слишком рассержена, чтобы подумать о том, что она могла своей тирадой окончательно вывести его из себя. Поэтому она не видела, как его губы начали расплываться в улыбке, и не услышала, как он рассмеялся. Продолжая улыбаться, Уоррик начал отдавать своим недоумевающим вассалам распоряжения об обороне замка.

Глава 38

Шум, доносившийся из трапезной Парадного зала, означал, что вечерняя трапеза была в полном разгаре. Ровена поднималась по ступеням в зал, но, заслышав этот шум, замедлила шаги.

Сначала она намеревалась пройти прямо на кухню, чтобы хоть немного поесть, но теперь она передумала, — куда бы она ни направилась, ей надо было пройти через зал. Может, пройти через двор? Нет, когда она входила в башню замка, первые капли уже давно собиравшегося дождя уже начали падать на землю. А ей совершенно не хотелось вымокнуть насквозь.

Удрученная, она села на ступеньки в самом темном углу, куда едва доходил свет факелов, горевших в самом низу и на самом верху лестницы. Здесь Уоррик и нашел ее. Он махнул рукой, чтобы вошедшие вместе с ним шли дальше, а сам остановился рядом с ней. Ровена, даже не подняв головы, поняла, что это был он.

— Что ты здесь делаешь? Я-то думал, что ты уже возобновила знакомство с соблазнительными изделиями господина Блауэта.

Она, так и не подняв головы, пожала плечами и сказала:

— Я тоже этого хотела бы, но мне придется войти в зал, чтобы попасть на кухню.

— Ну и что?

— И я... мне необходимо, чтобы вы были рядом со мной, когда мне предъявят обвинение.

Ровена не могла себе представить, почему это ее заявление заставило Уоррика схватить ее на руки и поцеловать, но он именно так и сделал. Он промок до нитки, но она не обратила на это никакого внимания. Она приникла к нему, отметив про себя, что поцелуй был не страстным. Но ей было приятно, она ощутила теплоту и безопасность, его силу и нежность. Ощутить такое после всего того, что пришлось пережить, было восхитительно!

Когда он поставил ее на ступеньки, он все еще нежно касался ее щеки рукой, и от улыбки глаза его потеплели.

— Пошли, — нежно сказал он и повел ее вверх по лестнице, держа за талию. — Я не хочу, чтобы ты опять обвиняла меня в том, что тебя тошнит, — или это из-за ребенка?

— Нет, по крайней мере я так не думаю.

— Тогда иди, поешь, — сказал он, подтолкнув ее вперед к лестнице, ведущей на кухню.

— А как же вы?

— Я уверен, что на этот раз могу обойтись без твоего обслуживания. Хотя, когда ты поешь, принеси мне бутылку моего нового вина и прикажи, чтобы нам приготовили купание.

Он не оговорился, когда сказал «нам», и Ровена покраснела, услышав это. У нее все еще пылали щеки, когда она вошла на кухню. При ее появлении работа не прекратилась, никто не позвал стражи, но Мэри Блауэт бросилась к ней, как боевой конь в атаку.

— Мне следует тебя наказать, девочка, — было первое, что она сказала, и потащила Ровену в кладовую, подальше от посторонних ушей. — Где это, черт побери, ты была? Обыскали весь замок. Даже дозоры высылали.

— А что, вчера вечером случилось что-нибудь, что касается меня?

— Так вот почему ты спряталась, — ответила Мэри и нахмурилась. — Но ты исчезла задолго до этого. Я искала тебя весь вечер, как только это случилось, но, впрочем, я никому не сказала, что ты пропала. По-моему, ты заслужила передышку, ведь тебе так много пришлось поработать на лорда Уоррика. Потом, когда леди Беатрис подняла весь этот шум из-за своего пропавшего жемчуга — чего же удивляться, что ты не вышла из своего убежища.

Так вот почему Беатрис поспешила со своим планом. Она не знала, что Ровены уже не было в замке. Над этим можно было посмеяться, но Ровена похолодела от страха, когда Мэри своими словами подтвердила ее опасения.

— И жемчуг нашли?

— Да, в покоях лорда Уоррика. Все это было очень странно. Стражник сказал, что казалось, леди Беатрис точно знала, где был жемчуг, как будто сама туда его и положила. Однако леди Беатрис утверждает, что это именно ты его взяла, и ее сестра говорит, что видела тебя рядом с их покоями как раз перед тем, как надо было переодеваться к обеду.

Ровена чуть не задохнулась, произнеся:

— Когда?

— Перед обедом, — ответила Мэри. — Именно тогда они не нашли жемчуг, хотя, как они утверждают, они его видели часом раньше.

— Значит, в последний раз они видели это жемчужное ожерелье днем? — взволнованно спросила Ровена.

— Да, так они говорят.

Ровена рассмеялась. Она готова была заключить Мэри Блауэт в объятия, а чувство облегчения переполнило ее, и она таки крепко обняла ее.

— Ну, ну, вот еще, — проворчала Мэри, хотя явно ей это было приятно. — За что это так?

— За то, что мне позволили не работать весь день и никому

об этом не сказали, а это поможет мне доказать, что я не виновата в том, в чем меня обвиняет Беатрис.

— Я не знаю, поможет ли тебе это, но рада слышать такое, ибо стража все еще ищет тебя. Это удивительно, как ты вернулась сюда и тебя не остановили.

— Может быть, потому, что со мной рядом был Уоррик, они решили, что он сам займется теперь этим делом.

— Он уже вернулся?

— Да, — усмехнулась Ровена. — И он приказал мне поесть, так что лучше я этим и займусь. Боже милосердный, мне кажется, у меня опять появился аппетит. Мне еще нужно отдать приказания о купании и чтоб принесли бутылку турезского вина.

— Тогда иди, ешь. Я позабочусь о купании и принесу тебе вино.

— Благодарю вас, госпожа.

— Мэри, — сказала госпожа Блауэт, усмехнувшись про себя. — Да, думаю, теперь ты можешь звать меня Мэри.

Когда вскоре после этого Ровена вошла в зал, она держала в руках бутылку с вином, как будто это была не бутылка, а ребенок. Она шла уверенно и, подойдя к тому месту, где сидел Уоррик, улыбнулась ему.

Он был рассержен, так как уже услышал обвинение. Конечно, Беатрис не стала дожидаться, когда он выйдет к столу, а сразу же последовала за ним в его покои, чтобы, пока он менял свою вымокшую тунику и сушил волосы, сообщить ему в подробностях обо всем, что случилось.

А его золотоволосая служанка выглядела так, как будто хотела сообщить ему какую-то приятную новость. Он надеялся, что это будет обязательно что-то хорошее, потому что обвинения, выдвинутые против нее, были просто убийственны.

Он пересел поближе к камину — со стола господина убрали после еды. Беатрис сидела на одном из стульев, Мелисанта — рядом с ней на скамеечке. Уоррик кивком головы указал Ровене на другой стул.

Беатрис едва сдержала удивление, но не сказала ни слова. Ее отец неодобрительно смотрел на нее с того самого момента, как она обвинила его возлюбленную в воровстве. Это доставляло ей удовольствие. Она надеялась, что он придет в ярость. Она, конечно, предпочла бы, чтобы, когда он вернулся, его служанка была бы уже обезображена и не была больше желанной, но, может, он сам оставит шрамы на ее лице, когда вынесет свое решение. Во всяком случае, он больше не возьмет ее к себе в постель после того, как вынесет приговор о ее виновности.

— Моя дочь, — начал с отвращением Уоррик, обращаясь к Ровене, — выдвинула против тебя, женщина, очень серьезные обвинения. Что ты можешь сказать о краже жемчужного ожерелья?

— Она сказала, когда его похитили?

— Когда, Беатрис?

— Прямо перед самым обедом, — с готовностью ответила Беатрис.

— Спросите ее, мой господин, насколько она уверена в этом, — предложила Ровена.

— Ты уверена, Беатрис?

Беатрис с трудом удержалась от того, чтобы не насупиться. Она не могла понять, какая разница, когда было похищено ожерелье. Ожерелье было похищено, потом его нашли в покоях Уоррика. Уж наверное, эта служанка не собиралась предположить, что это он сам взял его.

— Последний раз я видела его днем и решила, что надену его к обеду. И меньше чем через час оно пропало, и ее — Беатрис ткнула пальцем в сторону Ровены, — видели в это время рядом с моей комнатой. Ее видела Мелисанта.

Ровена посмотрела на Уоррика, улыбнулась и как бы без всякого умысла спросила:

— Сказала ли я вам, мой господин, в какое время я вчера убежала?

— Убежала? — воскликнула Беатрис. — Ты хочешь сказать, что ты вовсе не пряталась в замке со вчерашнего вечера?

— Нет, моя госпожа. Я не могла рассчитывать только на то, что я просто могу спрятаться от того, что вы задумали против меня.

Щеки Беатрис ярко вспыхнули раньше, чем в глазах заблестел злобный огонь.

— Так ты сознаешься, что убежала? А ты знаешь, какое наказание ждет беглого крепостного?

— Да, леди Беатрис. У меня есть свои собственные земли, свои собственные крепостные, я часто присутствовала при дворе своего отца, пока он не умер. Мне надлежит знать...

— Лгунья! — прошипела Беатрис. — Ты собираешься и дальше позволять ей лгать подобным образом, отец?

— Я сомневаюсь, что она лжет, — ответил Уоррик. — Именно я сделал ее служанкой, она не низкорожденная по происхождению. Но мы отклонились. Когда ты покинула замок, Ровена?

— Это было в полдень.

— Она опять лжет. — На этот раз Беатрис даже взвизгнула. — Как вы можете слушать...?

— Больше ни слова, Беатрис, — предупредил Уоррик ледяным тоном.

— Время, когда я покинула замок, может быть подтверждено, мой господин, — продолжала Ровена. — Госпожа Блауэт скажет вам, что она искала меня все время после полудня, но не могла найти. И стражник у потайного хода может точно назвать вам время, когда Милдред отвлекала его разговорами, чтобы я могла проскользнуть незамеченной. И я надеюсь, вы не будете его бранить за беспечность, ибо, будь он более прилежен, вы бы нашли меня не у своих ворот, а у себя в темнице — или, вернее, то, что от меня осталось бы, — закончила она и посмотрела на Беатрис с нескрываемым презрением.

— Что ты скажешь, Беатрис? — спросил Уоррик.

— Она лжет, — произнесла Беатрис надменно. — Приведите тех, кто, как она заявила, поддержит ее ложь. Пусть они скажут все мне в лицо.

— Значит, ты решила запугать их, чтобы они молчали? — спросил он, в свою очередь, и на губах его появилась улыбка, которую Ровена так ненавидела. — Я не буду этого делать. Но вот что скажи мне. Если она украла твое ожерелье, почему она не взяла его с собой, когда убежала.

— Откуда мне знать, как и что думает продажная женщина?

После этого замечания на лице Уоррика появилось самое грозное выражение, и он злыми глазами посмотрел на Беатрис. Но она была слишком рассержена, чтобы испугаться, и посмотрела на Уоррика с холодным безразличием. Но когда он перевел свой грозный взгляд на Мелисанту, его младшая дочь не выдержала и разрыдалась.

— Она заставила меня сказать это, — неистово завопила она. — Я не хотела, но она ударила меня и сказала, что обвинит меня в краже, если я не скажу, что это сделала ваша возлюбленная. Простите меня, отец! Я не хотела делать ей ничего дурного, но Беатрис была так сердита на вас...

— Да, на меня, — прорычал Уоррик. — Все это мне во благо. Ну что же, Беатрис, ты давно добивалась и, наконец, добилась, того, что будет во благо и тебе.

Глава 39

Свою дочь Уоррик порол тут же в зале, чтобы все это видели, использовав для этой цели пояс из толстой кожи. Ровена откинулась в кресле, в котором ей разрешили сидеть, и закрыла глаза, чтобы не видеть всего этого, но не слышать, что происходит, она никак не могла. Порка была жестокой, Беатрис охрипла от крика, невозможно было слушать, как она умоляла сжалиться над ней. Ровене пришлось закусить губу, чтобы удержаться и не попытаться покончить с этим раньше, чем Уоррик решит, что было достаточно. Когда, наконец, Уоррик закончил порку, дочь его, совершенно запуганная, полностью раскаялась.

После того как дамы, прислуживающие ей, помогли ей выйти из зала, Уоррик рухнул в кресло рядом с Ровеной.

— Это должно было бы умерить мой гнев, но этого не случилось.

— Но зато повлияло на мой гнев, — сухо ответила Ровена.

Звук, который он издал, походил на приглушенный смех.

— Женщина...

— Нет, простите меня, — сказала она серьезно. — Сейчас не время для веселья. И то, что вы все еще сердиты, вполне понятно. Очень больно узнать, что твое собственное дитя желает причинить тебе неприятности. Но постарайтесь не забывать, что она все еще ребенок и вела она себя по-детски, — это ее попытка отомстить.

Он в удивлении поднял брови.

— Ты пытаешься меня утешить, женщина?

— Боже милосердный, я не осмелилась бы и мечтать об этом.

На этот раз ему не удалось подавить смех.

— Я рад, что ты все еще здесь.

При этих словах Ровена затаила дыхание.

— Действительно?

— Да. Мне было бы ужасно неприятно выходить и ловить тебя в такой дождь.

Она сердито посмотрела на него, услышав такой ответ, но потом увидела, как его губы слегка скривились. Неужели этот наводящий страх дракон подшучивал над ней?

Удивительно, как спокойно она чувствовала себя с ним сейчас. Поистине он больше не казался ей человеком, захватившим ее в плен и державшим в неволе, и сама себе она не казалась пленницей. Или эта ночь, когда они оба испытывали страсть, действительно положила конец его желанию мстить? Мысль эта показалась очень заманчивой, и ей захотелось проверить, так ли это.

— Вопрос о воровстве, — начала она осторожно. — Он разрешился к вашему удовлетворению?

— Да, что касается этого.

Ровена боялась продолжать разговор. Но так как в его ответе не было раздражения, она, осмелев, задала еще вопрос:

— А что относительно моего — временного — пребывания в том лесу?

Он фыркнул, когда она употребила такие мягкие выражения, говоря о том, что на самом деле могло бы оказаться удачным побегом, если бы в этих местах не оказался ее брат, жаждущий возмездия.

— О чем это ты спрашиваешь, женщина?

— Должна ли я быть наказана за это?

— Я же не чудовище, чтобы не понимать, какой вред могло бы принести тебе дальнейшее пребывание в замке.

Она широко улыбнулась.

— На самом деле...

— Не говори этого, — предупредил он.

— Чего? — спросила она невинно.

Она совсем не испугалась его нахмуренного взгляда.

— Поскольку мы уже разобрались с твоим воровством и с твоим побегом, не хочешь ли ты теперь обсудить свою дерзость?

Ровена посмотрела в его сторону, сожалея, что у него такая хорошая память.

— Мне бы хотелось, чтобы обсуждение этого вопроса было ненадолго отложено, так как есть еще одна вещь...

Теперь, когда она уже вплотную подошла к нему, чтобы задать вопрос, она вдруг испугалась. Он был в хорошем расположении духа, несмотря на неприятность, связанную с дочерью. Ей очень не хотелось, чтобы настроение его изменилось из-за нее, не хотелось опять увидеть жестокое выражение лица, которое свидетельствовало о его ярости. Но ей нужно было знать, насколько глубоко было его новое отношение к ней. Или это отношение изменилось только внешне? Наконец, она выпалила:

— Вы все еще намерены отобрать у меня ребенка, Уоррик?

То, чего она боялась, случилось — сразу же лицо приняло жестокое выражение, рот скривился, глаза сузились, и в голосе прозвучала леденящая угроза:

— Что могло тебя заставить подумать, что он мне больше не нужен?

— Я... я так не думала, только...

— Значит, ты его будешь растить как простолюдинка?

— Я не простолюдинка! — огрызнулась она. — И мне по праву принадлежат мои земли.

— У тебя нет никаких прав, кроме тех, которые даю тебе я, — проворчал он.

— Что вы будете делать с ребенком? — требовательно спросила она. — Кто за ним присмотрит, пока вы будете пропадать на своих проклятых войнах? Какая-нибудь другая служанка? Ваша жена?

Казалось, он не заметил презрительного тона, с каким она произнесла последние слова.

— Если ты родишь мне сына, я сам займусь им. Я хочу сына. Дочь? — Он пожал плечами. — Внебрачные дочери — дело довольно неблагодарное, но от них тоже может быть польза. Я недавно узнал об этом.

Ее так взбесил его ответ, что она чуть было не закричала. Но выходить из себя, как с ней только что случилось, не было смысла, и этим не убедишь мужчину, особенно такого, как Уоррик.

Поэтому она постаралась сдержать свои эмоции и показать, что она всего лишь раздражена, и спокойным тоном спросила:

— Ну а воспитание, любовь, необходимые наставления?

Он поднял брови.

— Думаешь, я не способен дать все это?

— Да. Беатрис — прекрасный тому пример.

Это был жестокий удар, но он попал в точку. Выражение его лица изменилось, он был похож на человека, испытывающего сильнейшую боль.

Невероятно, но Ровена тоже почувствовала боль, — в груди у нее что-то сжалось от обиды за него, она вскочила со своего места и оказалась рядом с ним.

— Простите, — воскликнула она и обвила его шею руками и прижалась к нему, выражая тем самым, что она сожалеет о сказанном. — Я не имела этого в виду, клянусь, что нет! Это не ваша вина, что в стране царит беззаконие и вам постоянно приходится отсутствовать и защищать то, что принадлежит вам, вместо того чтобы быть дома со своей семьей. Это проклятый Стефан виноват во всем. Из-за него и мой отец часто покидал нас, чтобы участвовать в сражениях, и теперь вы сами видите, какой неуправляемой я стала из-за этого, хотя со мной была моя мать и она меня наставляла. Вас-то можно обвинить лишь в том, что я перестала вас бояться, и поэтому мой проклятый язык говорит много лишнего...

— Остановись... успокойся.

Он дрожал, сжимая ее в своих объятиях. Она попыталась откинуться назад, чтобы увидеть его лицо, но он очень крепко держал ее. И он издавал самые ужасные звуки.

— Уоррик? — спросила она в ужасе. — Вы... вы не плачете, нет?

Он затрясся еще сильнее. Ровена нахмурилась, заподозрив что-то неладное. Наконец, его голова оказалась над ее плечом. Он лишь взглянул на нее, и его беззвучный смех перешел в громкий хохот. В гневе Ровена вскрикнула и ударила Уоррика в грудь. Он схватил ее лицо обеими руками и поцеловал ее, но он все еще фыркал от смеха, поэтому поцелуй получился очень легким, похожим на щекотку, — по крайней мере сначала. Она рассердилась на него за такую отвратительную шутку, — запустив руки ему в волосы, прижалась своей грудью к его груди. И именно это сразу положило конец его веселью, а через несколько мгновений и ее раздражению.

Они оба учащенно дышали, когда выпустили друг друга из объятий. Ровене было так хорошо, что не хотелось двигаться, хотя ее и не приглашали сесть ему на колени. Он нашел выход из положения, прижав ее голову щекой к своей груди, и так и держал ее, а другой рукой нежно гладил ее по бедру.

— Ты так глупа, женщина. Ты даже не можешь как следует поспорить, потому что ты слишком озабочена тем, чтобы не обидеть чувств своего противника.

В зале они были не одни, но в основном на них не обращали внимания. Но Ровену это особенно не беспокоило, и это удивило ее. Всего лишь несколько дней назад она чувствовала себя униженной из-за того, что ее вот так держали на виду у всех. Но несколько дней тому назад Уоррик и не сказал бы ей ничего подобного.

Она усмехнулась про себя.

— Так уж устроено, что большинство женщин испытывают сострадание. Вы меня браните за то, что я обладаю этим чисто женским чувством, Уоррик?

Уоррик хмыкнул:

— Я просто подчеркнул, что бывает время, когда надо быть не по-женски немилосердной, и бывает другое время, когда надо быть женственной. Вот сейчас, мне хочется, чтобы ты была женственной.

Она сладострастно потянулась, еще теснее прижимаясь к нему всем телом. Он глубоко вздохнул.

— Так достаточно женственно для вас? — поддразнила она его, произнеся это чарующим голосом.

— Скорее, это немилосердно, или ты хочешь, чтобы я отнес тебя прямо сейчас в свою постель?

В действительности она ничего не имела против этого, совсем нет, но вместо этого она сказала:

— Вы забыли, что приказали приготовить купание?

— Если это сказано, чтобы охладить мою страсть, тогда ты, видимо, забыла то последнее наше с тобой купание?

— Нет, я не забыла, но похоже, баня опять будет холодной, — предупредила она его.

Он наклонился и ткнулся носом ей в шею.

— Ты имеешь что-нибудь против?

— А тогда я что-то имела против?

Он довольно хохотнул, поднимаясь и ставя ее на ноги.

— Давай-ка принеси мне вина. Я надеюсь, на этот раз ты не поперхнешься?

— Нет, я уверена, что не поперхнусь.

Ровена еще не привыкла к подобной словесной игре. У нее

запылали щеки и участился пульс. В конце концов, она все еще была пленницей и, как оказалось, — пленницей своих собственных желаний. Но, может быть, и Уоррик тоже был таким же пленником?

Глава 40

— Я выслал вперед к Джилли Филду одного своего человека, чтобы тот произвел разведку на местности. Но к тому времени, когда он вернулся и доложил, что не обнаружил никакой активности в этом районе, я уже получил другие сообщения о том, что была замечена большая армия, продвигавшаяся с севера к Фалхерсту.

— Значит, вы уже знали, об этой армии, скрывавшейся в этих лесах? — воскликнула Ровена. — Вы позволили мне рассказывать вам все это, и я пыталась убедить вас в том, что над вами нависла опасность, в то время как вы уже...

— Ты на что-нибудь жалуешься? — спросил Уоррик. — Я что, не выслушал каждое твое слово?

— Вас забавляло каждое мое слово, — негодующе возразила она.

— Нет, не каждое.

От этого краткого напоминания она на какое-то время замолчала. Он еще раз спросил ее о том, как зовут ее брата. Затем он надумал выяснить у нее, где были расположены земли, которые, как она заявляла, принадлежат ей, вероятно, полагая, что там может находиться сейчас Гилберт. Его очень раздосадовало то, что она так и не ответила на эти оба вопроса, и Ровена могла только догадываться, как его разозлило то, что попытался здесь сделать Гилберт.

В это утро они еще не выходили из его спальни, хотя Уоррик уже несколько часов был на ногах. В течение этой ночи армия Гилберта или то, что от нее осталось, так и не появилась у стен замка, и вряд ли уже теперь появится. И Ровенне, наконец, удалось задать ему вопрос о причинах, заставивших его так быстро вернуться в Фалкхерст. И сейчас он пытался объяснить ей это, но она все время его перебивала.

Он немного выждал, пока она выговорится, и затем продолжил:

— Так как мы не обнаружили армию, о которой нам сообщили в конце первого дня нашего марша, то я подумал, что будет лучше, если мы вернемся домой. Случилось то, что мне и следовало ожидать от д'Амбрейя: он решил выманить меня из замка, чтобы напасть на него, пока меня нет, и я не смогу защитить его. А тут твой брат решил воспользоваться моим отсутствием. Я думаю, что д'Амбрей получил информацию об армии твоего брата, решил что это мой отряд, и затаился где-нибудь в засаде. Если это так, то я представляю, как он рассвирепел, когда понял, что я разгадал его план. Ровена подумала, что сам Уоррик рассвирепел бы еще больше, если бы узнал, что д'Амбрей и ее сводный брат — одно и то же лицо.

Он мог бы догадаться об этом сам, так как в округе была замечена только одна армия. Но для того чтобы сделать правильное заключение, ему пришлось бы признать то, что это войско принадлежало его злейшему врагу, который пленил и унижал его в Киркборо. А он, казалось, был готов согласиться с любым другим вариантом, каким бы фантастическим он ни был, но не с тем, что было на самом деле. Она слишком долго не признавалась ему ни в чем. А ей следовало бы сказать ему правду, как только она пришла к заключению, что он ее не убьет, когда узнает, кем она являлась на самом деле. Но сейчас он может рассматривать ее молчание как заговор против него, а ее попытки соблазнить его как средство выведать его планы, чтобы затем предупредить Гилберта. В конце концов, почему он должен поверить в то, что она ненавидит своего сводного брата, так как вполне вероятно, что они вместе выступали против Уоррика? Правда в данной ситуации может только обозлить его, и, вероятно, ему снова захочется мстить Ровене. А сейчас она уже не сможет перенести этого, именно сейчас, когда она поняла, что у нее появилось сильное чувство к этому человеку.

То, что так случилось, было глупо с ее стороны, и она знала об этом. Еще Милдред предупреждала ее о такой возможности. Хотя тогда она и посмеялась над этим, она не сумела это предотвратить, так как чувство возникло в ней незаметно. И случилось это, вероятно, из-за ее чертовых желаний, которые она почти не могла контролировать. Было трудно не полюбить человека, который доставлял ей столько радости в постели.

Ровена закончила расчесывать волосы и стала заплетать косы. На ней снова была надета желтая туника, которая вчера не вызвала никаких возражений, хотя в мешке, который она принесла обратно с собой, находилась одежда служанки. Ровена предполагала, что таким способом она может проверить, насколько точно Уоррик придерживался тех правил, которые выработал специально для нее, и как изменилось его отношение к ней.

Ровена повернулась к нему и спросила:

— Вы думаете, что д'Амбрей может предпринять что-нибудь неожиданное?

Уоррик лег на постель, наблюдая за Ровеной.

— Я не предоставлю ему такой возможности. Через два дня я выступлю на его замок.

У Ровены перехватило дыхание, и пальцы замерли в волосах.

— Который? У него же их несколько.

— Да, под его контролем есть еще замки, но он не имеет права ими владеть. Но замок Амбрей, где он окопался, я возьму. Надеюсь, в этот раз он окажется в замке, когда я подойду.

Если Гилберта там не окажется, то мать Ровены будет все еще там. И, наконец, леди Анну можно будет вырвать из рук Гилберта, но, если замок не сдастся и битва разгорится внутри его стен, то она может пострадать.

— Когда вы берете замок, то вы и ваши люди убиваете всех без разбора? — нерешительно спросила она.

— В Киркборо кого-нибудь убили?

— Киркборо не обороняли, — напомнила она ему. — А Амбрей будут.

— В любом сражении, Ровена, люди гибнут не по выбору, но я никогда не занимаюсь бессмысленными убийствами. — Он сел на постели. — А почему ты это спрашиваешь? И если ты скажешь, что ты волнуешься за людей, которых ты даже не знаешь, я...

— Не начинайте запугивать с самого раннего утра, — с обидой в голосе прервала она его. — Я только думаю о женщинах и детях. У этого лорда есть семья, жена, мать?

— У него никого нет, отец умер. Хотя нет, там живет вдова его отца с дочерью, но они не кровные родственники.

— И все же я слышала, когда вы нападаете на врага, вы уничтожаете целые семьи.

Уоррик усмехнулся:

— Обо мне много чего говорят, женщина. Но, наверное, только половина из этого правда.

Он так и не произнес того, что ей было необходимо услышать. Это стало волновать ее, и она напрямик спросила:

— Значит, вы не убьете этих женщин, хотя они связаны с лордом д'Амбрейем через женитьбу его отца?

Уоррик окончательно нахмурился.

— Если бы я, Ровена, был способен на убийство женщин, то у тебя уже не было бы возможности задавать такие дурацкие вопросы.

Она повернулась к нему спиной, но прежде он успел заметить, как изменилось выражение ее лица. Уоррик невнятно ругнулся и, подойдя к ней сзади, привлек к своей груди.

— Я имел в виду совсем другое, а не то, как это прозвучало, но я просто объяснил тебе, что я думаю по этому поводу, — сказал он ей. — Думаешь, мне нравятся эти твои вопросы? Судя по ним, можно подумать, что я такой злодей. Я думал, что ты больше не боишься меня?

— Нет, не боюсь.

— А почему?

Она обернулась, чтобы посмотреть на него, но неожиданно краска залила ее щеки, и она в смущении потупила взор и тихим, раскаивающимся голосом произнесла:

— Потому что вы не делаете плохого женщинам, даже если у вас для этого есть причины. Извините меня, Уоррик. Мне бы следовало яснее выражать свои мысли, но мне... мне не нравится, что вы отправляетесь воевать.

— Я рыцарь...

— Я знаю, рыцари всегда где-нибудь воюют. Женщинам не должно это нравиться. Вас... вас долго не будет?

Он обвил ее руками и еще ближе прижал к себе.

— Да, может случиться, что несколько месяцев. Ты будешь скучать без меня, женщина?

— С вами исчезнет половина моих обязанностей.

Он похлопал ее по ягодицам.

— Ты не так должна отвечать своему господину.

— Этот ответ предназначался для человека, который называет меня своей крепостной. Для человека, который любил меня этой ночью, у меня есть другой ответ. О нем я буду мечтать, молиться за него и считать дни, когда он вернется живым и невредимым...

Его руки чуть не раздавили ее, и он жадно впился в нее губами. Прежде чем все ее мысли спутались от возбуждения, которое он так быстро вызвал у нее, она успела решить, что этот ответ, должно быть, понравился ему больше. Ей было просто жаль, что все это было правдой.

Глава 41

Уоррик поднял глаза от холодной трапезы, когда кто-то откинул полог палатки. Его губы медленно растянулись в улыбке, когда он увидел вошедшего.

— Черт тебя побери, что ты здесь делаешь, Шелдон? Только не говори, что ты просто шел мимо.

— Я прибыл из Фалкхерста вместе с твоим продовольственным обозом. Так что можешь отставить в сторону эту бурду и подождать, когда тебе подадут кусок жареной свинины. Я насчитал дюжину жирных свиней, одну из которых уже сейчас забивают.

— У нас неплохо шли дела, — ответил Уоррик — В этой сельской местности выдалось благодатное лето, и до того, как мы сюда прибыли, я принял меры, чтобы все поголовье скота осталось здесь, а не было уведено в замок, хотя я позволил всем селянам найти убежище в замке.

Шелдон рассмеялся над такой стратегией.

— Добавил им ртов, которые надо накормить, а еду, которой кормить, сократил. Обычно осаждающая сторона не так удачлива.

Уоррик в ответ пожал плечами и сказал:

— Мне повезло, что я со своим авангардом застал их врасплох. Но так как все еще шла уборка урожая, я думаю, что в замке достаточно запасов. Вот уже месяц прошел, но я не думаю, что они уже ограничивают себя в еде.

— Послушай, я притащил сюда несколько катапульт — может, они тебе понадобятся?

— Неужели?

— И небольшую гору камней для метания. Но я заметил, что ты из Туреза доставил свою баллисту. Надо было мне захватить камни покрупнее.

Уоррик усмехнулся и сказал:

— Это было бы очень ценно, так как основная масса камней, что была со мной, затонули в этом проклятом рве, не успев причинить никакого вреда. А теперь скажи мне, что ты тут делаешь, мой друг. Это ведь не твоя война.

Теперь настала очередь пожать плечами Шелдону.

— Закончив сбор урожая, я с ума сходил от скуки. Ты со своим незамедлительным возмездием, за любой даже незначительный проступок, сделал всех наших соседей такими законопослушными, что в нашем графстве не случается ничего интересного. А с тех пор, как умерла Элеонора, у меня не было никого, кто мог бы удержать меня дома. Оставалось либо совершить небольшой набег через границу и быть представленным ко двору, к чему я питаю отвращение, или прибыть недели на две сюда и предложить несколько своих великолепных советов, или уж в самом крайнем случае свое общество.

— Тебе здесь безусловно очень и очень рады, хотя, скорее всего, здесь тебе будет так же скучно, как и дома.

— В твоей компании никогда не скучно, Уоррик, особенно когда можно тебя рассердить, — усмехнулся Шелдон. — Ты что, планируешь просто их тут пересидеть?

— Не в моих привычках пассивно осаждать крепость. Мы все время держим их в напряжении и даже в состоянии боевой готовности.

— Сколько осадных башен ты уже использовал?

— Три, но их сожгли, теперь во рву полно камней. Сейчас я занялся сооружением еще двух.

— На тех, кто следит за всем происходящим со стены крепости, это должно действовать деморализующе, точно так, как и прибытие твоего обоза с провиантом. Но на этот раз ты загнал в угол этого призрачного волка или ему удалось улизнуть?

— На стенах крепости он не показывается, чем лишает моих лучников большого удовольствия поупражняться в стрельбе. На первой неделе нашего пребывания здесь был пожар. Я не знаю, удалось ли каким-нибудь отважным воинам из замка спуститься со стен крепости и устроить поджог, или это случилось из-за небрежности моих людей, но в возникшей суматохе целое войско могло улизнуть, спустившись со стен или через потайной ход, который с внешней стороны так хорошо спрятан, что мы его еще не обнаружили. Поэтому вполне вероятно, что д'Амбрейя здесь не было вообще. Я буду огорчен, если это так.

— И это будет уже не в первый раз, когда ты считаешь, что он в твоих руках, а ему удается скрыться.

— Да, но если он и на этот раз так поступит, клянусь, я не оставлю камня на камне от его крепости.

— Ну, теперь это было бы лишним. Если тебе не нужна эта крепость, почему бы не отдать ее Малдуитам в качестве приданого Беатрис? Пусть они побеспокоятся о том, как защитить эту крепость от д'Амбрейя, если ты не покончишь с ним на этот раз.

Уоррик улыбнулся. Конечно, если говорить о возмездии, то это было очень хитро задумано и имело бы забавные последствия, особенно после того, как лорд Рейнард попытался надуть его с невестой, которая не хотела выходить за Уоррика замуж, но в конечном итоге был за это даже вознагражден.

— А может быть, отдать этот замок тебе в качестве приданого Эммы, чтобы ты не жаловался больше на скуку? — съехидничал Уоррик.

Шелдона, казалось, ужаснуло это предложение.

— Ради Бога, тебе не следует быть таким щедрым с нами! Какая-нибудь ферма или мельница полностью удовлетворят Ричарда. В конце концов, он самый молодой в нашей семье. Он с трудом получил рыцарские шпоры, и, по правде говоря, я думаю, что лорд Джон просто пожалел его, когда в этом году посвятил его в рыцари.

Услышав эту полуправдивую тираду, Уоррик рассмеялся. Да, Ричард был молод, но все три сына Шелдона были молоды, но это не помешало им унаследовать все рыцарское искусство, которым владел их отец.

— Сначала мне нужно подумать, как захватить д'Амбрейя, а потом уж думать, что делать с его замком, — пошел на уступку Уоррик.

— В этом нет никакого сомнения, принимая во внимание количество воинов, которые находятся здесь. И я привел еще сотню...

— Добро пожаловать, но в них нет необходимости.

Шелдон фыркнул:

— А где ты набрал столько воинов?

— Сейчас полно безземельных рыцарей. Те, которые присоединились ко мне, считают, что не нарушают никаких законов, занимаясь тем, чем им нравится, и не влияют на различные политические махинации при дворе. Я веду войны честно и открыто, мои воины мне преданы, или, по крайней мере, у меня мало людей, которые за обладание властью могут воткнуть нож в спину. А люди, которые предпочитают сражаться за мир...

— Но это же не последняя твоя кампания, не правда ли? Что ты будешь делать с такой огромной армией, когда перейдешь к мирной жизни?

Уоррик пожал плечами:

— По крайней мере, половину армии я сохраню. У меня достаточно людей, чтобы содержать половину этого войска. Остальных я, наверное, попрошу предложить свои услуги молодому Генри. Ходят слухи, что он снова собирается вернуть себе трон.

Шелдон чуть не поперхнулся.

— Значит, ты больше не будешь нейтральным в политической борьбе?

— Я сражался на стороне Стефана только тогда, когда мне это было выгодно, откупался деньгами, когда это было не выгодно, и даже однажды выступил против него, когда один из преданных его сторонников проявил враждебность в отношении меня. Но я бы приветствовал короля, который снова может принести нам мир. Тогда на старости лет я мог бы отдохнуть. Я верю, что представитель Анжуйской династии может это сделать.

Шелдон согласился с ним, и они поговорили о некоторых знаменитых пэрах, которые уже перешли в лагерь Генри. Лорд Чешир уже навещал Шелдона, чтобы прощупать его настроение, а лорд Херефорд имел частную беседу с Уорриком, когда тот в последний раз был в Лондоне. Все складывалось так, что вновь должна была вспыхнуть гражданская война, и вассалы Генри хотели заранее знать, кто их поддерживает, или, по крайней мере, сохранит нейтралитет. Но это была тема для будущих разговоров, и Шелдон перешел на предмет, который его волновал сейчас больше всего.

— Со мной должен был быть Ричард, но по дороге сюда мы сделали остановку в Фалкхерсте, и я не смог оттащить его от, как я надеюсь, будущей невесты. Уоррик, ты не поверишь, как она преобразилась. Я почти собрался сказать моему сыну, что ты передумал и решил предложить ее мне, а не ему. Но боюсь, что он вызовет меня на поединок, предложи я ему такое. Он еще никогда не был так влюблен.

245

— Что ты там сказал о ее манерах? — спросил Уоррик. — Заметил какие-нибудь улучшения?

— Твоя маленькая госпожа-служанка совершила чудо за такой короткий срок. Она обучила Эмму всем премудростям, связанным с управлением замком, и тому, что должна знать жена владельца замка. Совершенно не догадаешься, что Эмма воспитывалась в деревне. Она стала такой грациозной и...

— Довольно, Шелдон! Ричард может забирать ее.

— В таком случае я буду рад, что она станет моей невесткой, а не женой.

Уоррик фыркнул от смеха:

— В этом я никогда не сомневался. — Затем как бы невзначай спросил: — А как там поживает наставница Эммы?

— О, с ней все в порядке. Ты ее уже месяц как не видел, не так ли?

Уоррику не нужно было напоминать об этом. Ему хотелось домой, так как впервые со времен детства у него была причина для возвращения, и он был в отчаянии, что не мог этого сделать.

— А как шлюхи у тебя в лагере? — спросил Шелдон. — Стоит с ними связываться?

— Откуда я знаю, — пробурчал Уоррик. — А ты не ответил на мой вопрос. Ровена себя хорошо чувствует? Питается нормально? Эмма не утомляет ее?

Шелдон издал короткий смешок:

— Нет, в твое отсутствие ее некому запугивать, и она просто расцвела. Она добавляет красоты и грациозности твоей трапезной. Эмма обожает ее. А Мелисанта предпочитает ее компанию общению со своей гувернанткой. Да, даже манеры твоей младшей дочери улучшились с тех пор, как Беатрис отправили на жительство к ее будущим родственникам. Вероятно, за это ты также можешь благодарить свою маленькую Ровену.

— Может быть, мне следует привезти ее сюда, — сухо произнес Уоррик. — И она в одиночку возьмет Амбрей для меня.

— Я ее слишком перехвалил?

— Немного, хотя и есть за что. Я уже принял решение относительно своей новой жены.

На лице Шелдона появилось выражение глубочайшего удивления, и он воскликнул:

— Не может быть! Скажи мне, что этого не может быть. Черт бы тебя побрал, Уоррик! А я-то мог поклясться, что ты стал привязываться к леди Ровене. Ну, конечно, у нее же нет земли. Нет родственников. Неужели для тебя важно что-то другое, а не то, что подсказывает тебе твое сердце? Ну и кто же эта другая леди? Что она даст тебе такого важного, что ты собираешься рискнуть заполучить еще одну Изабеллу?

Уоррик пожал плечами:

— Она уверяет, что у нее есть какая-то собственность, но из-за какого-то глупого упрямства не хочет говорить, где она находится.

— Не хочет говорить? Тебе? — Седеющие брови Шелдона изогнулись. — Мой друг, и ты мне говоришь такие вещи?

Уоррик усмехнулся:

— Да, эта маленькая женщина, как ты и полагал, околдовала меня. И раз уж она захватила мой замок, то я вынужден сделать ее его законной хозяйкой.

Глава 42

Ровена рассмеялась, увидев, как Эмма сморщила нос, почуяв запах кипящего прогорклого жира.

— Неужели мне надо знать все обо всем? Даже о том, как изготовлять свечи?

— Тебе очень повезет, если у тебя будет человек, занимающийся изготовлением свечей. А если такого не будет, что ты станешь делать: будешь ли нанимать специалиста за плату или сумеешь научить этому одного из своих слуг? Если твой мыловар будет знать только рецепт щелочного мыла, тогда у тебя никогда не будет того мыла с приятным запахом, которое тебе нравится потому, что торговцы запрашивают за него большую цену. Или ты сумеешь изготовить свое собственное мыло?

Как всегда, Эмма покраснела, поняв, что задала глупый вопрос.

— Надеюсь, Ричард оценит, что мне приходится претерпевать ради него.

— Он оценит, если в доме у него будет полный порядок. Ему совсем не надо знать, горит ли печь на кухне, или о том, что отвязалась корова на скотном дворе, или о том, что торговец пытался взять с тебя за перец слишком много и ты за это вытолкала его в спину. Но Ричард обратит внимание на то, как быстро приготовлены и поданы ему рыба и яйца, и улыбнется тебе и расскажет о том, как у него прошел день, и его день не идет ни в какое сравнение с твоим. И тогда он будет хвастаться своим друзьям, что у него самая лучшая на свете жена. Она никогда не жалуется, никогда не беспокоит его по поводу своих вещей, о которых он ничего не знает, и она редко просит у него денег.

Эмма хихикнула:

— Мне действительно надо быть образцом добродетели?

— Конечно, нет, — ответила Ровена, уводя Эмму подальше от ядовитого запаха кипящего жира. — Если бы к своему несчастью я все еще была бы супругой этого старого развратника Лайонза, может быть, и я переплачивала бы за перец и обсыпала бы им его рыбу. Я говорю об этих вещах вообще, такие советы давала мне моя мать. Ты будешь вести себя с Ричардом по-своему, так что не пугайся. А теперь иди и найди Эдит. Мне-то уж совсем не обязательно присутствовать с тобой во время всей процедуры изготовления свечей, я-то ее знаю, пусть Эдит сделает это. И больше не спрашивай, почему просто нельзя рассказать тебе, как это делается. То, что услышишь, быстро забудешь, а то, что сделаешь сама, не забудешь никогда.

Ровена вернулась в трапезную и вновь принялась за шитье, которое она оставила у очага. Она шила тунику для Уоррика из красной венецианской парчи. Дело это было не легким и не быстрым, так как тонкий шелк приходилось шить очень маленькими и аккуратными стежками. Конечно, лучше было бы это делать в его покоях, где было светлее и лучше видно, но она не могла привыкнуть к тому, чтоб считать его покои своими собственными, хотя накануне своего отъезда он сказал, чтобы она так делала и — спала там каждую ночь.

В тот же самый день в его покоях появился и сундук с ее одеждой. Он не сказал ни слова об этом, отметил лишь только, что ее платье роскошного пурпурного цвета с золотой отделкой, которое было на ней в тот вечер, было очень красиво. О том, что с его отъездом ее обязанности станут совершенно другими, она узнала лишь после того, как он уехал.

Во-первых, Эмма сказала ей о своей свадьбе, которая произойдет лишь в том случае, если она освоит все обязанности жены господина, и что ее отец разрешил ей попросить Ровену

248

обучить ее всему, что связано с этими обязанностями. Поневоле Ровена попала впросак, спросив, кто был отец Эммы. И целую неделю она сердилась на Уоррика, что он ее не предупредил об этом. Но в тот же самый день Мэри Блауэт сообщила ей, что если Ровена согласилась обучать Эмму, а Ровена уже делала это, тогда ее освобождают от всех других обязанностей.

Ровене доставляло удовольствие помогать Эмме: она уже полюбила эту девушку, и ей будет очень недоставать ее, когда та выйдет замуж за молодого Ричарда. Однако это произойдет не раньше, чем вернется Уоррик, и никто не знал, когда это случится.

Были и другие изменения. Беатрис отправили жить к ее новой семье, и казалось, весь замок вздохнул с облегчением после ее отъезда. Как только отбыл и Уоррик, его младшая дочь сделала несколько робких попыток к примирению, которые Ровена всячески поощряла, видя, что Мелисанта была совсем не такой уж подлой по натуре, как решила Милдред: просто на нее оказывала дурное влияние ее старшая сестра.

Изменения в жизни Ровены повлияли и на других, хотя она была склонна считать, что самым важным оказалось то, что изменилось место, где она спала. Теперь Мэри приходила к Ровене со своими проблемами, а муж Мэри баловал ее чемнибудь особенно вкусным. Даже управляющий Уоррика советовался с ней, прежде чем отправить Джона Гиффорда в ближайший город за провизией. Джон, когда не был занят по службе, обычно присоединялся к трапезе Ровены и Милдред.

Хотя Мелисанта и пригласила Ровену обедать за столом господина вместе с ней и леди Робертой — последняя была единственной во всем замке, кто все еще относился с пренебрежением к Ровене, — она не приняла приглашение, считая, что это будет слишком самонадеянно с ее стороны.

Уоррик мог бы облегчить Ровене жизнь до того, как отбыл из замка, но он не сказал, что она больше может не считать себя его служанкой. А служанка, даже если она в роскошном платье знатной дамы, не обедает за столом господина.

Ровена почти постоянно думала об Уоррике. Чувство полностью захватило ее, и она ничего не могла с этим поделать. Когда он был здесь, она была для него желанна. Он шел на уступки, которых она не ожидала. Но, в конце концов, она была лишь той, кем он ее сделал — его возлюбленной, его служанкой, его пленницей. И она не могла рассчитывать ни на что большее, она не могла даже быть уверенной, что, вернувшись, — а время, конечно, притупит воспоминания, — он не найдет еще кого-нибудь, к кому будет проявлять интерес.

— Госпожа, вам надлежит пойти со мной.

Ровена подняла глаза и увидела стоявшего перед ней сэра Томаса, запыленного после проделанного пути. Он покинул замок вместе с Уорриком месяц тому назад. Она с надеждой посмотрела, нет ли кого еще за спиной.

— Вернулся Уоррик?

— Нет, госпожа, он все еще у крепости Амбрей.

— И вы должны отвезти меня туда?

— И как можно скорее.

Кровь отхлынула от ее лица.

— Он ранен?

— Нет, конечно.

— Что ж, не считайте, что я задала глупый вопрос, — поспешно сказала Ровена. — Что еще могла я подумать, когда вы сказали, что нам надо спешить?

— Таков приказ моего господина, — объяснил он. — Но мы не будем мчаться слишком уж быстро, так что к концу путешествия вы не будете выглядеть такой усталой и запыленной, как я. Я скакал на коне лишь одну ночь, а на то, чтобы я в безопасности доставил вас до крепости Амбрей, мне дали полтора дня. А если вы поторопитесь со сборами, мы сможем ехать не спеша.

Ровена с любопытством взглянула на сэра Томаса и спросила:

— А вы не знаете, почему за мной прислали?

— Нет, госпожа.

И вдруг Ровена вздрогнула, когда подумала об одной возможной причине.

— Взяли Амбрей

— Нет, он все еще в осаде. Но вы не будете подвергаться никакому риску

Теперь она совсем не видела никакого смысла в том, что ее вызвали туда.

Глава 43

Возможно, была еще одна причина, по которой ее повезли к Уоррику. Эта догадка наполнила ее ужасом до конца всего путешествия. Может быть, Уоррик увидел Гилберта на стене крепости и узнал его. Возможно, он ее встретит одним из самых своих страшных приступов гнева, самым жестоким видом. Он опять может захотеть возмездия, может, даже захочет использовать ее против Гилберта, подвергнуть ее пыткам перед стенами крепости, повесит ее, — нет, нет, он не сделает этого. Но она вспомнила порку, которую получила Беатрис. Она вспомнила темницу. Она вспомнила, как ее приковали цепями к его постели, — пожалуй, сейчас это выглядело менее ужасно, чем порка...

Она была в таком страхе, когда они добрались до лагеря, окружавшего крепость Амбрей, что едва заметила возвышавшийся в середине ее безмолвный замок. Ее отвели сразу же в палатку, раскинутую для Уоррика, но его самого там не было. Это не успокоило ее взвинченные нервы. Она была здесь. Она хотела, чтобы то, через что ей суждено пройти, поскорее закончилось.

Но она не успела даже рассердиться за то, что ей придется ждать, ибо не прошло и минуты, как появился Уоррик. Не было времени оценить его настроение — она сразу оказалась в его объятиях. И не было возможности произнести ни слова, ибо он покрыл ее рот поцелуями и не дал ей ни вздохнуть, ни произнести что-либо в свое оправдание.

И поцелуи сказали ей, что она принадлежит ему, что она желанна, и она была переполнена этим чувством, как ей казалось, бесконечно долго. Когда ей дали возможность перевести дух, она сразу вспомнила все то, что ее тревожило, не сразу справилась с пробужденными чувствами. И только когда ее опустили на убогую постель и когда она увидела, как он отбросил в сторону свой пояс, на котором он носил меч, перед тем как он опустился на колени, чтобы обрушиться на нее, она воскликнула:

— Подождите! — и обеими руками попыталась оттолкнуть его от себя. — Что все это значит, Уоррик? Зачем меня сюда привезли?

— Потому что я соскучился по тебе, — ответил он, не обращая внимания на сопротивление, которое она ему оказывала, склонившись над ней и произнося слова прямо над ее губами:

— Потому что я понял, что сойду с ума, если не увижу тебя еще хотя бы день.

— И это все?

— Этого недостаточно?

Радость избавления от страха была настолько велика, что она ответила на его поцелуй со страстью, которой раньше никогда не проявляла. Его руки коснулись ее груди. Ее руки нащупали его бедра, и она сильнее прижалась к нему. Но этого было недостаточно: объятию мешала одежда, а он не переставал целовать ее, и она не могла сбросить платье.

Когда он, наконец, остановился, чтобы скинуть свою тунику, то делал это в такой спешке, что Ровена рассмеялась:

— Ты порвешь так много одежды, что я не смогу ее всю починить.

— Тебе это не нравится?

— Нет, ты и мою можешь порвать, если хочешь, — широко улыбнулась она ему. — Но я могла бы снять одежду быстрее, если ты мне позволишь подняться.

— Нет, я хочу, чтоб ты оставалась на месте. Ты даже не можешь себе представить, как часто я мысленно представлял тебя именно так.

Она погладила своими ладонями его грудь, которую он оголил, чтобы она могла коснуться его кожи, потом приподнялась и коснулась губами сосков.

— Как же часто я воображала себе, что целую твою грудь, — сказала она.

— Ровена... не надо, — резко сказал он и попытался оттолкнуть ее, чтобы она опять лежала на спине, но она не удержалась и лишь теснее прижалась губами к его груди.

— Перестань, или я сразу кончу, как только овладею тобой.

— Это не имеет никакого значения, если только это доставит тебе удовольствие, Уоррик. Ты думаешь, я не уверена, что ты потом и мне доставишь удовольствие?

Он застонал, задрал ее юбки, стянул вниз панталоны и погрузился в нее. И она таки убедилась, что потом он довел ее до такого же состояния блаженства.

Уоррик не покидал своей палатки ни этим вечером, ни ночью. На следующее утро, когда Ровена проснулась, посыль-

252

ный Уоррика, юный Бернард, сообщил ей, что сэр Томас отвезет ее назад в Фалкхерстский замок. Самого Уоррика нигде не было видно: его и след простыл.

Сначала Ровена удивилась, потом почувствовала раздражение. Проехать весь этот путь, чтобы провести всего одну ночь любви? Она не понимала, почему ей нельзя здесь задержаться.

Она потребовала, чтобы ее немедленно отвели к Уоррику. Бернард отрицательно покачал головой и хмуро объяснил:

— Он сказал, госпожа, что если он вас снова увидит, он, скорее всего, оставит вас здесь. Но так как это не место для вашего пребывания, то вам надлежит уехать.

Ровена открыла было рот, чтобы возразить Бернарду, но быстро спохватилась и промолчала. Боже милосердный, как она могла забыть, где находится?

Она посмотрела на крепость. Где-то там вот уже три года томилась ее мать, совсем рядом, но тем не менее вне пределов досягаемости. Но скоро леди Анну освободят. Уоррик сделает это. И он не уйдет отсюда, пока этого не сделает.

Часть внешних стен пострадала от обстрела из баллисты, но они не были основательно разрушены и не было в них пробоины, достаточной, чтобы через нее проникнуть внутрь. Однако Ровена знала, где находится потайной ход. Но сказать об этом Уоррику означало сообщить ему, что она знает крепость Амбрей, знает Гилберта. Этого она сделать не могла.

Но осмелится ли она рискнуть остаться здесь, чтобы увидеть свою мать, когда крепость падет. Она могла бы отказаться уехать. Если б она только могла поговорить с Уорриком, то смогла бы убедить его разрешить ей остаться или, по крайней мере, быть где-нибудь поблизости. Но тогда, как ей удастся подойти к своей матери без того, чтобы Уоррик не увидел этого? Да и Анна не будет притворяться, что не знает Ровену.

Лучше всего ей было уехать. Раз нет никакой гарантии, что ее попытки помочь матери увенчаются успехом, то лучше их и не делать.

Анна будет скоро освобождена. И Уоррик отошлет ее либо в те владения, которые являются ее вдовьей частью наследства, где она будет в безопасности, либо в Фалкхерст до окончания войны. Там Ровене удобнее будет предупредить свою мать, чтобы та изобразила, что не знает ее, — по крайней мере, в присутствии Уоррика. И тогда, наконец, они опять будут все вместе.

Глава 44

Уоррик в сотый раз ругал себя за то, что пошел на поводу у своих желаний и послал за Ровеной. Оттого, что он увидел ее, ему не стало легче. Их встреча была нежной, необыкновенно нежной, но его желание обладать ею стало еще сильнее, и сейчас ему, как никогда раньше, хотелось быть с ней, хотя с момента ее отъезда прошло всего два дня.

Результатом этого краткого визита было то, что он укрепился в своем решении завершить осаду штурмом. Он ускорил работу по строительству двух осадных башен, и к утру они должны были быть готовы. Уоррик разослал по окрестностям свои патрули в поисках крупных камней и тяжелых метательных снарядов для своей баллисты. В ближайшей деревне он собрал все большие чаны. Заполнив их глиной и мелкими камнями их можно использовать в качестве снарядов для метания. В случае неудачной атаки необходимо было начать рытье туннеля, хотя в рядах его армии не было специалистов по подземным работам. Но это было последнее средство проникновения в замок.

В тот вечер он проверил законченную деревянную башню, в которой он будет находиться во время атаки. Когда ее подтянут ко рву с водой и наклонят так, чтобы она оперлась о стену, он будет стоять на ее верхней платформе. В этот момент лучники осыпят ее градом зажигательных стрел, и она будет объята пламенем. Поэтому вся операция должна быть проделана мгновенно, прежде чем башня станет смертельно опасной для укрывшихся в ней людей. Эта конструкция, будучи по сути защищенной лестницей, все же наилучшим образом укрывала людей, которых он отобрал для штурма стен. Эти воины должны с боем прорваться вниз и открыть ворота.

Когда Шелдон нашел его, Уоррик отдавал приказание еще раз как следует облить башню водой.

— Уоррик, это должно тебя развеселить, — произнес он, волоча за собой очень испуганную и насквозь промокшую женщину. — Она заявляет, что вместе со своей госпожой сделала так, что половина гарнизона внезапно заболела. Они это сделали для того, чтобы мы почти без всяких усилий могли захватить замок сегодня ночью.

— Неужели? — Голос Уоррика был так же сух, как у Шелдона. — А когда я клюну на эту неожиданную, но, естественно, с удовольствием принятую мною помощь, я в этой западне потеряю половину своей армии. — Его голос стал угрожающим и оставался таким, пока он говорил. — Они меня там считают за простака, если думают, что со мной можно так плоско шутить? И еще женщину для этого использовали! Заставь ее говорить правду, мне безразлично каким способом.

Услышав это, женщина залилась слезами.

— Пожалуйста, не нужно. То, что я говорю, правда. Моя госпожа совсем не любит нового лорда и ненавидела его отца. Для нас Амбрей был тюрьмой. Мы хотели только выбраться отсюда.

— Но ты, женщина, выбралась, — заметил Шелдон. — То же могла сделать твоя госпожа. Почему вы не ушли вместе, вместо того чтобы рассказывать тут небылицы...

— Потому что для того, чтобы я в безопасности смогла добраться до полученного мною в приданое имения, мне необходимы сопровождающие, — произнесла Анна, которую в этот момент привели и поставили за спиной у Шелдона. — Я думала помочь вам заполучить то, что вам нужно, а это, как мне кажется, Амбрей, в обмен на сопровождающих.

— Моя госпожа, вам нужно было подождать! — взвыла служанка. — Вы не должны...

— Замолчи, Гелвиз! — прервала ее та. — У меня не было терпения ждать, и я воспользовалась тем, что на воротах нет охраны. И я предпочитаю быть здесь, а не там, невзирая на то, верят нам или нет.

Перебравшись через ров вплавь, она так же вымокла, как и ее служанка, но держалась величественно, несмотря на то что стражник, который привел ее сюда, все еще грубо держал ее за руку. Шелдон с удивлением уставился на Анну, так как, несмотря на ее непрезентабельный внешний вид, она была очень миловидной женщиной. Уоррик тоже разглядывал ее с удивлением, потому что ее лицо казалось ему знакомым, хотя он никогда ее прежде не видел.

— Значит, мы должны верить вам, мадам, просто потому, что вы говорите, что это так? — скептически спросил Уоррик.

Затем вопрос задал Шелдон:

— Кто вы, мадам?

— Анна Белмс.

Уоррик хмыкнул:

— Белмс теперь зовут д'Амбрей.

— Нет, я не считаю это имя своим, так как священник не услышал от меня «да», когда меня насильно выдавали замуж. Это был фарс, который стоил мне трех лет жизни здесь пленницей.

— Тогда, если у вас были средства помочь нам и покончить с вашим заточением, почему вы так долго ждали? — требовательным голосом спросил Уоррик. — Мадам, мы ведь не только что появились здесь. Мы уже тридцать три дня стоим здесь лагерем.

То, что Уоррик скрупулезно вел счет дням, вызвало у Шелдона ухмылку, которая заставила Анну обратить на него внимание. Она прищурилась и увидела, что он был не таким старым, как показался с первого взгляда. Когда он улыбнулся ей, она покраснела, так как он оказался не таким отталкивающим, как сначала, а совсем наоборот.

Уоррик сердито посмотрел на них, так как они занялись друг другом и он не получил ответ на свой вопрос.

— Шелдон, я тебе не мешаю?

— Вообще я думаю, что леди Анне нужно сначала просохнуть, прежде чем ты продолжишь...

— На это нет времени, — прервала Анна. — Болезнь, которая поразила большую часть гарнизона, продлится только до тех пор, пока они не опорожнят свои желудки. Мы всего-навсего добавили к их обеду тухлого мяса, но еще не все пообедали.

— Вы все еще мне не сказали, почему вы это сделали только сейчас, — заметил Уоррик.

— Если вы лорд Фалкхерста...? — Она подождала, пока он легким кивком не подтвердил этого, и затем объяснила: — Про вас мне рассказывали ужасные вещи, поэтому я присоединила свои молитвы к молитвам всех остальных, чтобы вы потерпели здесь неудачу. Но когда я увидела свою дочь в вашем лагере и она выглядела хорошо и была в добром здравии, то я поняла, что мне про вас сказали неправду.

— Дочь? — хмыкнул он. — Мадам, вы думаете, что ваша дочь находится в моем лагере? Можете поискать, но если вы думаете взять ее с собой, то я сомневаюсь, что мои люди захотят с ней расстаться.

Анна от гнева покраснела, поняв, что он имел в виду.

— Моя дочь не из тех, кто следует за вашими воинами в походах. Я не знаю, как ей удалось вырваться из-под опеки мерзкого Гилберта и попасть к вам, так как он говорил мне, что потерял ее. Более того, ему доставляло удовольствие рассказывать мне, что она сделает такое, что ему...

— Д'Амбрей в замке? — нетерпеливо прервал ее Уоррик, которому было неинтересно слушать о врагах ее семьи.

Она покачала головой. Уоррик грязно выругался, а Шелдон вежливо спросил:

— Он сбежал?

— Нет. Он приехал сюда дико разъяренный. Я думала, что он наверняка потерял еще один из своих замков, иначе чего бы ему быть в таком состоянии. Но он пробыл здесь меньше недели и уехал точно за один день до вашего появления.

От этого сообщения Уоррик еще раз грязно выругался.

— Вы знаете, куда он уехал?

— Ко двору. Его резервы так потрепаны, что он не может продолжать войну с вами без помощи со стороны Стефана. Но он и раньше пытался получить ее, и вряд ли что из этого получится сейчас, потому что он не числится у Стефана в фаворитах из-за своего отца Гилберта Хьюго, несколько лет назад выступившего против Стефана. Воистину, вырвав мою дочь из рук Гилберта, вы вырвали также из-под его контроля и оставшуюся собственность моей дочери. В случае, если вы возьмете крепость, у Гилберта останется только небольшое имение в...

— Мадам, у меня нет вашей дочери, — прервал ее выведенный из себя Уоррик. — Получи я такой приз, я не преминул бы хорошенечко воспользоваться тем, что единственная наследница лорда Белмса находится у меня в руках. Как вы говорите, это лишило бы д'Амбрейя его последних резервов.

— Я не знаю, почему вы настаиваете, — начала Анна. Она наморщила лоб. — Может быть, вы не знаете, кто она?

— Боже, — взорвался Уоррик. — С меня достаточно Шелдон, займись ею.

— Это доставит мне удовольствие, — произнес, рассмеявшись, Шелдон. — Но прежде чем ты уйдешь, почему бы тебе не спросить, как зовут ее дочь. До тебя еще не дошло, кого так сильно напоминает эта леди?

Уоррик бросил на приятеля тяжелый взгляд, посмотрел на Анну и замер. Он не стал снова ругаться, когда понял, почему ее лицо было ему знакомо, но в его голосе появились леденящие нотки.

— Ну, так скажите мне, леди Анна, как зовут вашу дочь?

Анна была совсем не уверена в том, что ей хотелось сказать ему это сейчас. Она никогда не видела, чтобы кто-нибудь мог так неожиданно менять выражение лица. Оно стало необыкновенно жестоким. Анна сделала шаг назад. Шелдон обнял ее за плечи, это ее утешило, но все же...

— Может быть, я ошибаюсь...

— Нет, вы не ошибаетесь, а вот я ошибся, подумав, что могу доверять такой бесчестной женщине!

— Почему он так сердит? — спросила у Шелдона Анна, когда Уоррик ушел от них. — Ведь я же видела Ровену, не так ли?

— Да, и вы были также правы, когда подумали, что она не сказала ему, кем она является.

— Если она этого не сделала, значит, у нее для этого были веские основания!

— Сомневаюсь, что мой друг будет так думать, — ответил Шелдон, но, увидев тревогу на лице женщины, поспешил успокоить ее: — Он не причинит ей вреда. Сейчас он думает, что в крепости его ожидает ловушка, и поэтому сердит, а как только он возьмет ее, его гнев сразу же пройдет.

— Но я сказала правду. Потайной ход открыт и не охраняется.

— Тогда пойдемте, я провожу вас в свою палатку, и вы сможете переждать в ней, пока все закончится.

Глава 45

Ровена увидела двух решительно направлявшихся к ней стражников и все поняла, даже до того, как они произнесли хоть слово. Им уже можно было бы ничего ей не говорить.

— Госпожа, у нас есть приказание от лорда Уоррика. С этого момента вы должны находиться в темнице.

Она ожидала именно этого, но все же, смертельно побледнев, решила задать вопрос:

— Он не говорил, сколько я там буду находиться?

— С этого момента, — повторили те.

Она предвидела, как поступит Уоррик, узнав, что ее сводным братом был Гилберт д'Амбрей. Ей бы следовало собрать в кулак все свое мужество и сказать ему об этом самой, когда у нее была такая возможность. Правда, в этом случае ей пришлось бы столкнуться с его гневом, но она была бы рядом с ним и смогла бы попробовать его успокоить. По крайней мере, она могла бы объяснить ему, почему она ему этого не сказала раньше. Уоррик, конечно же, предположил худшее и жаждал мести. Нет, не так. Он просто рассвирепел, вот в чем была причина.

Стражники знаками приказали ей следовать за ними. Ровена повиновалась. А какой у нее был выбор. Хорошо хоть в зале, кроме нее, в этот момент никого не было, и Ровена удержалась от слез. В присутствии Эммы, которая стала бы протестовать, или Милдред она скорее всего разревелась бы.

Конечно она знала, что Уоррик с нею так поступит, но где-то в глубине души питала надежду, что он все-таки не пойдет на это.

Когда появился тюремщик, которого Ровена панически боялась, и с мерзкой ухмылкой торжествующе объявил, что она вновь будет находиться под его опекой, Ровена повернулась к нему спиной, и ее стошнило. Внутри у нее все сжалось, и ее вывернуло наизнанку. Теперь ей захотелось поплакать, но слез не было.

Час спустя появился Джон Гиффорд и сказал ей, что ему пришлось применить силу, чтобы заставить тюремщика уйти. Ровена перебила его:

— Вы находитесь здесь по приказанию Уоррика?

— Нет, миледи. Слух о том, что вы снова очутились здесь, распространился очень быстро, и, как только он достиг моих ушей, я сразу же пришел сюда.

Услышав это, Ровена расплакалась. Она не знала, почему в прошлый раз к ней приставили Джона, да она и не спрашивала об этом. Но то, что в этот раз его никто не присылал, говорило само за себя. Уоррику было безразлично то, что произойдет с ней в темнице.

Некоторое время спустя она услышала какой-то спор в

помещении охраны и узнала голос Милдред. В последнее время Джон и Милдред очень подружились. Было нетрудно догадаться, о чем они спорили. Когда все затихло, Ровена поняла, что Джон одержал верх. Милдред не разрешили видеться с Ровеной, а Джон не мог поступить наперекор своему господину и выпустить Ровену.

Прошло еще два часа, затем дверь открылась и снова появился Джон.

— Он передумал, миледи. Я знал, что он это сделает, но теперь вы должны будете находиться в его комнате и у дверей будет стоять охранник.

— А что, если я предпочту остаться здесь? — поинтересовалась Ровена.

— Вам этого не хочется.

— Нет, хочется.

Джон вздохнул.

— Посыльный привез приказ. Если вы не захотите идти сами, стражники потащат вас.

— Тогда я непременно пойду сама.

— Не надрывайте себе сердце...

— Нет, Джон, — оборвала она его. — Мое сердце умерло, потому что оно больше не болит.

Боже милостивый, ну почему это не могло быть правдой? Она молила Бога, чтобы он лишил ее возможности ощущать боль. Но боль была очень сильной и не отпускала ее. Но об этом никто не должен был знать, особенно Уоррик.

То, что ей поменяли место заключения, не дало ей никаких надежд. Уоррик, должно быть, просто вспомнил, что она вынашивала его ребенка. Очевидно, он забыл об этом, когда его охватил приступ ярости, а когда вспомнил, то разозлился еще больше, так как должен был пойти на уступки, чтобы защитить ребенка. Она ни на минуту не сомневалась, что у него не было никаких других причин для перевода ее в более комфортабельную тюрьму.

Кроме охранника, который приносил Ровене еду, ей ни с кем не разрешили видеться. Каждый раз, когда она пыталась заговорить с ним, в ответ раздавалось невнятное бормотание, поэтому она прекратила свои попытки. Честно говоря, она бы предпочла остаться в темнице под присмотром Джона.

Теперь она часто сидела в нише окна и смотрела во двор. Ничего интересного там не происходило, но это все же было лучше, чем ничего. Ровена очень много шила для ребенка, который должен был родиться уже через три месяца.

Об осаде Амбрей ей никто ничего не говорил. Но Уоррик, узнав о ней правду, должен был захватить замок. Был ли там Гилберт? Попал ли он в плен и погиб? Все ли было в порядке с ее матерью? Свободна ли она? Или попала в новую тюрьму из-за его гнева?

Она считала дни. Маленьким столовым ножом она делала неглубокие зарубки на резной стойке кровати, отмечая каждый прошедший день. Стойки были очень изящными, богато инкрустированными, и теперь на одной из них было двадцать пять отметок, которыми ей нравилось любоваться. Но прежде чем на стойке появилась двадцать шестая зарубка, вернулся Уоррик.

Ровену об этом никто не предупредил. Он просто вошел в комнату и остановился у ниши окна, в которой, положив ноги на маленькую скамеечку, сидела Ровена, скрестив руки на увеличившемся, но еще не округлившемся животе, и пыталась определить, толкался ли это в животе ребенок или с ней самой что-то не так. Увидев Уоррика, она решила, что причина была в ней самой.

— Значит, всемогущий полководец вернулся, — произнесла она, не заботясь о том, какое впечатление произвел на него ее ехидный тон. — Вы убили Гилберта?

— Я его еще не нашел, хотя долго охотился за ним.

— Значит, поэтому вы не возвращались сюда? Но у вас ведь не было причины торопиться с возвращением, не правда ли? Вы сюда присылали приказы. Этого было достаточно.

— Боже мой, ты еще осмеливаешься...

Он замолчал, когда увидел, что она отвернулась и смотрит в окно, умышленно игнорируя его. Ровена не испугалась и не раскаивалась. На ее лице было само спокойствие. Он этого не ожидал, да он много и не думал о том, как она его может встретить, потому что он заставил себя не думать о ней, сконцентрировавшись исключительно на поисках д'Амбрейа. Но сейчас он обнаружил, что ему не нравится то негодование, которое слышалось в ее голосе. И он ощутил тот же гнев, который он испытывал в тот вечер, когда встретил ее мать.

Уоррик уселся на скамью напротив Ровены.

— Такое невинное поведение, чтобы прикрыть такую ложь, — холодно заметил он.

Она посмотрела на него, брови у нее изогнулись дугой, и спросила спокойным голосом:

— Когда я лгала? В Киркборо, когда я не знала, кто вы такой? Или когда вы явились в Киркборо со своей армией, чтобы убить моего сводного брата? Но я думала, что вам был нужен Гилберт д'Амбрей — ваш заклятый враг, и я должна была вам сказать обо всем, но была уверена, что вы убьете меня, узнав, что я его сводная сестра. Или, может быть, мне следовало рассказать вам, когда вы в первый раз бросили меня в свою темницу? Должна ли я была тогда говорить вам это, Уоррик, чтобы усугубить то, что вы приготовили для меня?

— Ты знала, что я не убил бы тебя!

— Нет, тогда я этого не знала!

Они смотрели друг на друга пылающими взорами. Ровена никак не могла успокоиться, сдержать гнев, который двадцать пять дней не находил выхода. Ее глаза горели, в то время как его взгляд приобрел леденящий оттенок.

— А после твоего побега д'Амбрей вернул тебя шпионить за мной?

— Он считал, что сумеет поставить вас на колени. Но, когда вы неожиданно появились здесь, у него уже не было времени думать ни о чем, кроме собственного спасения. Но и тогда я вам не сказала, что он был д'Амбрей, по тем же самым причинам. Я не хотела снова испытать на себе ваш гнев.

— И я должен верить этому, когда более вероятно, что вы на пару с д'Амбреем участвуете в обмане? Он оставил тебя в Киркборо, чтобы я тебя там нашел, — резко напомнил он ей. — И я должен был поддаться твоим чарам и рассказать все планы?

— Он оставил меня там потому, что испугался. Вы приближались к замку во главе пятисот воинов, тогда как у него их осталась всего горсточка. Гилберт намеревался вернуться обратно с армией Лайонза, которую тот послал, чтобы отбить у вас Турез. Вероятнее всего, я просто была обузой для него. В тот день он очень испугался и был в ярости. Он собирался оставить меня у вас только на то время, которое ему потребуется для того, чтобы вернуться с армией.

Уоррик усмехнулся:

— Очень умно придумано, женщина, но я не верю ни одному твоему слову.

— Вы думаете, меня еще волнует, верите ли вы мне? В прошлом месяце это было так, но сейчас нет.

— Твое положение зависит от того, женщина, чему я поверю, — напомнил он ей.

— Мое положение уже не может быть хуже.

— Не может? — спросил он с явной угрозой. — Нужно было бы как следует тебя наказать, а не просто ограничить твою свободу.

Ее ослепила вспышка ярости, и она вскочила на ноги.

— Давайте, черт бы вас побрал! Действуйте! От этого я не стану ненавидеть вас больше, чем сейчас!

— Сядь, — угрожающе произнес он.

Ровена не подчинилась. Потом она села, но не рядом с ним. Она обогнула камин и села на скамью у другого окна, повернувшись к нему онемевшей спиной. Она ненавидящим взором смотрела в окно, ее руки, лежавшие на коленях, дрожали. Ровена ненавидела его. Презирала его. Ей хотелось, чтобы он...

Он подошел сзади и своим телом перекрыл нишу окна, у которого она сидела. Для того чтобы уйти, Ровене пришлось бы оттолкнуть его.

— Тебе не удалось оправдаться, женщина. И я, по правде говоря, не поверю больше ни одному твоему слову. Твой поступок сродни предательству. Если бы ты мне сказала, что это был д'Амбрей, я бы вогнал его в землю, несмотря на мрак ночи. Если бы ты мне сказала, что ты Ровена Турезская, я бы раньше смог обеспечить безопасность твоих оставшихся владений и поэтому...

— Раньше? — едко прервала она его. — Уж не думаете ли вы, что я помогу вам сделать это сейчас. Я не помогу вам даже, если бы вы были...

— Замолчи! — рявкнул он. — Твое возмущение, женщина, совершенно неуместно. Я не мог оставить тебя на свободе, чтобы ты общалась с этим дьявольским отродьем. И я не уверен, что он тайно не оставил здесь кого-нибудь, чтобы доставлять ему твои сообщения. Теперь мне придется допросить моих людей, чтобы избавиться от тех, кого здесь не было до твоего появления, невзирая на то, виновны они или нет. И будь благодарна за то, что я не оставил тебя в темнице.

— Благодарной за эту могилу, где я не смогла услышать ни

одного человеческого слова с того момента, как меня здесь заперли? О, да, я благодарна.

Вслед за этим наступила тишина. Она не обернулась, чтобы посмотреть, не было ли признаков того, что он раскаивается, или хотя бы свидетельств того, что он понял, к чему ее приговорил, когда приказал запереть ее здесь. В своей ярости он осудил ее без суда, даже не спросив, виновата ли она. Проклятая боль, которая, как она надеялась, должна была уже пройти, усиливалась, скручиваясь в груди и застывая в горле.

Наконец, она услышала, как он вздохнул:

— Ты вернешься к своим обязанностям, тем, которые тебе определили в первый раз. Но не сомневайся, за тобой будут присматривать. И доверять тебе больше не будут.

— А мне когда-нибудь доверяли? — спросила она глухо. Боль стала душить ее.

— Когда ты делила со мной мое ложе, я верил, что ты не предашь меня.

— Но я же не сделала этого. То, что я сделала, называется самосохранением.

— Твое притворство, когда ты изображала, что я тебе желанен?

Ровене очень захотелось сказать, — да, и это тоже, но она не стала лгать, чтобы причинять ему такую же боль, как ей.

— Нет, мое молчание. Но вы не волнуйтесь, больше я не буду досаждать вам своим непристойным поведением. То, что я чувствовала по отношению к вам, прошло.

— Черт тебя побери, Ровена, ты не заставишь меня пожалеть о моих действиях. Это ты...

— Давайте прекратим взаимные упреки. Я больше ничего не хочу слушать, только скажите, что вы сделали с моей матерью.

Он так долго молчал, что у нее исчезла надежда получить ответ. Он был достаточно жесток, чтобы оставить ее в неведении, но оказалось, все же не настолько.

— Я оставил ее на попечении моего друга Шелдона де Вера. Она помогла мне захватить замок Амбрей. За что и удостоилась моей благодарности. Она также помогла мне занять все твои оставшиеся владения, что должна была бы сделать ты. Армия д'Амбрейя была выбита оттуда малой кровью. Он больше не управляет тем, что принадлежит тебе.

Ровена не стала благодарить его за это. Потому что теперь

264

он управлял всеми ее владениями так же, как и ею самой, и было не похоже, что он когда-нибудь откажется от всего этого.

Спокойно, не глядя на него, с едва сдерживаемым отчаянием она сказала:

— В тот день, когда вы победителем вошли в Киркборо, я намеревалась просить вас взять меня под свою опеку... Меня не смущали все ужасные истории, которые я о вас слышала, лишь бы вы оказались хоть чуть-чуть лучше Гилберта, но этого не произошло. Вы сразу же бросили меня в темницу. И не удивительно, что я не испытывала особого желания сказать вам, кто я на самом деле.

Он вышел, а ее глаза наполнились слезами.

Глава 46

То, что Ровена вернулась к исполнению своих обязанностей, не изменило к лучшему мрачной атмосферы, царившей в Фалкхерсте. Мэри Блауэт не испытывала радости оттого, что Ровена опять попала в ее подчинение. Мелисанта часто плакала. Милдред беспрестанно ворчала. А Эмма наградила своего отца таким злым взглядом, что ему следовало бы ее за это отругать, но он не сделал этого. В трапезной во время приема пищи стояла такая тишина, что даже кашлянуть никто не решался.

Ровена отказалась с кем-либо говорить обо всем этом, в том числе и с Милдред, на которую она была сердита за то, что та подтолкнула ее.на действия, которые таким ужасным образом обернулись против нее. Не Уоррик пострадал, а именно она! Так что теперь она едва слушала то, что говорила Милдред, и почти ничего не отвечала.

Все последующие недели были очень похожи на первые дни, проведенные Ровеной в замке Уоррика. Изменения были незначительны: ее не звали помогать ему во время купания, не приглашали к нему в постель. Он вообще едва обращал на нее внимание, и если вдруг его взгляд падал на нее, его лицо ничего не выражало. Она была не больше того, чем он с самого начала хотел ее сделать: служанкой, не заслуживающей его внимания. Из упрямства она перестала носить свою собственную одежду, хотя он и не настаивал на этом. Если ей суждено быть не более чем служанкой, она и выглядеть хотела как служанка.

Ровена пребывала то в состоянии депрессии, то горького отчаяния. Она с удовольствием занималась с Эммой, когда у нее находилось время, но старалась не показать девушке своих чувств.

Но важнее было скрыть свои чувства от Уоррика.

Настал день, когда Эмму отправили в дом Шелдона, где она должна была сочетаться браком с молодым Ричардом. Ровена сшила Эмме свадебное платье, но присутствовать на свадьбе ей не было разрешено. Именно в этот день она перестала сдерживать чувство обиды и негодования. Уоррик тотчас заметил перемену. Дважды в один день пища оказалась опрокинутой ему на колени. То, что это случилось дважды, не могло быть простой случайностью. У себя в сундуке он больше не мог найти одежды, которая не нуждалась бы в каком-нибудь ремонте. К концу недели его покои представляли собой отвратительное зрелище. Простыни на его постели не были как следует выстираны, от этого у него появилась сыпь на коже. Вино его делалось все кислее и кислее, а эль теплее и теплее. Еда, которую она чуть ли не швыряла ему на стол, становилась все больше пересоленной.

Но Уоррик ничего ей об этом не говорил. Он не доверял себе и боялся, что, если заговорит с ней, это закончится тем, что он потащит ее к себе в постель. Он так страстно желал ее, что боялся даже прикоснуться к ней. Но он и не прикоснется к ней. Она его обманула. Она была заодно с его противником. Ее смех, ее подшучивание, ее желание принадлежать ему — все это ложь. Но тем не менее он не мог ее ненавидеть. Он никогда не простит ее, никогда не прикоснется к ней, никогда не даст ей понять, какую глубокую рану она ему нанесла, но ненавидеть ее он не мог — не мог он и перестать желать ее.

Уоррик злился на себя за то, что оставался в замке. Ему следовало уехать и самому заняться поисками д'Амбрейя, а не отправлять на поиски других. Или поехать навестить Шелдона и его новую жену. Он не сказал Ровене о свадьбе ее матери, так как это сообщение наверняка положило бы конец, хотя и на время, тому состоянию обиды и негодования, в котором Ровена пребывала. Можно подумать, что у нее есть причины для обиды. У него они есть, а у нее — нет.

Ему следовало бы уехать, но он оставался. И он все еще был в замке, когда туда явился Шелдон со своей новой женой.

Уоррик встретил их на лестнице, ведущей в крепость. Шелдон широко улыбнулся, приветствуя его, и посоветовал ему «собраться с духом». Потом он прошел в зал, оставив Уоррика наедине с леди Анной. Ее крепко сжатые губы подсказали ему, чего ему следовало ожидать. И Анна сразу, без предисловий, приступила к делу.

— Я здесь, чтобы повидать свою дочь, и не вздумайте отказать мне в этом, сэр. Ваша собственная дочь только что поведала мне о том ужасном обращении, которому вы подвергаете Ровену. Я не уверена, что смогу простить Шелдону, что он сам мне не рассказал этого. Знай я это раньше, я бы устроила-таки вам ловушку в крепости Амбрей, вместо того чтобы передать замок вам...

— Достаточно, госпожа. Вы ничего не знаете о том, что произошло между мной и Ровеной. Вам ничего не известно о том, что ваша дочь сделала мне. Она моя пленница и таковой останется. Вы можете повидать ее, но не сможете взять ее отсюда. Вам понятно?

Анна открыла было рот, чтобы возразить, но промолчала. Она внимательно посмотрела на него, затем слегка наклонилась и прошла мимо. Но она не сделала и двух шагов, как резко обернулась.

— Я не хочу вас запугивать, лорд Уоррик. Мой супруг заверяет меня, что у вас есть причины быть таким, какой вы есть. Я в это не очень верю, но он также сказал мне, что, вероятно, вы думаете, что Ровена оказалась добровольной пешкой в замыслах Гилберта.

— Я не думаю, я знаю это, — сухо ответил Уоррик.

— Тогда вас неправильно информировали, — упорствовала Анна. Затем продолжила более спокойным и рассудительным тоном: — Моя дочь любит меня. Вы полагаете, что она стала бы хоть как-то помогать Гилберту, если бы не была свидетелем того, как он жестоко избил меня, чтобы добиться ее содействия в осуществлении его планов?

Уоррик напрягся.

— Содействия в чем? — спросил он жестко.

— Гилберт заключил с Гудвином Лайонзом сделку относительно Ровены. Ровена отказалась, я тоже считала такое супружество недостойным. Он был старым развратником, его имя было связано со многими скандальными историями, он никоим образом не был ей парой. Но Лайонз пообещал Гилберту свою армию, которая ему была нужна, чтобы воевать против вас. Тогда Гилберт привез Ровену в Амбрей и силой заставил ее смотреть, как он избивал меня.

— Почему вас? Почему не ее?

— Потому что, насколько я могу понять, он по-своему любит ее. Он не хотел испортить ее красоту, по крайней мере не тогда, когда должна была состояться свадьба в Киркборо. Но избить меня не составляло для него труда, и он не остановился бы до тех пор, пока она не дала бы согласия на брак с Лайонзом. Но я совершенно уверена, что она опять заартачилась бы, как только он отпустил бы меня. В конце концов, она упрямая, и, думаю, у нее было желание нарушить все планы Гилберта после того, что он сделал со мной. Но он хвастался мне, что окончательно запугал ее и добьется от нее того, чего захочет. На сей раз он откровенно предупредил ее, что убьет меня, если она ослушается его. Я уверена, что он так бы и сделал. Ему не в такой степени присуща жестокость, как его отцу. Но она ему поверила. И она не могла не возненавидеть его. Что случилось? — спросила она с изумлением, видя, как мертвенно побледнел Уоррик.

Уоррик покачал головой, стон вырвался из его груди, когда в памяти всплыли слова, которые произносила Ровена, склонившись над его прикованным к кровати телом, и объясняла ему, что от него хотела. «Мне это так же не нравится, как и вам, но у меня нет выбора — у вас его тоже нет». Нет выбора. Она старалась спасти жизнь своей матери. Она не хотела насиловать его. И она так сожалела об этом, что приняла его месть как должное.

— А-а-а! — мучительно прорычал он, чувствуя, как невыносимая боль разрывает ему грудь.

Анна насторожилась.

— Подождите, я пошлю за...

— Не надо, со мной ничего такого не случилось, что не мог бы вылечить хороший кнут, — сказал Уоррик, испытывая отвращение к самому себе. — Вы были правы, госпожа, когда ругали меня. Я самый настоящий... Боже, что я наделал!

Он поспешил мимо леди Анны в зал. Когда он проходил мимо Шелдона, он сказал ему только одну фразу:

— Задержи свою жену здесь, — и побежал вверх по лестнице.

Когда он вошел в комнату для швей, Ровена была там не одна. С ней была Милдред и еще три женщины. Они взглянули на него и сразу же поспешили из комнаты. Только Милдред не спешила уходить. Она окинула его тем холодным взглядом, которым она смотрела на него уже давно. Но он смотрел только на Ровену. Та поднялась и отбросила в сторону ткань, лежавшую у нее на коленях. Всем своим поведением показывая откровенное раздражение.

— Раз уж вы прервали нашу работу, что вы хотите? — спросила она сердито.

— Я только что разговаривал с твоей матерью.

На лице у Ровены появилось удивление, смешанное с радостью.

— Она здесь?

— Да, и ты можешь с ней сейчас повидаться, но мне сначала нужно поговорить с тобой.

— Не сейчас, Уоррик! — сказала она нетерпеливо. — Я не была со своей матерью уже три года и видела ее только один раз несколько месяцев назад, когда...

Она не закончила и нахмурилась, а он с готовностью подсказал ей:

— Когда что?

— Неважно.

— Важно. Когда д'Амбрей избивал ее?

— Она сказала вам об этом?

— Да, и еще больше. Почему ты мне никогда не говорила, что он угрожал ей и ее жизнь была в опасности?

Она широко раскрыла глаза:

— И вы осмеливаетесь спрашивать меня об этом? Вы бы и не стали прислушиваться к голосу рассудка. «Никогда не говори, что у тебя была причина сделать так, как ты сделала». Это ваши слова, мой господин.

Он поморщился.

— Я знаю. В то время не имело никакого значения, знал я или нет об этой причине. Но сейчас это имеет большое значение.

Он замолчал, не зная, спрашивать ли еще, но ему нужно было знать, и он спросил:

— Он тебя еще и принудил шпионить за мной?

— Я говорила вам, он об этом и не помышлял. Он был слишком занят тем, чтобы придумать, как можно использовать против вас армию, которую только что заполучил.

Уоррик прислонился спиной к закрытой двери, вид у него был совсем унылый.

— Тогда, значит, я ошибался еще больше, чем я думал вначале. Боже мой, ты была совсем ни в чем невиновна, даже в том обмане, в котором я тебя недавно обвинил.

Ровена смотрела на него, не спуская глаз, не веря своим ушам.

— Невиновна ни в чем? Так я же изнасиловала вас. Вы это забыли?

— Нет, я простил тебя за это. Но...

— Когда это вы меня простили? — спросила она требовательно. — Я не слышала слов, подтверждающих это.

Он бросил на Ровену сердитый взгляд за то, что она перебила его, и за то, что она была такая бестолковая.

— Ты прекрасно знаешь когда, женщина. Это было в тот день, когда ты попросила меня о благодеянии — в ту ночь, когда ты не могла уснуть.

Щеки у Ровены вспыхнули.

— Вы могли бы и сказать об этом, — пробурчала она, и тут же добавила, вспомнив о последних неделях: — Но теперь это уже не имеет значения.

— Ты права. Мне не в чем тебя винить и не за что прощать, так что это совсем не имеет никакого значения. Это ты должна меня простить. Ты можешь простить?

Она долго в упор смотрела на него, потом безразлично подернула плечами:

— Конечно. Вы прощены. Могу я теперь увидеть свою мать?

Уоррик нахмурился.

— Ты не можешь так легко простить мне мою вину.

— Не могу? Почему же? Или вам только что пришло в голову, что мне совершенно безразлично, сожалеете ли вы или нет о своей вине?

— Ты все еще сердишься, — догадался он и кивнул. — Я не могу винить тебя за то, что ты сердишься. Но я постараюсь все уладить. Мы поженимся, и когда...

— Я не выйду за вас замуж, — спокойно прервала его Ровена, слишком спокойно.

Теперь настала его очередь уставиться на нее, и он взорвался:

— Ты должна выйти за меня!

— Почему? Чтобы вы могли искупить свою вину? — Она медленно покачала головой.

— Или вы не слушали в тот день, когда я сказала вам, что все чувства, которые я испытывала к вам, больше не существуют. Их больше нет в моем сердце. С чего бы это мне хотеть выходить за вас замуж, Уоррик? — И тут самообладание покинуло ее. — Приведите мне хотя бы одну стоящую причину?

— Чтобы наш ребенок не был незаконнорожденным!

Она закрыла глаза, чтобы скрыть свое разочарование. Чего она ожидала? Что он скажет, «потому что я люблю тебя»?

Ровена вздохнула. Когда она снова посмотрела на него, взгляд ее не выражал ничего.

— Ну что ж, хоть это, — сказала она без всяких эмоций. — Но этого еще недостаточно, чтобы...

— К черту, Ровена, ты...

— Я не выйду за вас, — прокричала она, окончательно потеряв выдержку и больше не сдерживая своего раздражения. — И если вы попытаетесь заставить меня сделать это силой, я отравлю вас! Я кастрирую вас, пока вы будете спать! Я...

— Не нужно продолжать.

На лице у него было опять то же выражение, которое однажды уже ее ввело в заблуждение: он был похож на человека, терзаемого болью. Но на этот раз она не дала себя обмануть.

— Если вы хотите искупить свою вину, Уоррик, отпустите меня. Откажитесь от своих прав на ребенка и позвольте мне вернуться домой.

Прошли нескончаемые секунды. Уоррик, опустив голову, кивнул в знак согласия.

Глава 47

Он не появлялся. У нее вот-вот должна была родиться от него дочь, но он не появлялся. А это будет-таки дочь, его ребенок. Пусть небольшое, но все-таки возмездие с ее стороны — родить дочь, а не сына, которого так хотел Уоррик. Она так решила, так хочет, значит, новорожденный младенец будет девочка. Ну должно же ей хоть чуть-чуть повезти.

Но Уоррик не появлялся. А с чего она решила, что он появится? Просто потому, что он приезжал в Турез один раз в месяц с тех пор, как она покинула Фалкхерст?

Он все еще хотел, чтобы она стала его женой. Она по-прежнему этого не хотела. Она была груба с ним. Дважды она вообще отказалась видеться с ним. Но он продолжал приезжать. Он продолжал убеждать ее, что они принадлежат друг другу. Значит, он раскаивался. Но ей-то какое было до этого дело? Слишком поздно.

Но он не оставлял попыток убедить ее. Он привлек ее мать на свою сторону, и Анна просто не отставала от нее.

— То, что он хочет жениться на тебе, не имеет никакого отношения к его вине, — убеждала Ровену Анна во время одного из ее многочисленных визитов. — Он хотел, чтобы ты стала его женой еще до того, как понял, в чем его вина. Он принял это решение, когда привез тебя в замок Амбрей. Так мне сказал Шелдон.

Шелдон был еще одной болезненной темой. Что касается лично Ровены, так он похитил у нее мать. Он воспользовался незащищенностью Анны, завоевал ее расположение и женился на ней прежде, чем она поняла, что к чему. Теперь он ее убедил, что она его обожает, тогда как это просто невозможно — ведь он друг Уоррика.

А потом, месяц назад, когда Ровена пребывала совсем уж в плохом расположении духа, Анна явилась с новым откровением.

— Он любит тебя. Он сам мне об этом сказал, когда я его спросила.

— Мама! — воскликнула в ужасе Ровена. — Как ты могла спрашивать его об этом?

— Потому что я хотела знать. Ты-то уж, конечно, никогда не взяла на себя труд спросить его об этом.

— Конечно, нет, — ответила Ровена раздраженно. — Если мужчина не говорит об этом по собственному желанию.

— Моя дорогая, когда я спросила, сказал ли он тебе о своей любви, он ответил, что не знает, как это сделать.

Ее мать не могла бы лгать, но Уоррик солгал бы. Сказал бы матери именно то, что той хотелось услышать. Как разумно с его стороны, и не придерешься.

из-за того, что Уоррик так безжалостно преследует его. Или отчаяние может такое сделать с человеком?

Она подозрительно прищурилась и спросила:

— Ведь не из-за этого же вы явились сюда, Гилберт? Вы же ничего не знали о ребенке. Зачем вы пришли сюда?

— Жениться на тебе.

— Вы сошли с ума!

— Нет, нисколько, ты вернула себе всю свою собственность, все в твоих руках, — начал объяснять он. — Сейчас очень выгодно жениться на тебе, ибо в качестве твоего супруга...

— Я поклялась в верности Уоррику, — солгала она. — Он не допустит, чтобы я досталась вам.

— Он не может мне помешать. Пусть только попробует. Ему придется снова захватывать те замки, которые он отдал тебе, да и другие тоже. На этот раз он исчерпает все свои ресурсы, и тогда, наконец, я покончу с ним.

— Гилберт, ну почему вы не можете угомониться? Вы проиграли. Почему вы не уедете из страны, пока еще можно? Отправляйтесь ко двору короля Луи или Генри. Начните все сначала.

— Теперь, когда у меня есть ты, меня нельзя назвать побежденным.

Ровена спокойно возразила:

— Но я не ваша. Если я не выйду замуж за Уоррика, которого люблю, Бог свидетель, я никогда не выйду замуж. Тем более за вас. Я скорее выпрыгну из окна. Вам доказать это?

— Не говори глупостей, — оборвал он ее, выходя из себя из-за того, что она созналась в своей любви к его противнику. Но в данный момент его больше обеспокоила ее угроза, потому что она сидела слишком близко от окна.

— Если... если ты не хочешь со мной спать, ну и не надо, но я должен жениться на тебе, Ровена. Сейчас у меня нет другого выхода.

— Нет, у тебя есть выбор, — произнес Уоррик, стоящий в дверях, — вытаскивай свой меч, и я покажу тебе.

Ровена так испугалась, увидев его, что даже не смогла никак отреагировать, когда Гилберт подскочил к ней и приставил ей нож к горлу.

— Бросай свой меч, Фалкхерст, или она умрет, — приказал торжествующе Гилберт.

— Уоррик, не делайте этого! — закричала Ровена. — Он не убьет меня, — заверила она его.

Но Уоррик не слушал ее. Он уже бросил свой меч. И он так легко жертвовал своей жизнью? Из-за чего, если только не...?

— Теперь иди сюда, — приказал ему Гилберт.

Ровена не поверила своим глазам, когда Уоррик без колебаний сделал шаг вперед. Он действительно собирался подойти к Гилберту и позволить тому убить себя. Ну уж нет, она пока еще была в своем уме.

Гилберт стоял рядом с ней, но ближе к проему окна, чем непосредственно к ней. Его нож даже не касался кожи на ее шее, и он не спускал глаз с Уоррика.

Ровена подняла ногу, согнув ее в колене, и ударила Гилберта, толкнув в сторону Уоррика. Она вскарабкалась на оконный карниз и спрыгнула на плоскую площадку зубчатой стены.

Оба мужчины выкрикнули ее имя. При приземлении на каменную плиту ноги Ровены подогнулись, и она едва удержала равновесие. Боже милостивый, насколько же легче было спрыгнуть еще ниже — на крышу часовни. Она осторожно уселась на край стены, когда Уоррик высунулся из окна и увидел ее.

— Черт тебя побери, Ровена, ты почти до смерти меня напугала! — заорал он на нее.

Только почти? Боже милосердный, когда же ей повезет?

Но он тотчас скрылся, и из окна до нее ясно донесся звон мечей, и она поняла, что отвлекло его. Итак, они оба, наконец, получили возможность осуществить свое давнее желание — убить друг друга. И наплевать, что она сидела здесь, на краю стены, на высоте ста футов от земли, ну, может быть, семидесяти футов, так как эта выступающая часть замка была ниже главной башни замка.

Схватки, которые вдруг начались, застали ее врасплох, она качнулась, затем судорожно глотнула воздух, так как чуть не упала. Сердце бешено заколотилось, и она, не теряя времени, спрыгнула вниз. Опять приземление было довольно болезненным. И за ним последовал новый приступ схваток. На этот раз она согнулась, задержав дыхание, пока ей не стало легче, но вдруг холодный пот покрыл ее лоб. Нет, только не сейчас. Не может быть, чтоб дочь пожелала явиться на свет именно сейчас.

Ровена, твердо встав ногами на каменную, шириной в два

фута, дорожку, идущую по верху стены вокруг плоской деревянной крыши часовни, посмотрела на свое окно. Хотя ей нужно было вернуться туда, наверх, чтобы видеть, что там происходит в ее комнате, она сомневалась, что сможет сделать это без посторонней помощи. Одно дело спуститься со стены высотой в три фута, и совсем другое — забраться назад на узкую, с бойницами, стену. Она знала, как это сделать, но сейчас она была очень неуклюжа и вряд ли смогла бы осуществить такое без риска для жизни.

Рядом с ней, на крыше часовни, находился большой люк. Во время нападений на крепость воины пролезали через него и под прикрытием бойниц на стене пускали стрелы в противника. Он спускался вниз, в часовню, приблизительно на двадцать футов, но чтобы им пользоваться, нужна была приставная лестница. На стены можно было напасть только лишь из ее окна или через этот люк.

Она знала, что сейчас там не было никакой лестницы, но все же открыла крышку люка и наклонилась, чтобы посмотреть вниз. Маловероятно, что в часовне так поздно утром может оказаться отец Павел, но она все-таки позвала его по имени. Как и следовало ожидать, ответа не было, тогда она просто закричала «помогите!». Она не очень-то рассчитывала, что это поможет, но на ее крик в часовню вбежал слуга, правда, это был всего лишь мальчик, и единственное, что он смог сделать — так это лишь в удивлении уставиться на Ровену. И не успела она сказать ему, чтобы он принес лестницу, как на оконный карниз взобрался с мечом в руках Гилберт.

— Отойди назад, — крикнул он ей, спрыгнув прямо на каменную дорожку на стене. Но Ровена, парализованная страхом, не двинулась, решив, что Уоррик убит. Гилберт спрыгнул вниз. Одна нога у него неловко подогнулась, когда он приземлился на каменную плиту и угодил коленом в люк. Это совсем лишило Гилберта равновесия, и он упал бы в люк, если бы его живот не застрял в отверстии люка. Меч его покатился по крыше.

А Ровена продолжала стоять, страх за жизнь Уоррика парализовал ее. Она не сделала ни малейшего движения, чтобы толкнуть Гилберта в люк, хотя у нее и была такая возможность, не двинулась, чтобы подобрать его меч и сбросить его вниз. Она стояла, объятая ужасом, пока Уоррик не спрыгнул и не оказался прямо перед ней.

От неожиданности она вскрикнула, отпрянула еще дальше назад и прижалась спиной к низкой стене. Он просто улыбнулся ей, стараясь подбодрить, потом направился прямо на Гилберта, который уже успел подобрать меч.

Не успев обрадоваться появлению Уоррика, Ровена ощутила еще один приступ боли. Однако она не сводила глаз с мужчин, которые яростно сражались на маленькой площадке в непосредственной близости от нее. Ровена, когда было необходимо, отступала то в одну сторону, то в другую, стараясь не попасть в открытый люк или под меч. Опять появилась боль, и Ровена заглянула в люк, чтобы узнать, почему до сих пор не подоспела никакая помощь. Помощь все-таки пришла. Внизу у алтаря собралось несколько слуг, они растянули покрывало с алтаря, и один из них крикнул ей, чтобы она прыгала.

Идиоты! Она же не пушинка, которую могло бы выдержать покрывало. Под тяжестью ее тела тонкая ткань прорвется, она упадет на каменный пол и скорее всего убьется насмерть.

Но неожиданно ее лишили возможности выбирать, так как сражающиеся вновь приблизились к ней. Гилберт попятился и непреднамеренно подтолкнул Ровену к открытому люку. Она завизжала, ощутив, что теряет равновесие. Гилберт повернулся и, оценив ситуацию, бросил меч и успел подхватить свою сестру. Он повернулся к Уоррику спиной, забыв обо всем, желая спасти Ровену.

Она вцепилась в него, отчаянно сражаясь за жизнь, и не сразу отпустила его даже тогда, когда снова ощутила твердую опору под ногами.

Уоррик, о котором на время совсем забыли, дал о себе знать, произнеся:

— Отойди от нее, д'Амбрей.

В голосе прозвучала знакомая угроза: кроме того, острый конец меча, появившийся из-за плеча Ровены, уперся Гилберту в грудь. Казалось, этого было достаточно, чтобы было сделано так, как приказано. Однако Гилберт не отпустил ее, наоборот, его руки еще крепче вцепились в нее. Ровена достаточно хорошо знала Гилберта, чтобы понять, о чем он сейчас думал.

— Он не поверит, что моей жизни что-то угрожает после того, как ты только что спас меня, — обратилась она к Гилберту.

Уоррик не хотел отпускать Гилберта теперь, когда тот был

в его руках, но убийство Гилберта не вязалось с кодексом рыцарских представлений о справедливости. Спасенная жизнь всегда заслуживала достойного вознаграждения. Но жизнь, именно эту жизнь, Ровена все еще считала презренной. Если Уоррик должен проявить великодушие и простить, неужели он не мог подождать еще немного? Простить? Уоррик? Неужели карающий дракон севера действительно так сильно изменился?

Да, изменился, но нельзя сказать, что сам был тому рад. То, как он прорычал, опуская свой меч: «Я дарю тебе жизнь, но ты не будешь больше доставлять мне неприятности», прозвучало совсем не любезно.

Гилберт был не из тех, кто не воспользовался бы такой блестящей возможностью.

— Верни мне еще и д'Амбрей.

Ровена чуть не задохнулась от такой наглости Гилберта.

— Нет, Уоррик! Не делайте этого. Он не заслуживает...

— Я сам решу, чего стоит твоя жизнь, Ровена, — прервал ее Уоррик. — Так уж случилось, что один замок — нет, сотня замков не идет ни в какое сравнение с тем, что значишь для меня ты.

Не так уж романтично это сравнение с каменными сооружениями, но главное было не это, а то, что стояло за ним, и именно это и заставило Ровену онеметь, она оставалась безмолвной, пока Уоррик поклялся в свою очередь защищать его, Гилберта.

— Договорились. И Ровена...

Меч опять сверкнул в воздухе, и выражение лица у Уоррика теперь стало скорее угрожающим, чем просто раздосадованным.

— Ровена станет моей женой, если она пожелает. Но в любом случае она никогда больше не будет на твоем попечении. Не заставляй меня менять свои решения, д'Амбрей. Соглашайся на то, что я тебе предлагаю, и считай, тебе повезло, что я не добиваюсь полного и безусловного отмщения.

После этих слов Гилберт выпустил Ровену, и она тут же оказалась в крепких руках Уоррика. У Ровены начался новый приступ боли, и это напомнило ей о том, что у нее нет времени слушать их пререкания.

— Если вы оба все уже решили, моя дочь хотела бы уже

сейчас появиться на свет, но не здесь же, не на крепостной стене.

Оба мужчины в удивлении уставились на нее. Тогда она еще более выразительно произнесла:

— Сейчас, Уоррик, — и добилась лучшего результата. Точнее, этим результатом была паника. Поистине от мужчин очень часто не бывает никакой пользы.

Глава 48

— Ну и что означали все эти мольбы? — после того как все уже закончилось, поинтересовалась Милдред, передавая младенца Ровене в руки. — Ты хорошо потрудилась, моя милая. Он самый настоящий ангел, самый...

— Ему следовало бы быть девочкой, — проворчала Ровена, хотя и не могла сохранить кислое выражение лица, когда взглянула на этого очаровательного золотоволосого младенца.

Милдред стояла, посмеиваясь.

— Ну, не можешь же ты злиться на него вечно. Ты и так достаточно заставила его страдать. Мне его жалко.

— А мне — нет, — возразила Ровена. — Ты была единственным человеком, который не пытался заставить меня изменить решение.

— Только потому, что вы еще больше закусите удила, если вас понукать. В этом вопросе вы не слушали никаких доводов. Вам надо было самой убедиться, что человек любит вас. Но нужно ли было заставлять его ждать до самого последнего момента, чтобы сочетаться браком?

— Ждать? — удивленно спросила Ровена. — Он привел не повивальную бабку, а священника! И никто из них не ушел бы, не услышав «да» от меня. Это был шантаж. Это было...

— Чистой воды упрямство с вашей стороны. Вы знаете, что выйдете за него замуж. Вам просто нужно было заставить его страдать до конца.

Ровена сразу примолкла. Спорить в эти дни с Милдред было все равно что рвать на себе волосы. Ровена потеряла бы много волос.

— Конечно, вы просто проявляете упрямство. Человек был готов умереть ради вас. Как можно злиться на такое?

— А где мой... супруг?

— Ждет не дождется, когда увидит своего сына. Мне привести его или вы сама?

Не дожидаясь ответа, Милдред уже направилась к двери, чтобы привести Уоррика. Он появился через мгновение и смотрел на нее с такой теплотой и гордостью, что последние остатки враждебности у Ровены улетучились. Все-таки она его действительно любила. Она уже столько раз убеждалась в этом еще до того, как покинуть его замок, что теперь не было смысла отрицать очевидное.

Она застенчиво улыбнулась ему.

— Что ты о нем думаешь?

Уоррик посмотрел на него, но тотчас же опять перевел взгляд на Ровену. Глаза его смеялись, и он пошутил:

— Я надеюсь, что со временем его внешность изменится в лучшую сторону.

Она в страхе посмотрела на своего сына, но тут же фыркнула от смеха:

— Он выглядит совершенно нормально. Все новорожденные такие сморщенные и красные.

— А что случилось с дочерью, которую вы собирались мне преподнести?

Она покраснела, потом усмехнулась:

— Я думаю, что, в конце концов, мне повезло, мой господин, что именно это мое желание не исполнилось.

Он сел рядом с ней на кровать и, к ее удивлению, поцеловал ее.

— Спасибо тебе.

— Это было не так уж и трудно, ну, может быть, немножко.

— Нет, я благодарю тебя за то, что ты вышла за меня замуж.

— О, — произнесла она, и такие теплые чувства стали переполнять ее, что ей захотелось рассмеяться.

— В действительности... это я должна быть благодарна.

За это она получила еще один поцелуй, но уже не такой нежный.

— Ты больше на меня не сердишься?

— Нет, но если ты когда-нибудь опять отправишь меня в свою темницу...

— У меня ее больше нет. Ее сломали, как только ты вернулась в Турез.

— Зачем ты сделал это? — удивилась Ровена.

— Напоминание о том, что я сделал, было слишком невыносимым.

— Но у тебя были причины так поступить. Даже я могу...

— Не оправдывай меня, женщина.

Он был серьезен, но в голосе звучали и нотки самоиздевки.

— Очень хорошо, пострадай еще немножко, если так нужно. Но если хочешь знать мое мнение, такая хорошая темница не выполнила своего назначения.

— Может быть, я действительно слишком поторопился. — Уоррик состроил озабоченную гримасу. — Но я могу всегда вырыть еще одну.

— Лучше не надо, мой господин, — с напускной строгостью предостерегла она его.

— Тогда, если я когда-нибудь сочту, что тебя опять нужно запереть в моей комнате, я сделаю так, чтобы и мне наверняка оказаться запертым там с тобою вместе.

— Теперь против этого я возражать не буду.

— Значит, ты все еще так и осталась бесстыжей девчонкой.

— Вы не имеете ничего против того, чтоб я такой оставалась?

— Нет, совсем нет.

— И вы любите меня?

— Да, я люблю тебя.

— Не говорите это так, как будто делаете мне одолжение. Ты действительно любишь меня, Уоррик. Иначе и быть не может, ведь я...

— Я действительно люблю тебя, женщина.

Теперь признание прозвучало лучше, настолько лучше, что она притянула его голову, чтобы поцеловать его, а затем нежно прошептала ему на ухо.

— Я рада, что это был именно ты, Уоррик. Очень рада.

Он вспомнил эти слова, произнесенные давным-давно, и, наконец, признался.

— Я тоже рад, моя госпожа. Я тоже очень рад.

Линдсей Дж.

Л 59   Узник моего желания: Роман/Пер. с англ.
И. Блошенко, Т. Печурко — М.: ОЛМА-ПРЕСС,
1995.— 288 с.— (Волшебный Купидон).

ISBN 5-87322-270-3

Юная очаровательная леди Ровена после гибели отца попала в полную зависимость от своего сводного брата Гилберта, негодяя и интригана. Гилберт пытается сделать Ровену орудием дьявольской мести по отношению к своему недругу, лорду Фалкхерсту. Между лордом и Ровеной возникает взаимное чувство, отравленное ядом ненависти, обмана и предательства.

Л $\frac{4703000000\text{-}234}{\text{В } 29(03)\text{-}95}$ Без объявл.   ББК 84.7 США

Джоанна Линдсей

УЗНИК МОЕГО ЖЕЛАНИЯ

Роман

Редактор *Т. Тузова*
Художественный редактор *Г. Сауков*
Технический редактор *Е. Бушминкина*
Корректор *М. Козлова*

Лицензия ЛР № 070099 от 26.08.91 г.
Подписано в печать с оригинала-макета 30.05.95 г. Формат 84×108¹/₃₂.
Бумага газетная. Гарнитура «Таймс». Печать высокая. Усл. печ. л. 9,0.
Уч.-изд. л. 16,46. Тираж 51 000 экз. Изд. № 95-108-ВК. Заказ № 1129.
С 234.

Издательская фирма «ОЛМА-ПРЕСС».
103030, Москва, Новослободская, 18.

Государственное ордена Октябрьской Революции,
ордена Трудового Красного Знамени Московское предприятие
«Первая Образцовая типография» Комитета Российской Федерации
по печати. 113054, Москва, Валовая, 28

В 1995 году
издательская фирма «ОЛМА-ПРЕСС»
выпускает в серии «Волшебный Купидон»

ДЖ. ДЕВЕРО
ВОЛШЕБНАЯ СТРАНА

Дикая местность, населенная воинственными индейцами, разбойниками, заброшенные ранчо и чистые реки, вольница золотоискателей, торговля женским телом и кодекс чести пионеров Дикого Запада — вот мир героев романа Деверо, которые осваивают этот полный первозданного очарования край.

Драматические сюжетные повороты, достоверно воссозданные экзотические реалии и мастерски выписанные нюансы женской психологии произведут на читателя неизгладимое впечатление.

В 1995 году
издательская фирма «ОЛМА-ПРЕСС»
выпускает в серии «Волшебный Купидон»

К. ХАРТ

НЕОТРАЗИМАЯ

Брачный союз священника и проститутки вызвал недоумение и осуждение. Но новая земля дала новую жизнь Мэту и Джейд, похоронив в себе их горькое прошлое.

В 1995 году

издательская фирма «ОЛМА-ПРЕСС»

выпускает в серии «Волшебный Купидон»

ДЖ. ЛИНДСЕЙ
НЕЖНЫЙ ПЛУТ

В лирическом романе знаменитой современной писательницы Джоанны Линдсей рассказывается о сложных и драматических взаимоотношениях мужчины и женщины в великосветском мире.

В 1995 году
издательская фирма «ОЛМА-ПРЕСС»
выпускает в серии «Волшебный Купидон»

Д. ДАЙЕР

ИСПЫТАНИЕ МЕЧТОЙ

Да, красива, хотя глупа и капризна. Но очевидно именно это больше всего привлекает мужчин. Девлин Маккейн тоже не оказался исключением. Ему и Кейт Уинстед суждено было раскрыть древнюю тайну и сгореть в пламени внезапно вспыхнувшей любви.